JN006443

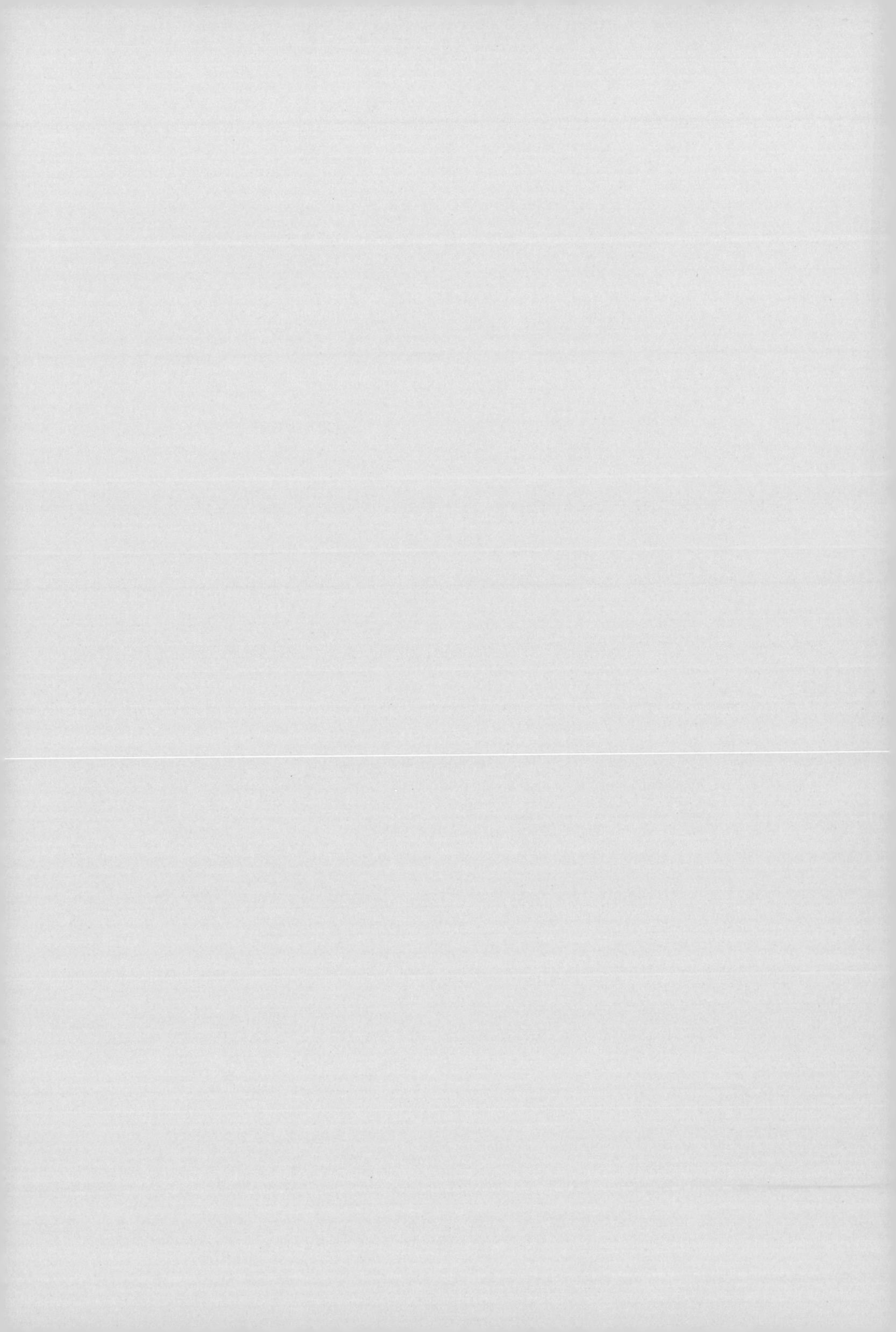

イタリアの小さな町　暮らしと風景

――地方が元気になるまちづくり

井口　勝文＝著

水曜社

まえがき

縁あってイタリア、メルカテッロで廃屋同然の町家を手に入れた。一九九三年十一月だった。それ以来家の修復作業を続けながら年に数か月、この町で過ごす生活になった。イタリアは都市の国と言われる。山奥の人口一四〇〇人の小さな町だが、この町のライフスタイル、生活の価値観はミラノなど大都市のそれと基本的には変わらない。そのありのままの姿が日々目の前で繰り返される。彼らが目指す都市生活の価値の原点をここで見たように思う。そのことがイタリアの都市計画、都市空間の成り立ちをより深いところで理解し納得することにつながった。

町の名前はメルカテッロ・スル・メタウロ。直訳すると「メタウロ川沿いのメルカテッロ」。メルカテッロだけでは同名の土地がいくつかあって紛らわしいので、一九五〇年にほかと区別して長い名前に変えた。普段は以前通り短く、メルカテッロと呼んでいる。

十六年かけて家の修復工事がほぼ終わった。でもやり残したこまごましたことがまだいくつもある。新しい問題も次々に出てくる。「問題だらけなのが、チェントロ・ストーリコ（歴史的中心市街地）だよ」とこちらの友人はすました顔で言う。

今では年の半分はイタリア暮らしだ。嬉しいことに、ご近所の付き合いもある。親しい友達も増えた。亡くなった友人、知人もいる。そして今は、ほとんど町の一員に加えてもらった気がする。そしてとうとう、二〇一八年八月、あろうことか夫婦でメルカテッロの名誉市民の称号をいただいた。

どうしてこんな豊かな町がイタリアにはあるのか？

中部イタリアの、どこにでもある平凡な小さな町。日本に住んでいる私たちからすれば驚くほど豊かで、そしてなんともしたたかな、イタリア人の生活がここにはある。それを実感する日々だ。私たちにとって豊かな生活ってなんだろう？　日本もずいぶん豊かになっているはずだけど、メルカテッロで暮らしてみると改めて考えてしまう。

日本には日本の、誇るべき豊かさがある。伝統的な豊かさだけでなく、それを超えて、技術優先の世界に類のない日本独自の豊かさを今、我々はつくっているようにも思われる。グローバル化が進むＡＩ時代の新しいライフスタイルを今の日本は世界に提案しているのかもしれない。

そのような日本を離れてイタリアに来ると半世紀以上も前の、自分が子供だった頃の日本の豊かさに浸る思いがする。イタリアのそんな豊かさをやっぱり、「いいなあ！」と思うのはただのノスタルジアなのだろうか？　それともうっかり忘れかけていた、本来の豊かさなのだろうか？

グローバリズム、大都市集中、地方の疲弊。日本と同じような先進工業国の課題をイタリアも背負っている。彼らはそれにどのように対処してこの豊かさを守っているのだろうか。

豊かさには当然のことだけどそれを可能にしている社会の仕組みがある。それを参考にしたり取り入れたりすれば私たちも豊かになるという単純な仕掛けではもちろん、ない。社会の仕組みが豊かさを生んでいるのではなく、そのような豊かさを求める私たちひとりひとりの生活の価値観、人生観がそれに相応しい社会の仕組みをつくっている。私たちがどのような生活の豊かさを求めているのか、それを認識することが最初で、仕組みはその後についてくる。

私たちにとって豊かさとは何か？　日本人は本当に豊かな社会に生きているのだろうか？　メルカテッロで暮

らすとそのことを考えさせられる。

二〇二〇年に始まった新型コロナの流行では、メルカテッロの広場から人影が消えた。日常の生活は一変した。先の大戦に比する悲惨な状況が続いた。そのなかで互いに励まし合いながら日々の暮らしを守る彼らの団結への自信と誇りが、町の人々から感じられた。暮らしを守る住民の連帯が強く意識されている。

日々の暮らしの中で育まれたコミュニティへの思いと信頼、その大切さをこの一年間、メルカテッロで改めて認識した。グローバリズムの中で人が人らしく生きるメルカテッロの人々の生き様は、豊かな社会の本質的な意味をわれわれに問いかける。


本書にはメルカテッロの友人一二人のインタビュー記録を入れている。

二〇〇八年、二〇〇九年に聞いた話に筆者の想いと補足資料を加えてインタビュー記録とした（アンナ女史は二〇一六年夏、ファーウストは二〇一八年夏）。メルカテッロの人びとが生きてきた生活の実態、各時代の生活の証言を忠実に反映するよう心掛けた。インタビューに快く応じてくれた一二人の友人に心から感謝する。内容に誤りがあり、誤解を招く記述があれば、それはすべて筆者の責任に帰するものである。

#『イタリアの小さな町 暮らしと風景』目次

まえがき 3

第1章 メルカテッロの豊かな暮らし

1 メルカテッロとの出会い ―― 12

■イタリア都市の転換点でメルカテッロに出会う 12　■我々はどのようなライフスタイルが欲しいのか 19

■メルカテッロに何を学ぶのか 20

〈インタビュー①〉マリオ・サッキ（元郵便局員、Uターンの常連）

「トラウマだね、メルカテッロから離れられないんだ」21

2 美しい風景 ―― 32

■田園の風景 32　■都市の風景 39　■広場の風景 50　■新しい市街地の風景 51

〈インタビュー②〉エウロージア・ラッツアーリ（町に一軒のペンショーネのオーナー）

「ローザンヌのことは、本当に素晴らしかった」56

3 食べる楽しみ ―― 66

■おふくろの味 67　■みんなで食べる 70　■地産地消だけでは納まらない肉、野菜、チーズ 74

■地元では賄えないヴィーノ（ワイン）とオリーブ 75

〈インタビュー③〉ジャンニ・バッティスタ・マルケッティ（愛飲家、呼び名はピンソ）

「塵ひとつない貯蔵庫だった。だからそこのヴィーノを飲むことにした」77

4 みんながつながる場所――86
■バール（BAR）86　■広場90　■教会92
〈インタビュー④〉シスト・パッリアルディーニ（元ブラスバンドの楽団長）
「あって当たり前、ということかな、町のバンドは」96

5 みんなで支えるコミュニティ――104
■商店街104　■市場107　■クラブ活動113　■夏のイヴェント115
〈インタビュー⑤〉ニコレッタ・アミチーツィア（若くて元気な国際派の町会議員）
「今のところ、人生順調ってとこかな」122

6 町の必需品、文化と福祉――130
■文化会館・郷土史美術館・パラッツォ（お屋敷）131　■学校・病院・介護老人保健施設・墓地・ヘリポート135
〈インタビュー⑥〉アンナ・マリア・ベネデッティ（ベネデッティ家当主、美術史家）
「父は私の生きる目標でした。今でもそうです」139

7 グローバル社会の地域経済――150
■イタリアの地域経済と日本の地域経済は似て非なるもの150　■農業・畜産業・林業151
■観光業―アグリトゥリズモとカントリーハウス、そしてB&B159　■製造業・商業・サービス業167
■町役場・銀行・保険会社・経理事務所171　■不動産業172　■建設業172　■水力発電所174
〈インタビュー⑦〉ファウスト・ボネッリ（MCE社長、チームグループマネージャー）
「食べることにも美味しいワインにも興味がない。僕には仕事だけだ」174

8 メルカテッロ・スル・メタウロの歴史――181
〈インタビュー⑧〉ピエールパオロ・ゴストリ（医師）
「パラッツォを買ったのは失敗だったよ」186

9 風景と郷土愛――194
■人間の尊厳 194　■メルカテッロの豊かで幸せな生活を支えているもの 195
■豊かで幸せな生活は安泰ではない 196　■自分たちの生活を誇りに思う生活 199
〈インタビュー⑨〉リッカルド・ジョルジョーネ（ファレニャーメ・家具、建具職人）
「川沿いの小屋の中で家具修繕を手伝った。それが忘れられなかった」201

第2章　眠りを覚ましたメルカテッロ

1 戦後の復興、奇跡の経済成長を果たしたイタリアと日本――212
■基礎自治体の人口規模 212　■イタリアは小都市分散の国 213　■イタリアは過疎村、限界集落の先進国 216
■チェントロ（中心市街地）の拡大と人口の推移 219　■戦後の経済成長と都市化の歩み 220
■旧市街（チェントロ・ストーリコ）の衰退と新市街の拡大 222　■モダニズムの路線を変えなかった日本の都市政策 223
〈インタビュー⑩〉ロレンツォ・パチーフィコ・ヴィニーチォ・グエッラ（呼び名はパッチョ、バリスタ、バールの主人）
「パオロがいなかったら、今のメルカテッロはなかったね」227

2 戦後システムの再構築に舵を切ったイタリア――235
■イタリアにおける新しい都市政策の始まり 235　■景観計画と地方分権 239　■眠りを覚ましたメルカテッロ 241
■メルカテッロの都市基本計画 247　■メルカテッロの財政 249

■メルカテッロに学ぶものがあるか、改めて考える 250
〈インタビュー⑪〉ヴィレルマ・パッリアルディーニ・イン・チンチッラ（独りで二人の男の子を育てたお母さん）
「母親がしっかりしていたら、子供はほっといても育つのよ」252

3 メルカテッロの町家再生―― 262
■旧市街は地区詳細計画で守られている 262
■メルカテッロで手に入れた家はいつ頃のものか？ 266
■類型学のデザインー歴史と対話することの悦び 267
■石積みであってもメンテナンスは欠かせない 274
■工事は三回に分けて、十六年。何とか一応の完成にこぎつけた 277
■修復デザインと建築家のアイデンティティ、豊かな建築 278
〈インタビュー⑫〉アドレアーノ・グエッラ（ムラトーレ・大工、あだ名はヴォルペ＝狐）
「いい家だろう。自分で建てたんだ」285

註 294
参考文献 297
あとがき 300

第1章　メルカテッロの豊かな暮らし

1 メルカテッロとの出会い

■イタリア都市の転換点でメルカテッロに出会う

町はアペニン山脈の東のふもと、なだらかな勾配の山と丘が連なる中にある。数キロから十数キロの間をおいてぽつんぽつんと町が点在していて、そのうちのひとつがメルカテッロ。人口一四〇〇人足らずの小さな町。中部イタリア四州と言われるトスカーナ、ウンブリア、マルケ、エミリア・ロマーニャ州のすべてが境を接するあたり、中部イタリアのちょうど真ん中に位置している。そこに私たちの家がある［図1・1・1］。

私が初めてメルカテッロにやって来たのは一九九三年。古い友人の建築家パオロ・スパーダの仕事を見に来た時だ。彼はここで大きな修復の仕事をしていた。パオロと私は七〇年代の初めミラノのジャンカルロ・デ・カルロの事務所で製図版を並べて仕事した間柄だ。

一九九〇年、その当時町長だったパオロ・チンチッラがこの地方の中心都市ウルビーノの名誉市民でもある建築家、ジャンカルロを呼んで町で講演をさせた。その縁でジャンカルロの弟子だったパオロ・スパーダに町の仕事が舞い込んだ。

「一度僕の仕事を見に来いよ。そこにもよさそうな家があるよ」

パオロには何度かそう誘われていたがその頃は、

「家を手に入れるならトスカーナで」

そう思い込んでいた私は有給休暇を工面した日程をフルに使ってイタリアに来ては、若いときに通い慣れたトスカーナ州の町ばかりを憑かれたように訪ね歩いていた。マルケ州のメルカテッロまで行く気にはなれなかった。

一九七〇年代初頭に歩き回ったトスカーナの小さな町々では、「売ります VENDE SI」の貼り紙をよく見かけた。その頃の小さな町々は、目に見えて疲弊していた。

人々は市壁に囲まれた古い市街地を捨てて、市壁の外に、新しいモダンなアパートを求めて出て行った。丘の上のチェントロ・ストーリコ（旧市街・歴史的中心市街地）から下の平地を見下ろすと、いっぱいに陽を浴びて、大きな窓とベランダの付いた四角い新しいアパートが建っていた。旧市街には人が住まなくなった部屋が増えていた。それが、「売りますVENDE SI」の貼り紙になっていく。

その頃、日本でも同じようなことが起こっていた。郊外にスーパーマーケットが現れて、町なかの商店街が危機感を持ち始めていた。

それから四十余年、日本中の多くの町で商店街は死滅状態になった。それに代わって郊外のバイパスに沿ってロードサイド・ショップが賑わっている。週末の夜はまるで不夜城の賑わいだ。そしてかつての中心商店街はシャッターで閉ざされて人影がない。そして今や、空き地だらけの抜け殻の街になってしまった。

市役所も、商工会議所までもが町なかを捨てて郊外のロードサイドに出たのだから、

「皆で寄ってたかって中心商店街をつぶした」

と言われても、仕方ないだろう。

一九七〇年代初めの頃、トスカーナの旧市街を歩きながら考えた。

イタリアも日本と同じように、

「彼らはこの町を捨てるだろうか……？」

町は傷んでいた。空き家も増えていた。でも、

「いや捨てないだろう」

「彼らは捨てきれないだろう。捨てるにはあまりにも美しすぎる」

そのとき私は単純にそう思った。

トスカーナの小さな町を訪ね歩いた二年間、歩くにつれてその思いは強くなった。

小さな旧市街の中に取り残されたような古い家。その窓から顔を出して話しかけてくるおばあさん。

「ボンジョルノ！　美しい町でしょう！」

赤いジェラニウムの植木鉢の向こうからおばあさんの元気な、つややかな顔が覗いて声をかけてくる。旧市街のバールに集まってくる男たち。働き盛りの男たちも、まだ働き始めたばかりの若い男たちも、賑やかに華やぐ若い男女も、バールの界隈に集まってくる。この親密感、このぬくもり。嬉しい高揚感と安心感は郊外のバールでは決して得られない。

美味しいレストランはたいてい丘の上の旧市街にあった。美しい田園や山並みを見晴らすレストランの週末は、いつも満席で、家族連れやカップルで賑わっていた。

イタリア人の一番の楽しみは、見晴らしのいいレストランで皆で食事すること。

客席のざわめきが華やかに部屋に満ちて、カチャカチャとナイフとフォークを使う音がそれに混じって、料理人が台所で忙しく働く空気が伝わってくる。給仕が愛想良く軽口を叩きながら客の間を歩き回る。そんな楽しみが、旧市街の通りの奥で繰り広げられていた。

町で一番大切な教会はどこも旧市街の中にあった。そこから十五分おきに鐘の音が聞こえてきた。

日曜の朝にはミサを伝える鐘の音が、丘の下のほうまで伝わっていく。

市役所は、決して旧市街の外に出ようとはしなかった。

事務所のスペースが足りなくなっても旧市街の空いた家に蛸足式に拡張して、市役所は旧市街の中に居続けた。

一番大切な市議会や市長室は、中世以来の市庁舎の中に居続けた。

【1・1・1】メタウロ川は街の北を深い渓谷になって流れていて、街の防衛のための堀を兼ねている。雨が降ると土で濁るが、普段は鱒が泳いでいる清流だ。左手に旧い水車小屋の建物が見える。

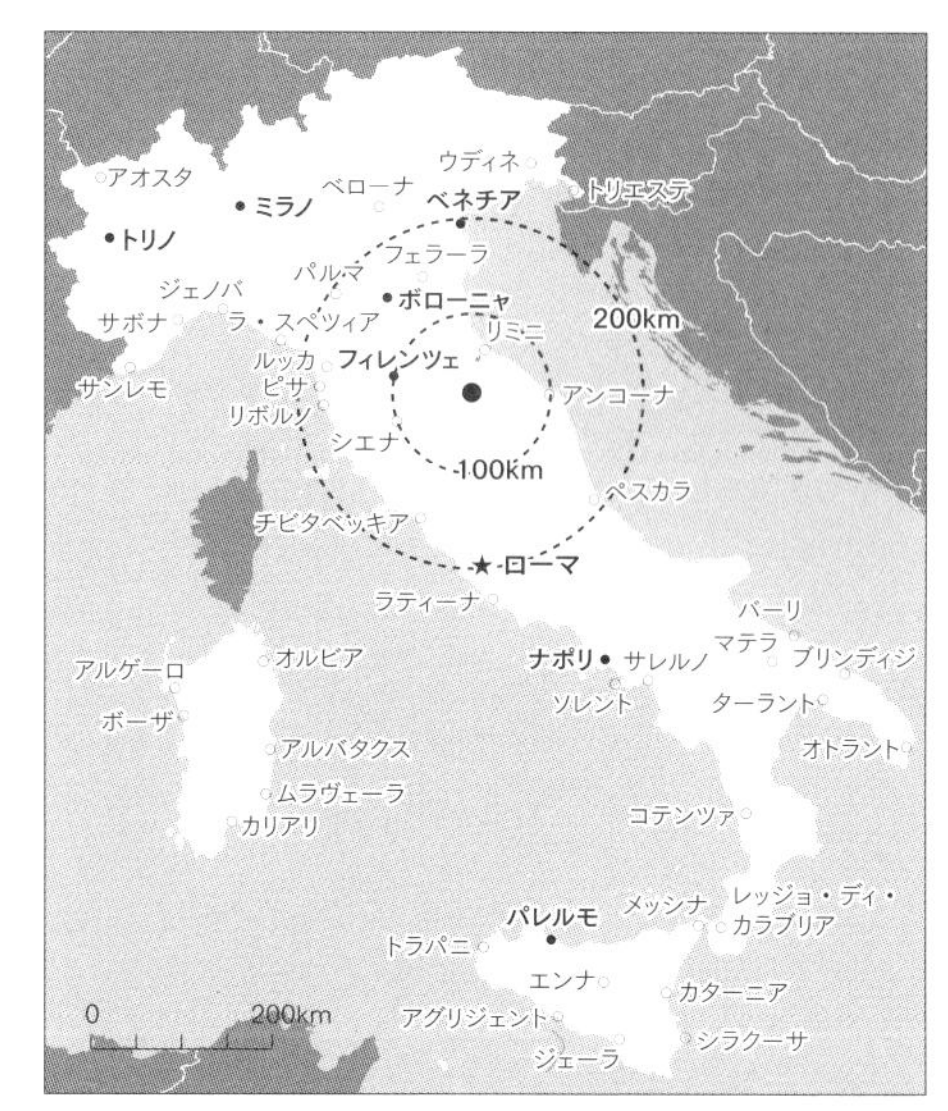

［図1・1・1］同心円の中心がメルカテッロ。町の標高は海抜429メートル、ローマまで直線距離で200キロ、フィレンツェまで100キロ、アドリア海沿いのペーザロまで50キロ。ユネスコの世界遺産都市ウルビーノ（人口1万5000人）がその手前、メルカテッロから30キロのところにある。

【1・1・2】田園の中に点在する町のひとつがメルカテッロ。旧市街地を中心に新しい市街地が出来ている。

「町の中心はここなのだ」

それを身をもって言い続けている。そんな風に見えた。

そして今イタリアの旧市街、歴史の都心は甦っている。

イタリアの都市政策は一九六七年の「橋渡し法」制定によって大きく方向転換した。私が歩き回っていた頃はまだその影響が目指す方向に現れず、六〇年代の高度経済成長の勢いがそのまま続いていたのだ。私は七〇年代の最後の荒んだ旧市街を見て歩いていたことになる。

七〇年代初めと比べると今、旧市街は格段に手を入れて、より綺麗に、より美しく整備されている。敷石が新しくなって町がすっきりと清潔になった。綺麗すぎて、「以前の使い古した街のほうが良かった」と言う人がいるくらいだ。

トスカーナでは旧市街の家の不動産価値が上がって、街がお金持ちと観光客に占領されてしまうという、新たな問題が起きているほどだ。でもこの逆転は、やっぱり、「あって良かった」、と言うべきだろう。

綺麗すぎて古びた趣が感じられなくなったというのは年寄りの勝手なノスタルジアで、廃屋が伝染病のように忍び寄ってきていたあの頃に比べると、あの美しい旧市街が甦って前にも増して美しくなったのだから。

この方向転換に、建築家のジャンカルロ・デ・カルロは大きな役割を果たした。一九六四年のウルビーノの新しい都市計画で彼は、旧市街を保存しながら現代に甦らせる、画期的な、しかしストック（積み重ねる）というヨーロッパ文化の伝統的な手法を提案したのだ。彼に続くいくつかの先駆的な事業がイタリアのその後の都市政策の転換につながった。

ウルビーノの町における三十年以上のデ・カルロの建築家としての貢献を称えて、一九九〇年、彼はウルビーノの名誉市民に加えられた。町には彼の名前の付いた通りもある。

【1・1・3】メタウロ通り。行く手に市壁のゲート「北の門」が見えている。4つあった門のうち、ひとつだけ残っている。

私たちが「もしかしたらトスカーナで家が買えるかもしれないぞ」と思ったのが十数年ぶりにイタリアを訪ねた一九八六年、何気なく立ち止まって不動産屋の貼り紙を見たときだった。

その頃はまだ旧市街の中に「売りますVENDE SI」の貼り紙があった。廃家同然の家で、頑張れば手が届くかなというギリギリの値段だった。

しかしそれから数年で、その種の貼り紙はなくなってしまった。旧市街の整備が進み不動産価値が上がって、売る側が慎重になったのだ。トスカーナで家を買うのをあきらめると、メルカテッロのパオロの仕事の現場を訪ねる気になった。一九九三年の春だった。

そこで紹介されたのが今の家だ。一目見て気に入った。これが出会いというものだろう。中も見ないのに気に入った。メルカテッロの町の空気に、今までにない穏やかな親近感を感じていた。四角い灰色やベージュの敷石が通りに敷いてあって、「美しいな」と思ったことをよく憶えている。

「こんなに見事に修復してくれてこの家は幸運だ。この家が幸運ということはこの町が幸運だったということだ」

元町長のパオロ・チンチッラは最高のほめ言葉をひねり出してくれた。元はといえば彼がこの家をパオロ・スパーダに紹介していたの

【1・1・4】街の通りから広場に出ると広い空が広がっている。建物の背景になって広がる空は身に沁みて美しい。

だ。その頃パオロ・チンチッラはまだ町長で、メルカテッロ再生の先頭に立って頑張っていたことを後で知った。

私たちはたくさんの町の人たちに囲まれている。私たちと同じように、様々な悩みや問題を抱えているに違いないのに、いつも広場に集まって、さりげない微笑を交わして挨拶してくれる。この人たちの毎日の生活が、人生が、この町をつくり、建物をつくっている。そのような町の仲間に彼らは、寛大に、私たちを迎え入れてくれる。一階のギャラリーのオープニングパーティに、多くの町の人たちがやって来て、修復工事の完了を賑やかに祝ってくれた。

■我々はどのようなライフスタイルが欲しいのか

メルカテッロは観光客のおかげで元気でいるような特別に名の知れた町ではない。イタリアならどこにでも見られる普通の町だ。

しかし、その生活の風景が素晴らしい。イタリアはどこも建築と自然、それらがつくる風景が素晴らしく美しい。同時に、そこで営まれている生活の風景に飽きない魅力がある。まるで映画のシーンに入り込んだような、表情豊かな人々の生活が魅力だ。建築と自然と人々の生活がつくる風景の美しさ、そこに魅かれてイタリアが好き、というのがイタリア評価の定番になっている。

でもこれは、日本が失ってしまった多くの美しい風景がイタリアにはまだ残っているということではないか。

私が育った田舎の村の美しい風景、近くの町の親密な賑わい。私たちは経済成長と引き換えにそれを失ってしまったけれど、イタリアにはまだしっかりと残っている。重要な先進工業国の一員でありながら、日本が失った多くの「いいもの」をしっかりと残している。

日本にもその気になって探せばそうした素晴らしい町や村はある。奈良県の今井町もそのひとつだ。長野県や兵庫県、滋賀県などの町や村にもしばしば、観光客に媚びない美しい生活風景が見られる。そこにはメルカテッロと相通じる素晴らしい豊かな生活の風景がある。だから私は日本がイタリアのように、多くの小さな豊かな町や村のある美しい国になる可能性がまだある、と思いたい。

地方の小さな町や村が自立してプライドを持つことは大都市の生活、風景と無縁ではない。国の急速な経済成長を求めるとどうしても大都市志向になってしまう。大都市は限りなく成長を目指し、地方はひたすらその都市にすがって生きていこうとする。小都市は大都市のライフスタイルに憧れる。しかし、洋の東西を問わず、昔から「幸せは鄙にある」と言われている。人生の豊かさはむしろ小都市にあるのではないか、大都市の方が問題ではないか。地方が衰退する一方でますます大都市中心の社会になっていく我が国では、大都市は小都市をいかに学ぶかのほうがむしろ大事なのではないか。学ぶべきは小都市モデル、メルカテッロだろう、ここに未来の日本の大都市の、そして地方都市の可能性を見るべきではないかと、私は考えている。

■メルカテッロに何を学ぶのか

なぜ、退職金を全部注ぎ込んでまでこの町に住んでいるのか?

名所と言われるものも、名物も、何もない。ごく普通の町だ。「ここが好きだから」と答えるしかない。そして、学ぶことがたくさんある。

小さな町に住むと彼らがどのような生活を望んでいるのか、彼らのライフスタイルはどうなっているのかがよく分かる。まちの仕組みもよく分かる。人間関係も町の議会も法律のことも経済の仕組みも全部身近な出来事で、大きな町ではどこか分からないようなところで動いていることが、この町では何がどこでどう動いているのかよく分かる。

日本でもイタリアの法制度や社会の仕組みのことが詳しく紹介されている。でもそれを読んだだけでは肝心のところが解らない。彼らがどのような生活の価値観を持っているのか、そのことがどのような法制度、社会の仕組みにつながっているのか、それが納得できて初めて理解できることが沢山ある。日本でもその気になればこんなまちづくりができるのだろうか？　メルカテッロはそういう好奇心を満足させてくれた。

そして日本のことがよく見えてくる。今まで気づかなかった日本の素晴らしさ、クール・ジャパンを発見する。まだ世界の何処にもない未来都市が、今日本で生まれつつあることも分かる。こうしたらずっと良くなると気づくところが沢山ある。至らないところにはそれなりのもっともな理由があって「それが日本だ」と納得してしまうことも多い。そういう知的な満足感が得られて安心する。

メルカテッロから学ぶことは多い。それが日本でどのように役に立つかはまた別の問題だ。その問題意識を持つことがまた、メルカテッロの暮らしを好きにしてくれる。

インタビュー①
マリオ・サッキ
Mario Sacchi（元郵便局員、Uターンの常連）
「トラウマだね、メルカテッロから離れられないんだ」

記録はマリオと交わした会話に筆者の補足を加えて、聞き取り記録として編集した。記録内容に誤りがあればそれはすべて筆者の責任に帰する。

〈マリオの家は広場から北へ入るドラーギ通りにある。彼はそこでインタビューに応えてくれた。マリオは奥さんのピーナと出会った若い頃のことから話し始めた〉

ピーナと出会ったのはローマの近く、アンツィオで働いていた頃のことだ。チンクエチェントでローマとメルカテッロの間を毎週往復してたよ。小さい体をブルブル震わせて走るんだ。名前の通り五〇〇ccの小型車だからね、脇をシトローエンが追い越していくと吹き飛ばされそうになるんだ。でもいい車だった、イタリアの誇りだよ。アウストラーダ・デル・ソーレ（太陽道路）を、精いっぱい汗かいて走るって感じだな。

〈太陽道路は北のミラノからローマ、ローマから南のナポリへ、イタリアで一番重要な高速道路だ。一九六〇年のローマ・オリンピックの頃に建設された。日本ではその四年後の東京オリンピック、十年後の大阪万国博覧会のころに名神・東名高速道路が建設された。イタリアと日本が戦後の奇跡の経済成長をやっていた頃だ。その頃は皆生きるのに精いっぱいだった〉

アレッツォで高速道路を下りて、そこからは普通の道だ、東へ走る。ここからメルカテッロまではまだ七〇キロある。途中でサン・セポールクロの町の市壁を擦るようにして走って、それからアペニンの山を越えなくちゃならない。

山を登っていくときに見下ろすと、たまらない景色だよ。素晴らしいよ。霞んだようなオリーブ色の平野が広がってて、遠くに青みがかった丘が続いて、そして輝くように明るい空につながっていくんだ。まさに、息を呑むっていう風景だね。トスカーナ州とウンブリア州を見下ろしてるんだからね、そりゃあ美しいよ。ローマの町を流れるテーヴェレ川の上流の風景だ。道はくねくねと曲がりっぱなしだから景色に見とれるわけにはいかない。見晴らし台がところどころにつくってあるから、そこに停めて一休みするんだ。チンクエチェントは、喘ぎながら走ったね。コガネムシのようにタフだったよ。

標高一〇四九メートルまで上ると州境だ、ここからマルケ州に入る。道は下りになって、緑が濃くなってくる。ここまで来ると帰り着いたようなもんだ。

ホテル・フォンテ・アベーティの前の急カーブを曲がりながら下りていくんだ。一九六九年にピーナと結婚式を挙げたところだ。古い小さな礼拝堂が横にあるからそこで式を挙げて、ホテルで披露宴をやったんだ。この辺は教師をやっていた頃毎日来てたところだから懐かしかったし、ピーナはトスカーナ州のアレッツォ県出身なんだけど、峠を越えたこっち側の町のセスティーノ出身だから、彼女のところからも来やすかったんだ。昔はもっと懐かしい感じの、いいホテルだったんだけど、今はローカルというよりも、滞在型の観光ホテルになっているね。（筆者注：二〇一八年一月現在、営業をやめている）

その頃はローマの西の海岸べり、アンツィオでペンショーネ（比較的安く泊まれる小規模のホテル）の仕事を教える専門学校の事務職員をやってたんだ。ベッドメークや料理、それに経理や、客との応対の仕方とかを教える学校だ。アンツィオは第二次世界大戦で連合軍が上陸したところで有名になったけど、その頃はもうその名残は何もなかったね。

そこで一九六三年から四年間働いた。殆ど毎週メルカテッロに帰って、おふくろのつくるタリアテッレを食べたよ。これを切らしていると、生きてる実感が薄くなってくるんだ。行ったり来たりしている頃に、セスティーノの町のダンスホールでピーナに出会って一目惚れよ。お互いにね。それからはメルカテッロが目的か、ピーナに会うのが目的か、どっちも目的でチンクエチェントに頑張ってもらったよ。

仕事に自信がなかったから、婚約したまま四年間待たせて、結婚したんだ。郵便局の職員の試験に通って生活の見通しがついたんだ。僕が三十一歳、ピーナが二十九歳だった。

アドリア海側の古都ラヴェンナに赴任して、間もなくメルカテッロに近い町ウルビーノの局に移った。それからパードヴァの町はどうだと言われたけど、メルカテッロから遠くなるのは嫌だと言って断った。ピーナだって故郷のセスティーノから遠くなるのは嫌だったんだ。

ペーザロの町はどうだということになって、それならメルカテッロのある県の県庁所在地だから近い、文句を言うはずがない、メルカテッロまでは六五キロだ。セスティーノはその先一六キロだからピーナもいつでも実家に行き来できる。そしてそのまま、一九九六年に退職して年金生活に入るまで、ペーザロに住んでそこの郵便局で働いたんだ。

〈最初にマリオと知り合ったのはメルカテッロの山歩きの会だった。その頃は彼はメルカテッロの住人だと思っていた。そのくらいしょっちゅう、街の広場で出会っていた〉

僕が生まれたのはメルカテッロのガリバルディ広場とベンチヴェンニ通りの角の家だ。今でも姉がそこの一階で洋服店をやっている。退職してすぐの頃まではまだおふくろが生きていたから、そこに帰ってきて夏のバカンスをゆっくり二か月過ごしたりしていたよ。広場を見下ろす窓があって、そこから広場にいる仲間に声をかけるんだ、「今行くからな」とね。

生まれたのは一九三六年、親父のクラウディオはそこの一階で仕立て屋をしていた。僕は四人兄弟の末っ子だ。

兄が二人いて、上の兄が親父の後を継いで仕立て屋になったよ。次兄は郵便局員だ。僕の息子のマッシミリアーノも郵便局員だから、三代続いて郵便局員と言ってもいいだろう。もっとも郵便局もこの十年間、民営化でずいぶん仕事が変わったけどね、僕の時代とは大違いだ。まるで別の会社だ。今ではスクーターのヴェスパまで売るっていうんだから、何でもありだな。

〈日本も同じ頃に郵政改革をやった。どこも同じようなことをやって時代が移っていく〉

戦争中のことはよく憶えているよ。七歳のとき、一九四三年九月にイタリアは降伏したけど、ファシストの軍とドイツ軍はまだ頑張っていた。メルカテッロのチェントロ（中心市街地）は彼らにいわば占拠されていたんだ。街には立派なパラッツォ（お屋敷）がいくつもあるから、彼らはそこを司令部とか宿舎にしてたんだが、市民の多くは町を出て山の中に避難していた。連合軍の飛行機が飛んできて町とかその周りを爆撃するんだ。サン・フランチェスコ教会前のお屋敷パラッツォ・ファドッシが爆撃されて一一人が亡くなった。そのことはサンタ・ヴェローニカ広場に書いてあるだろう。

〈壊されたお屋敷の跡地に戦後の住宅政策で四階建ての大きなカーサ・ポポラーレ（公営住宅）が建てられた。白くて四角い、ボール紙の箱みたいな建物だ。壊せるものなら壊して建て替えたいとみんな思っている〉

戦闘機の空中戦はよく眺めたよ。下から見てる分には全く安全だからね、やられて落下傘で降りてくるのを見たこともある。町のみんなは山の中の農家や、小屋の中に分散して暮らしていたんだ。連合軍が北上してきて、ファシストやドイツ軍がいなくなるまでそんな生活だった。

戦争が終わってから小学校に行き始めた。学校は町役場の最上階、三階にあった。サンタ・ヴェローニカ通りから入るんだ。入口から真っ直ぐに三階まで階段が通っていた。パオローニという怖い女の先生がいてねえ、厳しいんだ、よく杖で叩かれた。僕らの年代だとみんな憶えてる。「お〜ォ、パオローニ、パオローニ！」って言うよ、有名な怖い先生だ。母親のルイーザは僕を牧師にしたかったんだ。だから小学校を終わると、ウルバーニアの町にある神学校に入れた。


〈ウルバーニアはメルカテッロから東へ一五キロ、子供にとっては遠く離れたところに送られた感じだっただろう〉


寄宿舎生活で、二十四時間学校の中に閉じ込められているんだ。嫌だったねえ、悲しかったねえ、その頃父親が亡くなったこともあって、一番辛かった時期だ。町が、家が、恋しくて仕方なかった。今思うとこれが僕のトラウマになっているね。僕はそう思うんだ。こんなに自分の町に愛着を持つのはそのせいだと思うんだ。

神学校では本当にメルカテッロが恋しかった。自分がメルカテッロの一部だってことをこのとき知ったんだ。神学校が今もやっているかどうかは知らない。ウルバーニアのキエザ・デイ・モルティ（死者の教会）はたくさんの牧師の遺骨が納められてることで有名なんだが、その隣にあったよ。メルカテッロからは一一人がそこへ行って、そのうち一人が最後まで進学して牧師になった。一学年が三〇人くらいだったな。神学校の中に中学校と高校があるんだ。掃除、洗濯、身の回りのことは何でもやりながらそこで勉強するんだ。もちろん朝晩ミサがあってお説教を聴き、賛美歌を歌うことは欠かせない。冬は寒かったねえ、暖房なんか何もない。毎日が修行だからね。

中学の三年と高校前期の二年、合わせて五年でそこをやめてメルカテッロに帰った。まだ三年の高校後期があったんだけど、落第したんだ。あんまり勉強に身が入らなかったからね。母にひどく叱られたよ。
メルカテッロに帰ってまた元気になった。子供のときからずっとみんなでサッカーをやっていた。町のチームがあるんだ。メルカテッロのチームは隣町のサン・タンジェロのチームにずうっと負け続けてた。あっちのほうが倍くらい大きな町だから仕方ないところもあるんだけど、一度も勝ったことがなかった。それがあるとき、一度だけ勝ったんだ。これがそのときの記念写真だ（写真は大きな額に入れて壁にかけてある）。ゴッツォリ、マルターノ、アルベルト、これが僕、今でもメルカテッロに住んでいる連中だ。町のお墓の北にスポーツ公園をつくったのが一九五九年、そこの新しいサッカー場で勝ったんだよ。
二十歳になっても定職がないので、母のルイーザの勧めで今度はウルビーノの町にある教員養成学校に行くことにした。上の兄弟二人ともしっかり働いていたから、末っ子の僕だけが問題だったわけだ。四年間そこで勉強して、今度は卒業して一九五九年に隣町ボルゴ・パーチェの小学校の先生になったんだ、プルーリ・クラス（僻地教育）担当のね。この辺は僻地ばっかりだったからね。

〈その頃のメルカテッロの人口は今の倍に近い三〇〇〇人だ。八〇％が農民で彼らは町の外にバラバラに散らばって住んでいた。イタリアの国勢調査の人口統計を見ると、住んでいる家を三つに分けて集計している。中心市街地（チェントロ）の家、そのほかの田園地帯や山の中に散在している農家、チェントロに比べるとはるかに小さいけど数軒が一緒に固まってる小集落の農家、この三つだ。マリオはチェントロの外に散らばっている農家や小集落の農家のところへ行って教えた〉

チェントロの外に散らばって住んでいる農家や小集落の子供たちを教えに、こっちから山の中に入って行くんだよ。十人くらいの子供たちをひとまとめにして、あっちこっちで教えるんだ。農家の小屋とか、家畜小屋の片隅とか、一年生から五年生までひとまとめにして教えるんだ。僕はウンブリア、トスカーナの州境に近い山奥のボッカ・トラバリア地方を担当した。十月に新学期が始まって翌年五月に終わる。それから四か月は夏休みだ。

行きはマルケ州の西の端ラーモリの集落、そこから山の中に入って学校のあるフォンテ・アベーティまでバスが通っている。農家の小屋に集まってくる子供たちに読み書きを教えたんだ。冬、大雪になって難渋したことは忘れられない。朝、山の学校で起きてみると一晩のうちに雪が一メートル以上積もっているんだ。雪でバスが来れないときもあって、そんなときはバスが来るラーモリまで歩いて帰ってくる。下りだから楽だけど雪の積もった五キロくらいの山道を帰ってくるんだ。一時間くらいかかったね。だから今でも山歩きが好きなんだ。

歴史が好きだったから、この地方の山や古い砦や館にまつわる由来を調べたりして楽しかった。今でもそのとき集めた資料はメルカテッロの家の一階の倉庫にしまってあるよ、もう開けてみることもないだろうけどね。

四年間プルーリ・クラスの教員をやったけど、給料があまりにも安かったから長く勤めるわけにいかなかった。一年に五万四〇〇〇リラ（当時の換算で、三万二四〇〇円）では暮らす目処が立たないよ。

紹介する人があって、アンツィオの町のペンショーネ学校の事務職員に転職したのが一九六三年、二十七歳だった。高校の時以来初めてメルカテッロを遠く離れて暮らすことになったんだ。殆ど毎週帰って来てたけどね。

アンツィオで四年間働いて、その間にピーナと知り合った。一九七一年にペーザロの郵便局員になってそれ以来今もペーザロに住んでいる。そしてしょっちゅうメルカテッロの家に帰ってくる。

夏のペーザロは暑いし、バカンス客がヨーロッパ中からやって来て、海岸べりのホテルや貸し別荘はいっぱいになる。それを見てるともっと暑くなる。だから夏のバカンスはいつもメルカテッロに帰って過ごしたんだ。そのほかにも、折を見てはメルカテッロの母と姉が住んでいる家に帰った。そのとき妻のピーナがいつも僕と一緒にメルカテッロにいるわけじゃない。彼女はセスティーノの実家のほうが気楽に過ごせるから、そっちに帰ることのほうが多かったな。自然にそんな暮らし方になっていた。

結婚して二年後に息子のマッシミリアーノが生まれた。ペーザロにはアパートに家を二軒持っている。息子のマッシミリアーノはペーザロ生まれのエレオノーラと結婚して、二人でやっぱりペーザロの僕たちの近くに住んでいる。僕は二十八年間ペーザロで働き、住民票もペーザロにある。そして折を見てはメルカテッロに帰るという生活だ。

一九八五年からの十年間、メルカテッロの町会議員を二期務めた。僕もあのときは町長のパオロを支持して頑張った。彼がそれまで眠ってたメルカテッロを目覚めさせたんだ。今のメルカテッロの活気は彼がいなかったらなかっただろうね。彼はウルビーノ大学で歴史学を専攻した尊敬すべき知性を備えた人物だよ、君もそう思うだろう。

一九八〇年代のイタリアは政治的にひどく困難な時期だった。左翼がすごく強いのはいいとしても、全く融通が利かない、身動きできない状況だった。彼がメルカテッロの知的で文化的な町の空気を甦らせたんだ。やりがいのある十年間だったな、今思っても。

〈日本でも夏の帰省ラッシュがあるけど、メルカテッロは夏のバカンスの時期になると帰省した連中で町がいっぱいになる。出て行った先の都会から帰ってくるだけじゃなく、移民した先のアイルランド、スイス、アルゼンチンから帰ってくる連中もいる。日本は二、三日の里帰りだけど、ここではみんな二、三週間滞在する。そのために家を大事に持ち続けている連中が多い。相続したり、自分で買ったりして好きなように手直しもする。だから空き家であっても空き家ではない、そんな家が結構たくさんある。マリオの家もそのひとつだ〉

一九九六年に郵便局を辞めて年金生活に入った。それまで以上にメルカテッロに来やすくなった。帰ると二、三日のこともあるし、一週間以上いることもある。夏は二か月間こっちに住むけどね。一九九〇年に母が亡くなったこともあって、一九九九年にこの家を買ったんだ。斜向かいのビンソが持っていた家で、それを譲ってもらったんだ。家を買ってからはピーナも僕と一緒にメルカテッロにいてくれる。体の調子が元気いっぱいというほどではないから、家の中にいることのほうが多いけど、ここの空気は気に入ってるんだ。家を買って、手直しは昔から知っている二人のムラトーレ［註1・1・1］に頼んだんだ。僕とピーナと彼等の四人で相談しながらつくったようなもんだ。僕も工事を手伝った。何年もかけて手直しするんだけど、僕の場合はそれほど手をかけてないから六年で済んだかな。外壁も町の補助を受けて手直しした。この十年ほどは町役場の勧めで外壁の手直しをする人が多くて、町が見違えるように小奇麗になっただろう。窓辺にみんながよく花を飾るようになった。

二階がキッチンと食堂と僕たちの寝室だ。教会の大きな鐘の音が十五分おきに聞こえてくるから、三階よりは二階のほうがちょっとでも気にならないだろうと思って二階に寝ているんだ（筆者注：二〇一六年からは深夜十二時から朝六時までは鐘を鳴らさないようになった）。浴室は浴槽とシャワーボックスと両方付けている。物置もたっぷりあるから二人で住むには十分だ。全部で一二〇平方メートルほどあるだろう。ピーナが部屋を彼女の美意識で綺麗に整えてくれているから、とても快適だ。

一階はエントランスの廊下以外は葡萄酒の貯蔵庫を兼ねた物置だ。ドラーギ通りから直接出入りできる広い出入口がある。入ったところでもちょっとした料理ができる設備を付けて椅子とテーブルを置いている。町の仲間が立ち寄ってここでヴィーノ（ワイン）を飲んで騒いだりもできる。

普段はペーザロに住んでいる。ペーザロはいい町だけど、そこの付き合いとメルカテッロの連中との付き合いは違うんだ。ペーザロに住んだのは三十五歳のときからだから、すっかり大人になってからの、都会の付き合いだ。何もかも分かっているようなメルカテッロの仲間とは付き合い方が全く違う。それにここだけの話、ペーザロ人は陰でストロンツォ（糞野郎）と呼ばれるくらい、ちょっと性質が悪いんだ。僕はやっぱりメルカテッロの人たちのほうが性に合うよ。

〈イタリア人はどこでもほかの町の悪口を言うのが好きだからその手の軽い悪口だが、かなり本音のところもあるようだ。それにしてもメルカテッロのどこがどうほかの町と違うのかよく分からない。メルカテッロから離れられないのは十二歳のときの修道院体験がトラウマになっているからだと言うけど、それだけじゃあ納得できない〉

妻のピーナの見方を紹介しようか。ピーナが言うには、それはイタリア人のマンミズモ（マザー・コンプレックス）だって言うんだ。

イタリアの男たちは、女もそうなんだけど、男は特に母親の懐に抱かれる安心感が大きくなっても忘れられなくて、マンマ、マンマ、といってママに甘えたがる。ママもそれが嬉しくて、いつまでたっても男の子は自分がいてやらないとかわいそうだと思うのが生きがいになっている。

キリスト教のマリア信仰と結びつけて説明されるくらい根が深く、イタリアの文化に深く関わっている。それがイタリアのマンミズモだ。家族の中心はママだ。ママに守られているってことは、家族に守られているってことだ。最後の逃げ場は家族だし、家族は最期まで守ってくれる。決して裏切らない。

イタリアでは家族経営の中小企業が滅法強いのもマンミズモのせいだ。そんな家族が集まって出来ているのが自分の町だ。自分の町に帰るってことは母親の懐に帰るのと同じことだと、ピーナは僕を見てて言うよ。そうなると町の広場は、胎内回帰願望で言う女性の子宮ということになるのかねえ。納得しないわけにはいかないねえ。

2 美しい風景

イタリアの豊かな生活とは何か。豊かに暮らす極意を語ろうとすれば最初はどうしても「美しい風景」から始めることになる。生活の価値観が形になって現れるのがその土地の風景だから。メルカテッロで暮らしていると、「豊かな人生って、実はこんな単純なことなんだ」と思わせるものがそこにはある。

■田園の風景

このあたりの町々をつなぐ幹線道路は国道七三号、片側一車線のこの道路がこの地方では中部イタリアを東西に結ぶ一番の幹線道路だ。これに代わる新しい幹線道路が通る計画があって九〇年代に着工したものの、財政上の都合で十年以上も工事がストップしている。この地方が抱える大きすぎる、でも諦めきれない課題だ。逃げた恋人が帰って来るのを待つような、そんな課題だ。

アペニン山脈を抜けて西のトスカーナ、ウンブリアに

【1・2・1】早朝のメルカテッロに炭焼きの煙がたなびいている。山から街へ、ゆっくりと静かに朝が訪れる。山々は1000 m級のアペニンの山並みにつながっている。

通じる六キロ二車線のトンネルが既に通っていて、そこから二キロ、メルカテッロに向かう四車線の道路が出来ているが工事はそこで中断している。一九九九年のアルプス、モンテ・ビアンコ（フランス名モンブラン）のトンネル事故の影響で安全対策が厳しくなって、長さ三キロ以上のトンネルで二車線は規格外になってしまった。このままでは使い物にならない無用のトンネルだ。

道路が通ると観光も含めて経済の活性化につながるという期待が大きいのだが、最近では、「通らないほうが良い。今のままの風景と生活を守るほうが賢明な選択だ」と言う人も出てきたりして、徐々に地域の気持ちも変わっている。一九九三年、ウルビーノで開いたＩＬＡＵＤ（International Laboratory of Architecture and Urban Design）のセミナーで、当時メルカテッロの町長であったパオロの質問に主催者のデ・カルロはこう答えている。「高速道路はインターチェンジの周辺にインパクト効果を与えるだけで、通過地には何の役にも立たない」と。その当時はそうは思わなかったが今はその通りだと思うと、パオロは当時を振り返る。

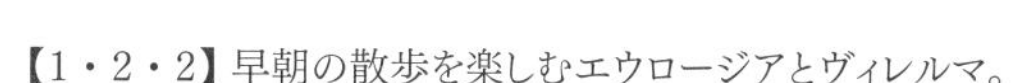
【1・2・2】早朝の散歩を楽しむエウロージアとヴィレルマ。

そんなところに二〇一三年、突然、民設公営の高速道路建設の提案が公表された。予定の幹線道路は風景を壊さない目立たない場所を求めて二転三転、今のルートに決まったはずだが、公表された高速道路はそれを無視して経済性優先の別のルートが計画されている。一企業の提案だが、政界、財界、官界がまとまって仕組んだ手の込んだ提案であることがその緻密な計画案を見れば分かる。

すぐに反対運動が始まった。フェイスブックが大活躍、私も参加して反対の声を上げた。

「風景を尊重するイタリアでまさかこんな無茶な案が通ることはあるまい」

私はそう楽観していた。でも反対運動に参加している近くの町の建築家アントネッラは決して楽観できないと言う。

「イタリア人は美しい風景に慣れきっている。それがどんなに貴重なものであるか自覚がない。だから美しい風景に無関心だ。今回も油断している間につくられてしまうことが十分に考えられる」と危機感を持っている。

「そんな無関心もあるのか」

考えてみると半世紀前までは私たち日本人もイタリアに負けない素晴らしい風景を持っていたのにそれに無関心だった。無関心のまま海や川をコンクリートで固め、高速道路を建設して今はそれが普通の風景になってしまった。今や野原を突っ切って走るバイパス道路や巨大なコンクリートの高速道路の存在に全く無関心だ。

その後反対運動の効果もあって関係するコムーネ（市町村）が次々に反対を表明、高速道路の計画はひとまず白紙に戻ったようだ。

メルカテッロの市街地は一面の田園や山々に囲まれている。メルカテッロから隣町までは西のボルゴ・パーチェまで四キロ、東のサン・タンジェロ・イン・ヴァードまで七キロ、その間は緩やかにうねる丘陵が続く田園地帯だ。その向こうに標高一〇〇〇メートル級のアペニンの山々が望める。

早朝の山歩きを楽しむ人たちに出会う。エウロージアとヴィルマ、二人で朝の山歩きを始めて三十年になる。ともに早くにご主人を亡くしている。明るくなってくる空と朝霞みに煙るなだらかな山と丘、エウロージアは立ち止まって、両手を広げて

「パラディーソ！（ああ、ここが天国よ！）」と叫ぶ。

ヴィルマは道端の花を摘んで帰る。

山道を歩いていると遠くに炭焼きの煙が見える。山の細い木立を伐って炭を焼いているのだ。ここでは地面に穴を掘って蒸し焼きにする方法で炭をつくる。

家庭で使うだけでなくレストランでは大きなかまどで炭をおこしてステーキを焼いたり、魚を焼いて名物のメニューにする。流通ルートは今も整っていると言う。だから炭焼きはこの地方の大切な仕事だ。ローマの日本文化会館が催す特別のお茶会にこの地方の炭を使っているという話を聞いた。

多くの家に暖炉があって一年のうち五か月は火を焚く。そのせいもあって山の林や森は放置された荒れた雰囲気はなく人の手の入った落ち着きがある。日本の山と違って蔦類が少なく雑草が少ないので見通しの良い森の風景になる。

丘や山の小道はかなり奥のほうまで自動車が通るが、舗装されていない凸凹道が多い。山道にはこの地方で採れる薄いピンクの礫岩を小さく砕いて敷いている。「ストラーダ・ビアンカ（白い道）」と呼んでその自然の雰囲気をみんな自慢し大切にしている。冬に雪が降っても車がスリップしない利点もある。さらに細い「センティエロ（獣道（けものみち）のような山道）」が通っていて、要所要所に道筋を示す赤と白の印が付いている。山歩きやマウンテンバイクのルートだ。

秋になると山はどこも茸の産地になる。皆それぞれにお目当ての山に入ってかごいっぱいの茸を採ってくる。

【1・2・3①】【1・2・3②】ピエロ・デッラ・フランチェスカの板絵「ウルビーノ候モンテフェルトロの結婚」(1465－1472年)。背景は今に残るメタウロ川渓谷の風景だと言われる。

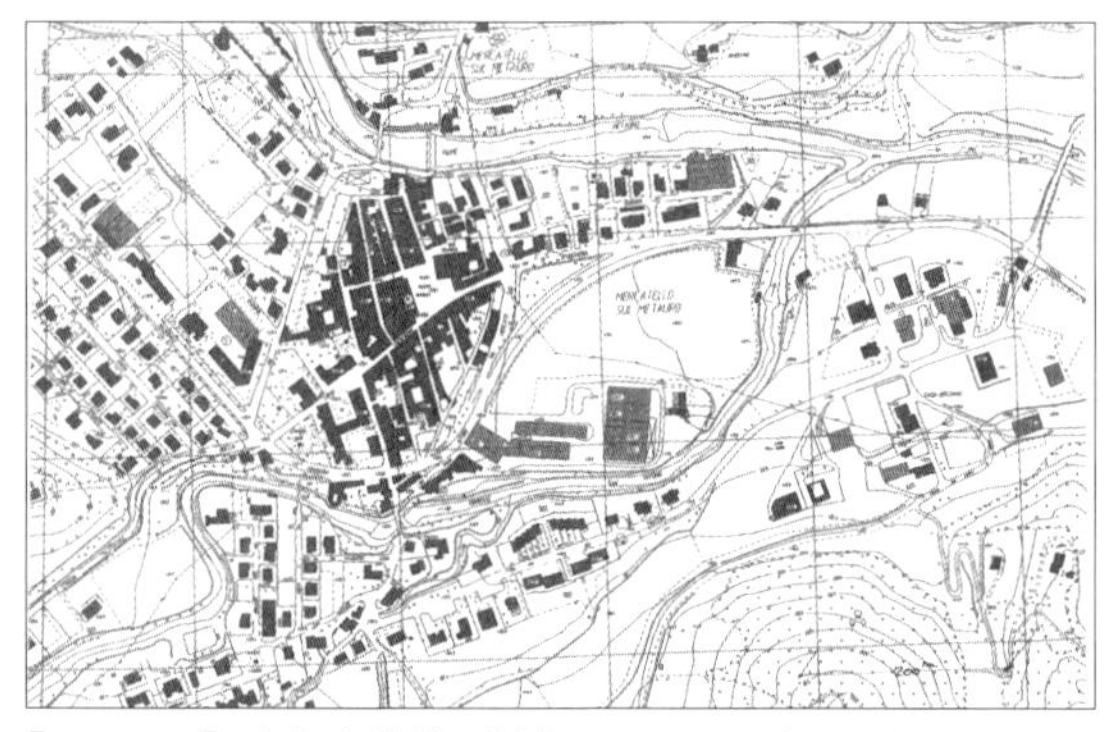

【1・2・4】中心市街地は標高429 mの谷あいにある。ここに1200人が住んでいる。市街地の中央、建物が卵形に密集して固まっているところが市壁に囲まれていた旧市街。緑地を挟んで右手に広がっているのが新産業ゾーン。以前は旧市街地の中で仕事していた家具屋、食肉加工屋、靴屋、加治屋、自動車修理などの職人たちの家内工業の職場が近代化されて外に広がったもの。その他の家並みは新しい住宅地。旧市街に住んでいた人が外へ出たり、田園地帯の住人が移ってきたりしたことで中心市街地がこのように広がった。

【1・2・5】麻畑に一面の薄水色の花が咲いた。かってメルカテッロは麻織りの産地で春になると方々にこんな風景が広がっていた。

この地方はトリュフの産地でも知られている。日本の松茸かそれ以上の値で取引される。誰がどこでどの程度採っているのか、「俺は名人だ」と自慢する男はいるけれど、何処でどのくらい採れるのか息子以外、他人には絶対に教えない。道端に車を止めて、そこから目当ての場所とは反対の方向に山の中に入って行く。大回りして目当ての方向に行くとその奥に彼だけが知っている産地がある。かなりの額の取引がなされているらしいが、実態は闇の中、だれも税務署につかまるようなへまはしない。

十月に猟が解禁になる。レストランではジビエ（野鳥や猪、鹿、野兎）のメニューが出てくる。男たちは鉄砲を持って山に入る。道をはずれて見晴らしの良いところに行こうとすると、一人でじっと藪の中に身を隠している男にいきなり出くわすことがある。鳥が飛びたつのを何時間も待っているのだ。

きまり悪そうに笑いながら「早くほかへ行ってくれ」と目で合図する。どの山も持ち主が決まっているが、茸採りと猟は免許さえもらえば誰でもどこへでも入ってよいことになっている。ただし、ジビエを売り買いすることは自然生物保護のために国の法律で禁止されている。しかしジビエを看板にしているレストランはメルカテッロにもある。ないはずのものが出てくる、イタリアの手品のひとつだ。

なだらかな山の稜線、山を覆う優しい木立。シデの木、トネリコ、樫の木、楢の木、栗の木、表土が薄くその下は岩山なので大木にはならない雑木林だ。

山裾に緩やかにうねりながらどこまでもつながっている緑の丘。キンポウゲ、野生のシクラメン、プリムラ、すみれ、エニシダの花々、そして点在するくすんだ肌色の農家。アペニンの青い山並み、爽やかな空。永遠の人の営みを感じさせる自然の風景、この風景をルネッサンスの画家ピエロ・デッラ・フランチェスカはウルビーノ候モンテフェルトロとバッティスタ・スフォルツアの結婚の記念板絵の背景に描いている［註1・2・1］。

「ピエロの風景を壊すな」

高速道路建設反対の呼びかけは強い説得力を持った。

当時のウルビーノ候モンテフェルトロはルネッサンス文芸の重要なパトロンの一人として知られている。ピエロもモンテフェルトロに呼ばれてウルビーノで仕事をしている。ピエロは出身地のサン・セポールクロとウルビーノの間を何度も行き来している。その途中にメルカテッロがある。今まさに私たちが歩いている町の広場を、ピエロは行き来しただろう。「ピエロの郷」、そう呼んで人々はこの風景を誇りにしている。

■都市の風景

メルカテッロは人口約一四〇〇人。そのうち一二〇〇人がひとつのまとまった市街地に集まって住んでいる。この市街地をチェントロと呼ぶ。英語でセンターcenter中心という意味だが私は中心市街地と訳している。イタリアでは伝統的に住まいをコンパクトにまとめて互いに壁を接して固まって住む。そのようなボルゴ（小さな集落）や建築群が田園の中に点在している［註1・2・2］。

その中で際立って大きく、教区をまとめる教会があって、役場があって、定期的に市が開かれる集落がチェントロだ。文字通り地域共同体＝コムーネ［註1・2・3］の中心になる集落で、かつては市壁で囲んで外敵に備えていた。今でも多くのチェントロに当時の市壁や町の門が残っている。メルカテッロもそのようなチェントロのひとつだった。

メルカテッロの市壁が建設されたのは一二五七年だ［註1・2・4］。市壁の延長は約七〇〇メートルの楕円形で、東西約二〇〇メートル、南北約三〇〇メートル、市壁で囲まれたチェントロの面積は五ヘクタール余り、比較的平坦な土地に計画的に建設されたのでほぼグリッド状に道路が通っている。

産業革命以前のチェントロはほとんど市壁の中に収まっていた。メルカテッロのような田舎のチェントロは戦

【1・2・6】町のシンボルのひとつローマ橋。「北の門」のすぐ外、メタウロ川を跨いで架かっている。名前はローマ橋だが、それほど古いという意味に解釈したほうが良い。

【1・2・7】町の中心ガリバルディ広場。町役場（左）と文化センター（旧ガスパリーニ邸、正面）、教区教会（右）、バールや商店に囲まれている。1880年に着工した再開発で町役場が建て替えられて今の広場の形が整った。土曜日には市が開かれる。

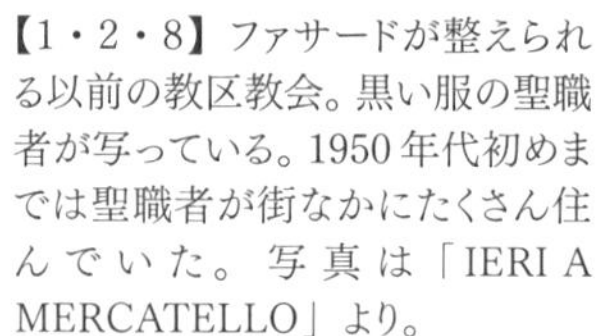

【1・2・8】ファサードが整えられる以前の教区教会。黒い服の聖職者が写っている。1950年代初めまでは聖職者が街なかにたくさん住んでいた。写真は「IERI A MERCATELLO」より。

【1・2・9】13世紀に建てられた聖フランチェスコ教会、町で最も古い建造物のひとつ。簡素で美しい堂内は町の自慢で、結婚式はここでやることが多い。夏のクラシックコンサートもここで催される。かつては修道院付の教会だった。今は町の歴史美術館にコンバージョン（用途変更）されている。

後の高度経済成長が始まる一九五〇年代初めまで市壁の中に収まっていた。その後徐々に市壁の外に建物が建てられてチェントロは外に大きく拡大した。かつて市壁に囲まれていた部分は拡大したチェントロの中に埋もれてしまったように見える。

メルカテッロでは約三〇〇人が住む旧市街の周りに新しい市街地が広がって、合わせて約一二〇〇人が住む現在の中心市街地、チェントロが出来ている。

メルカテッロのチェントロを空から見ると建物が卵形に密集して固まっているところがある。そこが市壁に囲まれていた旧市街のチェントロだ。この部分をチェントロ・ストーリコ centro storico、英語ではヒストリック・センター historic center、私は歴史的中心市街地あるいは短く旧市街と訳している。その真ん中に広場がある。この広場を囲む限られた範囲もまたチェントロと呼ばれる。チェントロの中のそのまたチェントロだ。

イタリアのコムーネのチェントロは、広い田園地帯の中にチェントロ（中心市街地）があって、その中にチェントロ・ストーリコ（旧市街）があって、その中にまたチェントロ（広場）があるという、三重のあんこ饅頭の構造になっている。

新市街は旧市街と密接につながる形でコンパクトに形成されている。そうすることで周囲の田園地帯への市街地のスプロール（侵食）を最小限に抑えるよう、配慮している。メルカテッロでは旧市街の広場に沿ってメインストリートが通っていて、商店が十数店この通りに沿って集まっている。

広場やメインストリートから一歩中に入ると住宅地だ。ほとんどの建物が三階建で、一階を倉庫や事務所に使い、二・三階が住居。建物の出入口は小さく道も狭いので旧市街で駐車場を持つ可能性は極めて限られる。

コムーネは旧市街の外に無料の駐車場を用意している。「それでは不便だ」と駐車場をみんなが建物の一階につくり始めたら、もうこの街並みは存在できない。イタリアの旧市街ではみんなこの考え方で車の使用を厳しく制限している。

旧市街はメタウロとサン・タントニオの二つの川の合流点につくられている。そしてその二つの川の川石（石灰岩の一種）を加工して通りに敷いている。一辺が一五〜二〇センチくらいのサイコロ型の石だ。今同じことをしようとしたらひどく高くつくから、この敷石は貴重で大事にされている。

イタリアの街を歩いているといつも考えることだが、車椅子を使うような身障者や老人、乳母車、目の不自由な人にとっては実に歩きにくい街だ。

敷石が凸凹であるだけでなく急な坂道や石段がそこら中にある。この二十年ほどでずいぶん改善されてはいるが日本とは比較にならない歩きにくさだ。同じことを日本でやったら非難の集中砲火を浴びる。イタリアでそれが許されるのはそれを前提にした長い生活の歴史があるからだろう［註1・2・5］。

そのような歴史は一方で我々とは違う思考、価値観を生んだとも言えそうだ。

安全、便利と美しさとは必ずしも両立しない。しばしば衝突するものだ。どちらを取るかを社会は選択しなければならない、という価値観だ。安全、便利が必ずしも日本のように最優先ではなく、自己責任や美しさを優先することも重要な選択肢であるという生活の価値観だ。

すべての人に安全で便利なデザイン（ユニバーサル・デザイン）は誰もが求める疑問の余地のない価値の主張だが、それによって失う貴重な価値があることも事実だ。安全、便利に慣れてしまって、昔自分に備わっていたはずの野生的な生命力と感性がすっかり退化していることを思い知らされることがある。そのような貴重な価値を尊重するデザインも考慮されてよいのではないだろうか。

メルカテッロには七つの教会があって、一番地位の高い教区教会が広場に面している。起源は十世紀だが正面ファサードが今の姿に整えられたのは一九二七年、この町生まれの聖人（現在は町の守護聖人）サンタ・ヴェローニ

【1・2・10】サン・フランチェスコ修道院の壁と窓。砂岩が風化して溶けたアイスクリームのように軟らかい表情を見せている。

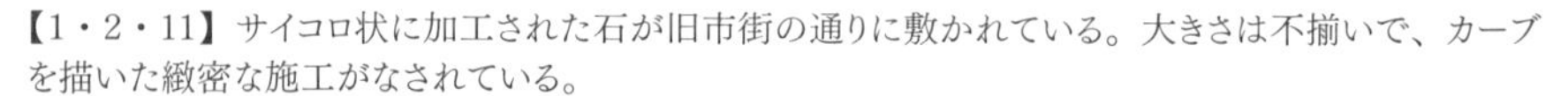

【1・2・11】サイコロ状に加工された石が旧市街の通りに敷かれている。大きさは不揃いで、カーブを描いた緻密な施工がなされている。

【1・2・12】裏通りはすべて住宅地。幅3メートルから4メートルの石畳の道が緩やかにカーブしている。

【1・2・13】雪に閉ざされた旧市街。5年に一度の割で除雪作業が必要になるほどの雪が降る。

カの死後二百年を記念した事業だった。

新しいファサードは取って付けたようにこの街の風景では浮いているが、あと二百年も待てば風景に馴染むだろう。場所的にも精神的にも町の中心である教区教会のファサードを完成させることは、メルカテッロの住民にとって歴史的な大英断だった。数百年我慢する覚悟でつくったファサードだろう。

教会と向かい合って建っているのが町役場だ。一八八〇年に着工、それまでの裁判所の館を含むひとつの街区を再開発して今の姿になった。街区の西に通っていた道路を廃道にしてその分広場を大きくして、今の形に整えた。廃道にした道路の部分が今は町役場の下のポルティコになって広場を眺めるベンチが置かれている。

街が美しいとはどんなことか。広場で空を見上げながら、細い路地を歩きながら考える。アイスクリームが溶けたようにやわらかく風化した石の壁、鈍く光る滑らかな敷石、建物が積み重なって現れる彫刻的な塊り、色のハーモニイ。空の明るさ、壁に当たる光と影。街はあたかも交響曲を聴くかのように優しく人の体を包む。人間の誰もが持っている気高い精神、スピリッツを感じ取ることができる。年を経た街の表情に「侘び・さび」の情をすら感じるのは私が日本人だからだろうか？

いやそうではなく、彼らと話しているとイタリア人もまた似たような感性を持っているなと思わせられる。人間の感性は基本的に共通している。だから同じようにひとつの芸術に感動できる。都市の美しさも同じだ。美しい都市に身を置くと、誰もが幸せな気持ちに包まれる。

美しい街、そして街の外に広がるのびやかな田園の風景。風景が美しいと人は幸せになれる。メルカテッロにいるとそのことに気づく。

【1・2・14】ガリバルディ広場をパラッツォ・ガスパリ―二の２階から見下ろす。町には不相応と言われても仕方のないほど広くて風格のあるのがメルカテッロの中央広場。

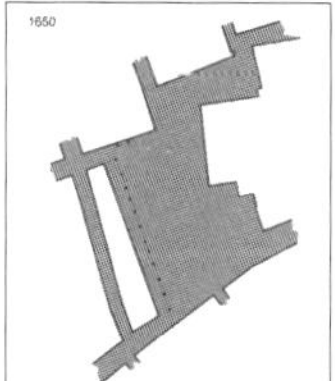

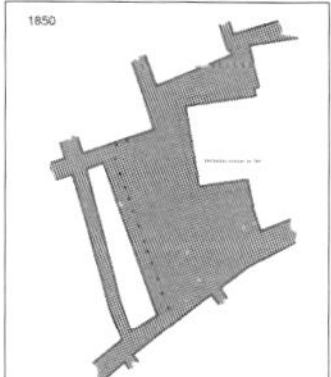

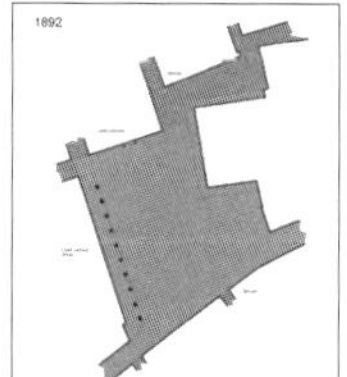

【1・2・15】建築家ガブリエレは1650年以来の広場の舗装と周囲の建物の関係を分析したうえで、広場の意味を体系的に再構成する案Progetto 2012を提示した。

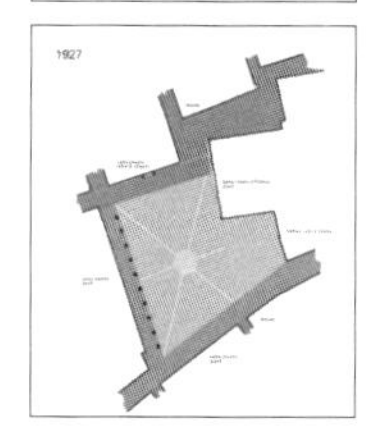

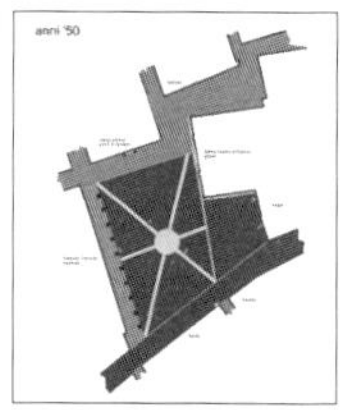

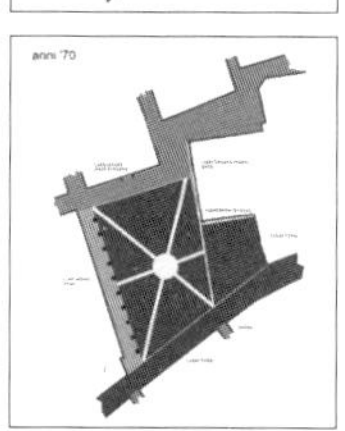

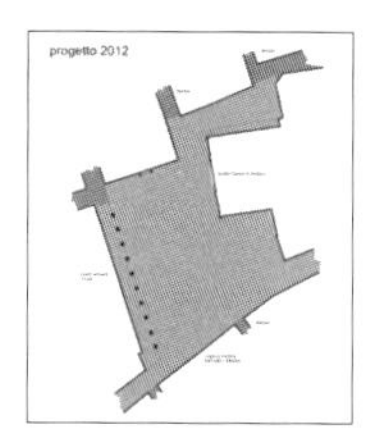

【1・2・16】ガブリエレの案に対抗してfacebookに登場した強烈な対抗案。住民が愛してやまないソーレ（太陽）の図柄が残されている。結局この案に沿って舗装の改修が実施された。

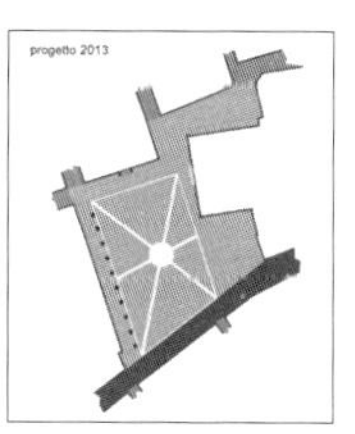

【1・2・17】教区教会は３身廊のバシリカ様式（列柱で３つの空間に分けられている初期キリスト教会の建築様式）。何度も改築された後、内部は1700年代に前ヴァンヴィテッリ様式と純粋なヴァンヴィテッリの新古典様式で改修されている。

【1・2・18】イヴェントになると広場は俄然賑やかになる。

【1・2・20】町の守護聖人サンタ・ヴェローニカの生誕地の近くに花壇に囲まれた小さな公園広場がある。中央にサンタ・ヴェローニカの像が立っている。広場の角に地元の彫刻家マルティーニ・パスクワレの作品が据えられている。

【1・2・19】町の中心ガリバルディ広場に建つパラッツォ・ガスパリーニは町一番のシンボル。町の文化センターとして親しまれている。

■広場の風景

二〇一二年には町の中央広場、ピアッツァ・ガリバルディの舗装の改修を巡って町なかやフェイスブックで大論争が起きた。

設計を委託された建築家はガブリエーレ・フラービオ。この町の出身でいくつかの重要な町の仕事をまかされた実績がある。フィレンツェ大学で建築史を専門に学んで、気合十分の四十歳代の建築家だ。彼は広場の形とそれを囲む建築の歴史を慎重に検討したうえで、それまでとは全く違う、理論的に構成された知的でシンプルなデザインを提案した［1・2・15］。

既存の広場は濃いグレーの地に中央の円から放射状に帯が伸びる模様が描かれていた。その模様を住民は「ソーレ（太陽）」と呼んでいた。一九二七年に教会のファサード工事に合わせて舗装を替えたとき以来の模様で、敷石はその後三度変えられている。ヴァティカンのサン・ピエトロ広場の模様に似せたものだという人もいる。古いのが当たり前のイタリアでは歴史的に価値があるとまでは言えないが、今生きている住民にとっては子供のときから慣れ親しんだ模様だ。ガブリエーレの案に反対して「この模様を残せ！」の声が上った。模様を残す対抗案も出た［1・2・16］。

住民総会が開かれてガブリエーレは自分の案を説明したが、そのとき会場は、「ソーレ！」「ソーレ！」の声ばかりで、ガブリエーレの完敗になってしまった。

「デザインの理論を全く聞いてもらえず、ただの感情だけで決まってしまった」

ガブリエーレはそう言って悔しがる。広場に求める町のシンボル性をどう表現するのか、見て分かりやすい形か、感覚に語りかける場の雰囲気か。絵に例えれば具象か抽象かという、選択になる。ガブリエーレが提案したような抽象的な都市空間がみんなに受け入れられるのは、やはり難しいのではないだろうか。もしガブリエーレはなっただろう。

の抽象的な（現代的な）提案が実現されていたら、メルカテッロにも新しい未来の空気が持ち込まれるきっかけに

二〇一五年には旧市街の夜間照明が一新された。「明るすぎる、白っぽすぎてシラケる」と私もコムーネに文書で注文を付けたくらい、それまでの照明はいつの間にかいい加減になっていた。それが落ち着いた、ほどよい、そして十分に印象的な照明になった。九九万ユーロ（約一億四〇〇〇万円）は人口一四〇〇人のメルカテッロには大金だが、町長のピストーラが特別の補助金を獲得した。ピストーラは私の注文を聴くとすぐに私を呼んで「今考えているところだ」と説明してくれた。市民の声が子供会の話し合いのように自由に行き交っている、地方自治の行政の在り方に直接触れた思いがした。

二〇一五年の八月から広場とメインストリートが夏季限定の歩行者専用ゾーンになった。週末の夕方と日曜日は終日車が入れない、駐車もできない。

近年イタリアだけでなくヨーロッパの各都市は歩行者優先の都市計画を積極的に進めている。田舎町のメルカテッロでは気になるほどの自動車の通行はないからその必要はないと思っていたのだが、やってみると車のない街の居心地の良さが分かった。車の姿がない広場は全く別物のように気品がある。

ガリバルディ広場から見上げる空は素晴らしい眺めだ。どんな素晴らしい建築も空の美しさにはかなわない。でも、建物の背景になって広がる空は身に沁みて美しい。そんなことを考えさせられる。

■新しい市街地の風景

旧市街は美しいけれど、何かと面倒で不自由なことが多い。それに比べて新市街に住むと庭があって明るくて周りに気兼ねなく暮らせる。イタリア人でもそう考える人が多くて、多くの人が旧市街の外に住むようになった

［註1・2・6］。

招かれてそのような新市街地の家の一軒、アメデオとナディア夫妻の家を訪ねた。庭付きの一戸建てだ。

綺麗に手入れされた芝生の庭の先にコンクリートの家が建っている。一九六五年に建てた三階建て、一階は物置とアメデオの仕事場。アメデオは建材を扱う営業マンだったが、今は引退して年金暮らしを楽しんでいる。だから仕事場というのは彼の工作室だ。海岸に流れ着いたり、川で見つけたりした流木を利用して様々な作品を制作している。一五〇本以上のステッキ、立体のオブジェ、椅子やベンチ、郵便受けもつくった。これだけ自己満足が重ねられるとどれも工芸品と呼ぶに相応しいけど、数が多すぎて結局はガラクタになってしまう。仕事場には様々な工具や工作機械が整然と備えられていて、趣味の仕事場とは思えない本格的な仕事場だ。売る気はないし、展覧会で見てもらおうという気もないので、作品は一階の倉庫に溜まるばかりだ。

二、三階が住まいになる。普段は夫婦二人の暮らしだから昼間はダイニングキッチンで過ごすことが多い。子供たちや友達が来ると食堂兼居間に集まる。ここにはアメデオの描いた絵と、彼の友人の画家の絵などがかかっている。アメデオに限らず居間に通されるといつも、メルカテッロの人々の生活の豊かさを目の当たりにする。

壁にかかっている何枚もの絵、書棚やテーブルの上の置物、手入れの行き届

【1・2・21】明るすぎる白っぽ過ぎると私が文句を言った街の照明が1年後には温かい色の、ほどよい明るさの照明に変えられた。細い裏通り、広場のモニュメンタルな建物、役所の玄関周りのポルティコ。それぞれ場所に相応しい照明の在り方が考えられている。決してこれ見よがしにならない、生活に沿った何気ない気配りの照明が心にしみる夜の街の風景をつくっている。

【1・2・22】旧市街の外に建つ戸建て住宅のひとつ。アメデオとナディア夫妻の住まい。

【1・2・23】新市街地に広がる庭付き1戸建てと2戸建ての住宅地。空間に余裕がある新市街地でも連棟のテラスハウスが多く見られるのは、戸境壁を共有する都市型建築の伝統によるものだろう。道が広すぎて間の抜けた感じがするのは、狭い道に慣れた日本人だからだろうか？　郊外でも電線が地中化されているので若い並木が思いっきり枝を伸ばしている。

いた古い家具、よく選ばれたモダンな家具、そして高い天井。決して上等なものばかりではないけれど、住まい手の気持ちが伝わってくる生活文化がそこにはある。どの家を訪ねても余計なものが置いてなく、部屋は何時も端正に整っている。それを可能にしているのは地下や一階に必ずある大きな倉庫だ。様々な余計なものがきれいに整理されて大量に仕舞い込まれている。

寝室は三部屋ある。どの部屋からも外の緑の木立が眺められる。敷地の南は小さな谷川でその向こうにも一戸建ての住宅地が続いている。谷川沿いにイチジクやクルミ、リンゴの木が生えている。

家の裏手は奥さんのナディアの世界だ。家庭菜園にはセロリ、トマト、キュウリ、ジャガイモ、玉ねぎ、アスパラと、春から夏にかけてのあらゆる野菜が栽培されている。敷地は一四〇〇平方メートル、建物が約二〇〇平方メートル。そのほかに小さな二階建ての離れが建っていて、今は空き家になっている。

お祖父さんは町の世話役で働き者で、それなりに財産を残してくれた。この家はナディアの両親が建てたものだが、ほかの相続人とはお金で清算して二人のものにした。アメデオはそんなことまで話してくれた。

彼らは六〇キロ離れた海沿いの町ポルト・サン・ジョルジョにもう一軒の家とアパートを持っており、夏は涼しい故郷のメルカテッロで、冬は温暖な海辺の町でという生活を送っている。

新しい市街地にはアメデオのような庭付き一戸建てのほかに、兄弟や親戚で一緒に建てた庭付き二戸建ての住まいも多くある。ディベロッパーが建てた連棟のテラスハウスもある。

いずれも庭や建物は広くて大きくて、日本で言えばお屋敷と言えるほどに立派だが、周りの道路はしまりのない、いい加減な仕上げで終わっている。アスファルトの舗装はいい加減で、排水路はなく路面の水勾配だけでおしまい。日本のお屋敷街と比べると、どう見ても大雑把で潤いに欠けている。街路樹が大きく育っているところはそれなりの雰囲気があるが、そうでもないところは街としてのまとまりも感じられない。しかし少し手を入れればずっと良くなる可能性がある。そのような美しい新市街も少しずつ現れている。これからどうなるか、私は興味を持って見ている。

新市街の街並みは、しかるべき建物の景観規制があって整えられているのではない。日本で言う建蔽率、容積率のような決まりはあっても、外観はそれぞれが勝手に自分の好みにしたがって建てる。中にはスイス風を思わせる家もあって、よく見るとみんなが好き勝手に建てたものであることが分かる。それなのに日本とは違って、全体に統一感のある穏やかな風景になっているのはなぜだろうか。

それは、建物は一度建てたら壊さない、半永久的に持ち続ける社会的財産と皆が考えているからだ。そのようにストックを前提にする社会では年を経ても財産価値が下がらない建物であることが重要だ。こまめにメンテナンスしたり手を加えたりして財産価値を高めようとする。次の世代が住み続けるにしろ事情があってほかに売るにしろ、時代が変わっても、誰が見ても「いい家だ、いい街だ」と思うような家を心がける。そうやって家や街に対する共通の価値観、美意識が生まれ、それを尊重することが常識になる。

日本でも以前はそうだった。穏やかで豊かな、ある種の統一感のある住宅地が普通にあった。ところがいつの間にか、木造住宅は三十年ほどで建て替えるものだと考えられるようになって、コンクリート造のマンションでも三十年経つと（ほとんど根拠なしに）「もうそろそろかな」と言われたりするほどだ。

フロー経済で成り立っている日本の建物は自動車のモデルチェンジと同じような感覚で、今や不動産というよりも動産、耐久消費財とみなされている。建物は個人の好みか、ハウスメーカーのファッション感覚で建てられ、飽きると壊されて建て替えられる。今の日本の住宅地は個人の様々な好みが入り混じった、多様で複雑な、そしてどこも建てたばっかりのように新しい風景になっている。

メルカテッロの新市街を歩くとそんなことも考えさせられる。

インタビュー②

エウロージア・ラッツアーリ

Eurosia Lazzari（町に一軒のペンショーネのオーナー）

「ローザンヌのことは、本当に素晴らしかった」

記録はエウロージアと交わした会話に筆者の補足を加えて、聞き取り記録として編集した。記録内容に誤りがあればそれはすべて筆者の責任に帰する。

私の父も、母も、夫もこの町で亡くなったのよ。私も多分そうなるわね、ここで死ぬわ。でも生まれはここじゃないのよ。ここから二〇キロほど北のマチェラータの町で生まれたの。父はムラトーレ（日本で言えば大工さんに近い壁積み職人）だったけど、仕事のしやすいメルカテッロにやって来て、私が今住んでるこの家を買ったのよ。全部で三〇〇平方メートル以上あるけど、そのとき買ったのはその一部分よ。この家はそのとき三つの家に分かれていて、みんな合わせると一七人住んでいたらしいわ、賑やかだったでしょうね。今はそこに私と孫娘の二人で住んでいる。

〈空いた部屋はペンショーネにしているけど本気で経営しているとは思えない。いつもは孫娘と二人だけの暮らしみたいなものだ。看板も出していない。食事なしのホームステイという感じだ。

今は町の外にバカンス客向けの宿が何軒か出来たし、まちなかにB＆Bの宿も出来ているけど十年前まではメルカテッロでただ一軒の宿屋だった。家の修復中私はここを定宿にした。東洋人が訪ねてくることはなかったは

ずだから私がメルカテッロに泊まった最初の日本人だ〉

メルカテッロへ来たのは私が二歳のときだから何も憶えてない。第二次世界大戦が始まる前の一九三八年よ、世界中が不況の時代でしょう、生活は楽でなかったと思うわ。

父のラッファエレはもともとあまり体が丈夫でなかったらしいけど、こっちへ来て四年目にがんで亡くなってしまったの、子供四人を残して。兄が二人、姉が一人の四人兄弟だったの。

兄のジャンニーノは十九歳になっていたけど、すぐに徴兵されてユーゴスラビアの国境に近いトリエステに行ってしまった。一九四三年九月八日にイタリアは連合軍と停戦したので、そこでそのままドイツ軍の捕虜になって戦争が終わるまで帰って来なかったわ。今思えばラッキーな戦争体験かもしれないわね。

下のほうの兄のチェシアーノは十四歳だったけど、その次の年に家を出て南から進軍してきたイギリス軍のいるところまで逃げて行ったの。

〈九月八日の停戦以後イタリアは二つに分かれる。北と中部イタリアはドイツが後ろ盾になっているムッソリーニの共和国、中部と南部はアメリカ軍に占領されたイタリア王国だ。北と中部イタリアではドイツ軍に抵抗するパルチザンが組織されていた。メルカテッロもその一部だった。パルチザンがドイツ兵一人を殺すと、ドイツ軍はしばしばその仕返しにイタリアの男一〇人を集めて殺した。メルカテッロでは幸いそんなことは起こらなかったけど、周りの山にはパルチザンが潜んでいてファシストやドイツ軍と撃ち合っていた。いつ集められて殺されるか分からないから、チェシアーノはいち早く逃げたということらしい。だからエウロージアの二人の兄は戦争が終わるまで帰ってこなかった。

そんな時代の戦争中、そして戦後、女一人で子供四人の生活を支える暮らしは今では信じられないくらい惨めで貧しいものだったはずだ。日本も同じだった。貧しくて惨めなのがその頃は当たり前だった〉

母は体も強いほうではなかった。今でもその苦労を思うと胸が締め付けられる思いよ。母のことを思うと耐えられなくて、一人で泣いてしまうこともあるわ。

戦争が終わってから学校に行き始めたの。学校は今の町役場の三階にあったわ。広場の北西の角のところに今でも扉が残っているけど、そこからみんな三階まで真っ直ぐ上がっていったのよ。学校は午前中で終わるから、午後は尼さんとやっている奉仕作業に行くの。母は仕事に出ていて家にいないからね。三〇人くらい、小さい女の子ばかりが集まって、尼僧のステファニルデさんがそれを全部まとめて面倒見るのよ。尼さんたちの家の掃除だとか、洗濯だとか、裁縫、今はこの地方でみんながやるようになった刺繡（トンボロ）もここで習ったのよ。おやつも食べさせてくれて、夕方の礼拝を済ませてから家に帰るの。その頃仕事を終えた母も家に帰ってくる。

母は農家の作業を手伝っていたのよ。その頃の女はみんなそうして働いていた。町のタバコ工場も大事な女の働き場だった。二歳年上の姉のディアーナは小さい子でもできる子守や家事手伝いをして母を助けていたし、二人の兄はムラトーレになって働いていたわ。その頃は大人はみんな働いているから子供の面倒なんか見られないし、そこを教会が助けてくれたのね。男の子たちもサン・フランチェスコ修道院の裏の空き地で遊ばせてもらってたわ。サッカーをやったりして、みんなそこで遊んでいた。

〈子供たちの面倒はみんな教会が見ていた。お坊さんが街にたくさんいた。その頃の街の写真を見ると、裾の長い黒い服を着たお坊さんがやたらに多い〉

尼僧のステファニルデさんも、裾の長い黒い服を着て、黒い被り物をして、その下に顔の周りと胸のところにのりを利かせて、ぴんとアイロンをかけた真っ白い被り物を着けていたのよ。厳格な人だったわ。「家政大学校」と私は言っているの。女の子に必要な仕事を全部ステファニルデさんに教わったの。

小学校の成績はとても良かった。数学が得意だったの。進学したかったけど、とてもそんな状態じゃなかった。私だけじゃないの、ほとんどが小学校の五年間で義務教育を終わっていたのよ。

卒業すると、母や姉の負担を減らすために私も働き始めたわ。少しでも独立しなくちゃ迷惑かけるからね。みんな貧しかったし、みんなが自分のことは自分でしたのよ。それが当たり前だと思っていた。学校を諦めるのは辛かったけどね。

ローマから赴任してきた森林監督官の奥さんのリーナさんのお手伝いをしたのが、私の最初の仕事よ。このときに料理を覚えたの。リーナさんがローマへ帰っていなくなってから、今度はメルカテッロを出てアドリア海に面しているファーノの町で子守に雇われたわ。その次は山の方に戻って、メルカテッロから六〇キロ南に離れてるペルージアの町で大きな家の家事手伝いに雇われたわ。タバコの品質管理をやっている事業家だったの。メルカテッロに帰って一息ついて、今度は二か月だけだけどローマへ行ってやっぱり家事手伝い。ステファニルデさんに教わったことが身を助けたってことになるわね。そうするうちに私もメルカテッロから外の世界に出たくなった。

兄のチェシアーノは一九五二年にスイスへ働きに出ていた。そのままスイス国籍を取って今はローザンヌの町に住んでいるわ。

思い切って兄のチェシアーノを頼って、スイスのローザンヌの町に行ったのが一九五六年の七月よ。兄は向こうでムラトーレをやっていて、知り合いの宿屋で私を雇うという雇用契約をまとめてくれたの。それがないとスイスの滞在許可が発行されなかったんだけど、そんなわけで私は難なくスイスに行って働くことができたのよ。

母を残していくことは気になったけど、どうしてもここを出て外の世界に行きたかった。そのときの母の気持ちがどんなだったか、今は察しがつくし、胸が痛むけど、そのときはそんなことを考える余裕はなかったの。上の兄と姉が近くにいたから、それに甘えたってこともあるわね。

ローザンヌは素晴らしかったわ。目の前にレマン湖が広がっていて、向こう岸はフランスよ。空気は澄んでいて、空も湖も真っ青なの。窓を開けると広々とした風景が目の前に広がっている。山に囲まれたメルカテッロとは、全く違う風景だったわ。

そこで生まれて初めて思いっきりのびのびと、楽しく仕事をしたわ。部屋を掃除したり、シーツやタオルを洗濯したり、アイロンをかけたり、小さな宿屋だったから何でもやったのよ。

夫のリナルドとはそこで出会ったの。彼は料理人で、やはりイタリアから働きに来ていた。ヴェネト州の、ヴィチェンツァの町の近くの生まれなのよ。

〈ヴィチェンツァと言えばパッラーディオ、と言うくらい、あの後期ルネッサンスの建築家の作品で知られた町だ。その近くのヴァルダーニョでリナルドは生まれた〉

二年間付き合って、結婚したのは一九六一年一月十九日、ローマでオリンピックをやった次の年よ。結婚式はメルカテッロで挙げたのよ。広場でみんなに祝ってもらった。教会の鐘がカン、カンと鳴ったのよ。

次の年にローザンヌで娘のアンナマリアが生まれたわ。幸せだった。アンナマリアを抱いていると、体の中から幸せが湧いてきたわ。

リナルドは仕事が好きでとにかく忙しかった。バールで働いたこともあるわ。きっと町の常連客の顔を見ながら、声をかけ合いながら、一緒に生きてるって感じが好きだったんでしょう。お昼に二〇〇人くらい来る店で働いたこともあるわ。みんな立って待っているの。席は少なくて、ぎりぎりに詰め合って、押し合いながら席につくのよ。そこにフォンジュ鍋が来るの、それをみんながパンでつっつきながら食べるのよ。
スイスのものは何でも美味しかった。サラミも、ハムも、チーズも美味しかった。ヴィーノも美味しかった。ローザンヌは良い葡萄が採れるのよ。
スイスに行った当初は、パスタとか、イタリア料理を食べることが多かったけど、そのうち何が何だか分からなくなってしまうくらい、混ざり合った食事になっていたわね。私は食べ物にこだわりがないのよ。その土地のものを何でも美味しく食べてしまうの。メルカテッロには毎年帰ってきたわ。体の弱い母がいるからね、夏のバカンスはいつもメルカテッロで過ごしたの。

〈メルカテッロはこの頃どんどん変わっていた。メッザドゥリーアと呼ばれた昔ながらの折半小作の農業をやめて都会に出て行く人が多く、この頃メルカテッロの人口は三分の二以下になってしまった。三〇〇〇人いたのが一八〇〇人くらいになってしまった。繊維工場がこの辺りに出来て、その関係の仕事が増えてきたりして、昔ながらの市壁に囲まれた街の外側に工場や新しい住宅が建ち始めたのもこの頃だ。町の南側を迂回するバイパス、国道七三号線が出来たのもこの頃だ〉

ローザンヌも変わったわ。観光客がどんどんが増えてきたの。そのうち日本人も来るようになったわね。リナルドはそれをとても嫌がった。観光客相手に仕事をするのは嫌だと言うのよ。イタリアに帰ろうと言い出したの。私は帰りたくなかった。ローザンヌの生活がすっかり気に入っていたし、友達もいた。娘のアンナマリアはもうすぐ小学校を卒業して、次は中学校に行くことになっていた。私たちはフランス語が話せて、何も不自由はなかった。今でも私はフランス語を忘れてないわよ、フランス人に会うと自然にフランス語が出てくるわよ。

リナルドはどうしても帰りたいと言うし、結局帰ってきた。リナルドは自分の命がそんなに長くないってことを感じていたのかもしれないわね。私は十八年間スイスで暮らしたわ。メルカテッロに帰って来たのは一九七四年、その二年後に母が亡くなったのよ。

ここに戻って母と一緒に暮らし始めたのは良かったわ。兄のジャンニーノはメルカテッロに住んでいたから心強かった。姉のディアーナは結婚して近くのカルペーニャの町に住んでいたからいつでもすぐに会えた。下の兄のチェシアーノだけがローザンヌに住んでいて遠かったけど、夏にはよく帰ってきてみんなが顔を合わせたのよ。母はすい臓がんだったの。六回も手術して頑張ったけど、すっかり弱って亡くなったわ。この家で亡くなった。最後まで面倒を見て、みんなで見送ったの。七十三歳だった。三十四年ぶりに天国で夫に会ったら、どんな話をしたでしょうねえ。

スイスから帰るとすぐに今の家の一階でオステリア（居酒屋）を開いたのよ。ピッツァを食べてヴィーノ（ワイン）を飲む店なの。斜向かいにあったオステリアの営業権を買い取って店を始めたの。その頃は街にオステリアが数軒あって、もちろん広場の近くにもあったけど今は一軒もないわ。私は一九九六年まで何とか店を開いていたから、私の店がメルカテッロで最後のオステリアということになるわね。

〈オステリアというのは簡単なホテルを営業してもいいことになっている。一階で簡単な食事ができて上の階で泊まれるという昔の宿屋、今のペンショーネの原型がオステリアだ〉

私の焼くピッツァが美味しかったからしばらくはずいぶん賑わったのよ。仕事が終わると男の人たちが立ち寄って、一騒ぎしてから帰るのよ。ムラトーレのアドレアーノも、塗装屋のアルマンドもよく来ていたわ。今はバールがそれに代わって賑わっているけど、バールはオステリアに比べるとちょっと澄ました雰囲気ね。町全体が昔に比べるとずいぶん上品になったわ。その頃はヴィーノはみんなオステリアに来て飲んだのよ。

それとカンティーナ（葡萄酒貯蔵室）ね。一階にヴィーノを貯蔵しといて売るんだけど、飲みたい人もいるからそこが酒場にもなるの。決して上等のヴィーノではないのよ、地元のヴィーノだから。どっちかというと不味いヴィーノよ。大声で話して、仕事の疲れを吹き飛ばして、それから家に帰ったのよ。

日曜日も客が来たわ。サッカーをやって、終わるとみんな必ずやって来て大騒ぎしたの。

みんなが楽しむのを見るのが好きだから、私も楽しかった。私が若かったらお客さんはもっと楽しかったかもしれないけど、男は飲んで騒ぐだけで満足なのよ。

兄のジャンニーノが郊外に新しい家を建ててお金が要るっていうから、私が隣の兄の家を買い取って家を広げたの。そこを買って、全部で三〇〇平方メートル以上の大きな家になったわ、それが今の私の家よ。その後、手をかけて今見るように格好つけたのよ。木をたくさん使っているからちょっとスイス風って言われるけど、気持ちいい部屋でしょう。遠くの山が見える取って置きの部屋もあるし、合宿できるような大きな屋根裏の部屋も個性的でしょう。

〈エウロージアは帰ってきてしばらくはメルカテッロに馴染めなくて、ノイローゼ状態になった〉

ローザンヌでは窓を開けると青い空と湖が広々と広がってたのに、ここでは四メートル先に向かいの家の壁があるんだから息苦しくて、とても生きていけないと思ったわ。

ローザンヌではみんなが落ち着いてて、ふるまいが大人なのよ。子供も聞き分けがいいし、ここと比べると大都会だから当たり前なんだけど、しばらくは違和感が抜けなかったわ。今でも嫌なのはメルカテッロは時間にルーズなことよ。

とにかくみんな時間にいい加減なんだから。夏の催しだって時間通り始まることってないでしょう。九時からって言うので行ってみると、九時から準備を始めているのよ。町の議会だって、九時からって公示してあっても、九時に行ってもまだ議会室の扉は鍵がかかって閉まっているわよ。仕方がないと思いたいけど、どうしてもいらいらしてしまうのよ、時間にルーズなことには。

夫のリナルドはピッツァを焼くのをたまに手伝ったけど、店は私が一人で切り盛りしたようなもんだわ。体の調子があまりよくなかったしね、彼もがんで亡くなったのよ。一九八九年、五十六歳だった。やっぱりこの家で息を引き取ったわ。

スイスから帰ってきたとき息子のロベルトは四歳だった。夫が死んだとき十九歳になっていて娘のアンナマリアは二十七歳でもう働いていたから、私は母みたいに惨めな目にはあわずに済んだけど、それでも頑張って三人で生きてきたのよ。それだけに四年前、アンナマリアが死んだのはこたえたわ。彼女はまだ四十二歳だった。

〈アンナマリアは三年間闘病生活をして亡くなった。最後の一年はミラノの病院に入って、エウロージアもミラノに移ってずっと看病した。まだ小さい孫娘がいたから、その面倒も見なければならなかった。その間淋しくてひとりで何度も泣いたに違いない。彼女もがんだった。エウロージアは父と母と夫と娘、四人をがんで亡くしている〉

【1・3・1】エウロージアの家で手打ちのタリアテッレをご馳走になる。タリアテッレはイタリアのおふくろの味だ。

【1・3・2】ヴェーラが手作りのフォーカッチャでもてなしてくれる。生ハム、サラミ、4種類のチーズ。どれも食べごろにはこだわりがある。

【1・3・3】町の美食倶楽部Accademia di Padolotのメンバー9人が揃っている。食べ歩きはもちろん、自分たちで料理して奥さん方をもてなしたり、アメリカの旅行案内書の取材陣に郷土料理をふるまって町の宣伝に一役買ったり、食べることなら何でも、精力的に楽しみ、かつ町のお役に立っている。見ての通り、メンバーは男性のみ。女性をもてなすことには骨身を惜しまないけど、子供は招待しない。

今はその孫娘、ジェニフェルと二人でここに住んでいるわ。隣町に住んでいる息子のロベルト夫婦は共働きだから、しょっちゅう孫二人の子守をさせられるの。そのときは毎朝行くことにしている山歩きの散歩は、お休みにするの。上の男の子のフェデリコはもう十二歳だけど、下の女の子のサーラが四歳だから、まだしばらく手がかかるわ。フェデリーコがよく遊んでやるから、二人はとても仲が良いのよ。よく町の公園や幼稚園の庭で二人が遊んでいるのを見るでしょう。

今はジェニフェルのことだけが心配よ。母親を十八歳で亡くして、私がいつまで見守ってやれるか分からないけど、何とかしっかり生きていってほしい。

この窓から向こうにサンタ・バルバラの小さな山が見えるでしょう。朝の山歩きでヴィレルマやスミコとよく登るところよ。小学校の遠足はあそこに登ったの。あの頃はあそこから見える範囲が私の世界の全部だったのよ。

〈大きくなった三人の孫はエウロージアを慕って良く訪ねてくる。ジェニフェルはウルビーノ大学の心理学部を卒業し先端的な繊維工場が集まっているフィレンツェ近郊の染色の会社で働いている。フェデリーコはパルマ大学で物理学を専攻している。サーラは近くの町のピオッビコで旅館の経営を勉強している。エウロージアの苦労は報われた〉

3 食べる楽しみ

イタリア人にとって食べることは「腹を満たすこと」「美味しい！ を楽しむこと」「友情を、愛を、信頼を確かめ合うこと」、そしてそれ以上の何かだ。一緒に食べることで夫婦の、親子の、コミュニティの、「きずな」が不動のものであること、自分が独りではないことを確かめる本能的な生活習慣だ。豊かな生活を守る極意のひとつだ。

■ おふくろの味

元町長のパオロをしっかりと支えている奥さんのヴェーラが、食事の会になると家のオーブンでいとも簡単にピッツァやフォーカッチャを焼いて出す。自慢の料理に違いない。抜群に美味しいもてなしだ。手打ちのタリアテッレ（幅広のスパゲッティ）はいつも当たり前のようにつくってくれる。ローマで働いている息子のダリオはそれが目当てでしょっちゅう帰ってくる。

どの家でも気軽に手打ちのタリアテッレをつくる。タリアテッレはイタリアのおふくろの味だ。日本でいえば四国の香川でポピュラーな手打ちの讃岐うどんといったところだろう。

スミコの山歩きの仲間エウロージアの家に招かれたとき、彼女もタリアテッレをつくって食べさせてくれた。彼女の家に行くとよく打ちかけのタリアテッレがテーブルの上に広げられている。強力粉と卵だけで麺を伸ばす。人によってはそれにオリーブオイルを足す。麺棒で薄く二ミリほどに延ばすところは讃岐うどんというよりも蕎麦打ちに近いが、最後に切るときの麺の幅は讃岐うどんに近い。

エウロージアはスイスの生活が長かったからフランス語が今も堪能で時々地

【1・3・4】ダ・ヨーは1960年代からやっている町の大衆食堂。メルカテッロの味を知りたかったらここ！　という店。町の人にとっては文句なしに美味しいが、余所者には別の評価もある。夜はピッツァがよく売れている。最近は私たちもここのピッツァが美味しいと思うようになった。

【1・3・5】郊外の廃屋農家で開くパーティはこの上なく豊かな時間を感じさせてくれる。家庭菜園で取れた大きなトマトが出されている。

【1・3・6】仲良しグループの食事会。夕方から深夜まで延々と食べ続ける

【1・3・7】アグリツリズモのレストランはどこも飛び切り美味しいメニューをそろえて待っていてくれる。

【1・3・8】夏の音楽祭の後はサラミ、ハム、チーズを乗せたクロスケッタ（イタリア風オープンサンド）やフォーカッチャ、定番のおつまみとワインでにぎやかに盛り上がる。

元民とは違う外国人のような目で町のことを見ている。彼女だけでなくこの町には移民経験者が多く、彼らは外国人の目でふるさとを見ているのではないかと思うことが時々ある。それでも食べ物はイタリア、それもこの町で食べるのが一番美味しいと、皆が口を揃えて自慢する。私にはよく分らないが、隣町とも違うこの町独自の味付け、風味があると町の人は言う。スイスは何でも美味しかったというエウロージアだが、タッリアテッレは欠かせないらしい。たぶん彼女にとってのおふくろの味でもあるのだろう。

■みんなで食べる

町なかにはレストランが二軒、ピッツェリアが一軒ある。

ダ・ヨーは一九六〇年代からやっている町の大衆食堂、メルカテッロの味を知りたかったらここ！　という店だ。町の人にとっては文句なしに美味しいのだが、余所者には別の評価もあるようだ。夜はピッツァがよく売れている。二〇一七年夏に同じ並びに切り売りのピッツァ屋がオープンしてそっちに客を奪われるようになった。小さな町だが商売に容赦ないことは何処も同じだ。

ウートの店は開店してまだ十年にならない。ダ・ヨーとは違う新時代の料理をメルカテッロに根づかせようとする気合が感じられるものの、かなり苦戦している。

町の外には様々なレストランやピッツェリアがある。近くの町や郊外にそれぞれに個性的なレストランがあって、遠くの町から食べに来る知る人ぞ知るレストランがある。味だけでなく眺めの良い丘の上のレストランもまたこの地方ならではの楽しみだ。

気の合った仲間たちと一緒に食事をする。それが何よりの楽しみだ。郊外にはしばしば無人の農家や廃屋があるが、その廃屋になったような農家を自分たちの別荘として使うことがよくある。休みになると親しい仲間がそこに集まって食事をする。水道が通じていないところもあるがそんなときはタンクで水を運んで行く。パオロ・チンチッラがそんな会に招待してくれた。彼らの食事会は午後三時頃に始まってひたすら食べ続け、夜中の一時まで続く。

そのような仲良しグループがいくつもあって、それを掛け持ちする人ももちろんあって、食べて飲んで大声で話して満足する。最近はその状況がフェイスブックで瞬時に町中、世界中に広がる。隙間風が入って来るのを防ぐ程度にしか手を入れていない廃屋で、暖炉に火を焚いてありあわせの古いテーブルを囲んで盛り上がる贅沢。どんな豪邸のパーティでもこれに勝る豊かさを感じさせることは難しい。

それぞれに地方の味があって、メルカテッロにはメルカテッロの味がある。みんなその地方の味が一番美味しいと言う。私には塩味が強すぎると思うのだが、町の人はどうしてもメルカテッロが一番美味しいと言う。そして「隣り町より美味しい」と付け加える。

復活祭（パスクア）の食事は大事な友達や恋人と、クリスマスは家族と一緒にと言うが、彼らにとって「一緒に食べる」ことはただ単に「食べる」こととは違う深い意味がある。

私たち日本人はビジネスでお互い親しくなるためには一緒に食事することが近道であることをよく知っている。デートで食事をしないカップルはまずいない。イタリア人もそれは同じだが彼らは同じことをコミュニティでも実行する。十分親しくなっていてもさらにそれを確かめるために、もっと親しくなるために一緒に食べる。何度も食べる。町全体で楽しむ食事会がしょっちゅう開かれる。

夏のお祭りでは二百人以上が入るテントを張って椅子とテーブルを並べて、三日間賑やかな食事の宴会が開かれる。自慢のマルキジャーナ牛を「もうダメ」というほどみんなで食べる恒例のステーキ祭りが広場で開かれる。何かのイヴェントの後で、年越しのカウントダウンの後で、夏の音楽会の後で、町中の人が一緒になって、軽い

【1・3・9】役場の下にある肉屋さんは食品加工工場ICAMのフラッグ・ショップ。チャーミングなおかみさんが生ハムを包丁でスライスしてくれる。

【1・3・10】チーズ、ハム、サラミの店は絶対に市場に欠かせない。味見させてくれて、どんな要望にも応えて切り分けてくれる。

【1・3・11】彩りも鮮やかな青物市場。市場の主役はどこも八百屋だ。ここでは商品の80％に「自家栽培」の札を載せている。

【1・3・12】ヴィットーリオさんの家は代々の専業農家。昔ながらの農家の醸造所を見せてくれた。家で飲むだけでなく限られた贔屓のところに分けてあげる。ワインとして飲むのはどうかと思う味だが、ビネガーには向いていると思う。自然発酵のワインビネガーは伝統的な農家ワインからしかつくれない。

【1・3・13】ヴィットーリオさんの葡萄畑。メルカテッロで葡萄畑を見るのは今では極めて珍しい。

おつまみとワインで年に何回もしっかりと仲良くなる。

一緒に食べることは町の単なる生活習慣にすぎないのだろうが、見ていると、コミュニティのきずなを保つ生活の知恵でもあるなと思えてくる。以前の日本では冠婚葬祭は村のイヴェントでもあった。親戚や村の人が出てきて世話をして、そして食べて飲んで仲良くなった。形は違うがメルカテッロではそのことが日常的に起きている。

■地産地消だけでは納まらない肉、野菜、チーズ

町役場の一階にタマーラの店がある。肉屋だ。すべて近在の農家から仕入れている生産者の素性が分かる肉だ。兄妹でやっている食品加工工場ＩＣＡＭのフラッグ・ショップで、特別に美味しい肉と自家製の生ハムやサラミを売ってくれる。夏になるとポルケッタ（豚の丸焼き）が出てすぐに売り切れる。牛肉は嚙むと弾力があってじゅわーっと肉汁が染み出してくる地元のマルキジャーナ牛だ。溶けるように柔らかい和牛とは違い、餅を嚙むような弾力、肉の味が口の中いっぱいに広がって、肉食の野生の歓びが恥ずかしいくらいに体の中から湧いてくる。

手切りの生ハムはここで手に入る。スライサーでは肉の繊維方向に垂直に切るけど、手切りでは繊維方向に沿って平行に切っていく。切り初めが薄くて中頃で厚く、最後がまた薄くなるので、口に入れて嚙むときの感触が複雑で特別の味わいがある。昔は生ハムは皆こうやって食べていた。

町に４軒ある食品店では様々なハムやサラミやチーズをたくさん並べている。それぞれに持ち味があってそれぞれに売れ筋や贔屓があるのだろう、地元産だけでなく広い地域から集めてくる店主こだわりの様々な食材が揃っている。

イタリア料理の特徴のひとつはそれらの食材がそのままで美味しいことだと言う。手をかけずに切って、そのまま食べて美味しい食材が豊富だ。優れた料理人とは、良い食材を仕入れて、切って手を加えずにそのまま出す

勇気がある料理人だとまで言う。食事に呼ばれて出かけるとまずそのようなチーズやハム、サラミがたくさん出て来る。「お手軽なおもてなし」に違いないのだが、何時も満足して食べてしまう。

夏に市場で売られる野菜の八〇%は八百屋夫婦が自分の農場でつくっているもので、「自家栽培」の札が付いている。遠方から仕入れた果物や野菜も一緒に並んでいるが、どれも地元産のほうが値段が高い。市場で最もよく売れているのがこの八百屋だ。

家庭菜園も盛んで、庭のある人は家の周りでしっかりと味の濃いトマトやレタス、ジャガイモ、なす、キュウリ、何でもつくって野菜はほとんど自給していると自慢する。それだけに町の常設の八百屋は苦戦して、店主が変わっても長続きしない。品ぞろえも鮮度も、週に一度の市場の野菜や家庭菜園にかなわないのだ。

秋になると山で茸がたくさん採れる。特に十月から採れ始める白トリュフは十一月が旬で、この地方の名産中の名産としてイタリア中に知られている。たっぷりとトリュフを使った料理はこの地方ならではの名物料理だ。この時期には町の八百屋に茸は並んでいない。みんな勝手に山に入って、好きなだけ自分で茸を採ってくるから店では売れないのだ。

■地元では賄えないワイン（ヴィーノ）とオリーブ

残念ながらメルカテッロでは良いワインが取れない。オリーブも寒すぎて育たない。しかし西隣はイタリアを代表するワインとオリーブの産地であるトスカーナ州、ウンブリア州、東に山を下ってマルケ州の海のほうへ行くとここでも結構質の良いワインやオリーブが採れるから、みなそこから仕入れてくる。食品店にはそんなワインが手ごろな値段で並んでいる。

イギリス人、フランス人、アメリカ人、私たち日本人、そしてイタリア人が入り交じったG5の夕食会で五リットルの大瓶の赤ワインが出された。「これはメルカテッロのワインだ」。持ってきた人がさりげなく紹介した。

一口飲んで「不味い！」ことが分かった。誰もそのことを言わなかったけどほかのボトルが空になっていく中でその瓶だけは最後まで減らなかった。間違いなく不味い！　ことが国際的に証明された夕食会だった。

以前はみんなが文句を言わずに地元のワインを飲んでいたけど、口の肥えた今は誰も飲まない。わずかに残っている地元のワインは、家でワインビネガー（アチェート）をつくるのに使われる。自然発酵のワインビネガーは伝統的な農家ワインからしかつくれない。店で買う壜詰めのワインでは酵母が育たないのだ。

最近のレストランではアチェートに代わってどこもバルサミコを出しているけど、自然発酵アチェートの美味しさは格別だ。うまく話を持ちかければそのような自家製のアチェートを、「分けてあげるわよ」と、首尾よく手に入れることができる。

小柄なピンソは私の知る限り町一番のワイン愛好家だ。

ピンソは契約農家からワインを桶買いして自分で瓶に詰める。「ワインは風のない月夜の晩にそっと静かに詰めないといけない。ラジオもつけない。空気が振動するからな」。

私が彼に一目置いていることを知っているピンソは、時々取って置きのワインを持ってきてくれる。どのように美味しかったかを話すまでは、次のワインは届かない。

オリーブオイルもそれぞれの家庭にこだわりがある。料理人は自分が選んだオリーブオイルが世界で一番美味しいと信じ込んでいる。日本で採れるオリーブオイルに比べるとどれも、しっかりと腰の据わった独特の強い風味がある。どっちが美味しいかは日本人には決めかねるところだ。年末に絞ったオリーブオイルを一年分買って、一年間で使ってしまう。それが美味しいオリーブオイルを味わうイタリア人のこだわりだ。

インタビュー③

ジャンニ・バッティスタ・マルケッティ

Gianni Battista Marchetti（愛飲家、呼び名はピンソ）

「塵ひとつない貯蔵庫だった。だからそこのヴィーノを飲むことにした」

記録はピンソと交わした会話に筆者の補足を加えて、聞き取り記録として編集した。記録内容に誤りがあればそれはすべて筆者の責任に帰する。

あんた、外でうちのカミさんに「何で亭主のあだ名がピンソなんだ?」って聞いてたね。カミさんが「あご髭（ピッツォ）生やしてるときについたのよ」って答えてたけど、間違いだね。カミさんも知らないくらい昔から、ワシはピンソと呼ばれているんだ。

二年前に前立腺肥大を患ってから、おしっこは出にくいわ、酒を控えるようにと医者が言うわで、弱ってるよ。以前の怖いものなしのときが懐かしいさ。ヴィーノ（ワイン）の買い付けも今じゃ小型トラックで行くんだ。以前の半分の量しか買ってない。だからカンティーナ（葡萄酒貯蔵庫）もこんなにこじんまりと小さくなった。七五〇ミリリットルのボトルにして一五〇〇本分くらいになるな。

七五〇ミリリットルのボトルはそこらじゅうにあるから、それを集めてたくさん持ってる。それにワシが買ってきたヴィーノを詰めるんだ。だからラベルを見ても意味ない。ラベルは関係ないんだ。

スチールのラックに立てて並べてる。ピッチリと一糸乱れず並んでるだろう。こっちの棚に並んでるのは三三〇ミリリットルの瓶だ。そう、ビールの小瓶だよ。レストランやバールの裏口に回って集めてきたんだ。捨てるつもりで積んでるからそれをもらってくるんだ。家で綺麗に洗浄して、ヴィーノを詰めて栓をする。これもラベルを取ってないから、カールスバーグとか、ペローニとか、ストゥラグエールだとかの瓶だ、分かるだろう。

町のお祭り用に詰めたヴィーノの瓶の残りだよ。頼まれてやったんだ。普通の瓶だと多すぎて飲み残しがたくさん出る。あんたもビステッカ祭り［註1・3・1］で分かってるだろう。

みんなが七五〇ミリリットルのボトルを買ってテーブルに持ってくる。どれが誰のボトルかすぐ分からなくなって、手近なヴィーノを勝手に飲んでる。最後はみんな飲み残しのヴィーノになって、それがテーブルにいっぱい並ぶ。

もったいないじゃないかということになって、一昨年のパーリオ・デル・ソマーロ［註1・3・2］の祭りから、半分の三三〇ミリリットルの小瓶で用意しようということになったのさ。ヴィーノのことになるとワシに相談がくる。そこで一肌脱いだんだよ。その売れ残りの分をここに並べてるんだ。

ワシは何でも正確に、理論的にきっちりやらないと気が済まない性分だ。だから薪もきっちりと正確に積んでしまう。メルカテッロに薪積み自慢はたくさんいるけど、ワシより几帳面に、正確に薪を積める人物はほかにいないはずだ。壁から壁、床から天井まで、倉庫の一面がまるで薪の模様の壁紙を貼ったようにピッチリと納まってるだろう。

同じ大きさの薪を持ってくるように注文しておかないとこうはいかない。切り方も丁寧なところを見込んで注文している。だから積んだ表面が真っ平らになってるだろう。常に薪が水平に並ぶように一本ずつ調整しながら積むんだよ。今見えてるのと同じように正確にぴちっと積んだ薪が後ろに三層控えてるんだよ。七十五歳の爺さんのこだわりだ、これ以上役立たずのこだわりはほかにないだろう。

子供の頃、小学校三年生頃だったのかな、年下の子と三人で今の農協のスーパーがある辺りの狭い坂道を登ってた。前に身障者用の手押し車に乗ったお爺さんがいて、坂道を上り始めた。途中で上りきれなくなって乗ってる車が後退し始めたんだ。

ワシは慌てて駆けつけて後ろから押し始めた。体は小さいけど一番年長だったからワシがやるほかなかったんだ。あとの二人は後ろから頑張れ、頑張れと励ます。爺さんも、「押せ！　押せ！」と懸命に騒ぐ。みんなが「押せ！　押せ！」と声を出すんだ。

「ピンソ（スピンジ（押せ）のメルカテッロ方言）、ピンソ、ピンソ、ピンソ！」

で、それ以来ワシはピンソと呼ばれてる。この町で本名を知ってるのは、今日教えたあんたくらいじゃないかな。

今年はトマトをたくさんつくって、家で瓶詰めにしたよ。これはカミさんのヴェローニカと一緒にやるんだ。うちでは全部皮をむいて瓶に詰めるけど、町の者はみんな自分流のやり方があって、トマトの保存食をつくるんだ。ヴィーノも農家のものを買ってきて、自分で瓶詰めするのが結構いる。ワシもその一人だけどね。

昔は自分の飲む分くらいは自分の畑で葡萄をつくったもんだよ。畑を持ってるもんはみんなそうしたんだ。みんな自分の畑にたくさん葡萄を植えてたんだ。この辺りにもたくさん葡萄畑があった。今じゃあほとんどなくなってしまったけどね。

以前はそんな農家の葡萄を集めてその地方、地方のヴィーノがつくられてた。今じゃあ大きな醸造業者が大きな葡萄園を経営してそこでつくるんだ。だから、広い、見渡す限りの葡萄園があって、昔の小さな葡萄畑はなくなってしまってる。畑の風景が様変わりさ。農家でさえそんな醸造業者から自分で飲む分を買ってきて飲んでるんだよ。

メルカテッロの葡萄ではあまりいいヴィーノはできないと言うね。ワシもそう思う。酸っぱすぎるし、少し濁ってる。アルコール分も低いんだ。俺のとこではいい葡萄が採れる、という畑もあるけど、少ないね。

メルカテッロの周りではなかなかいいヴィーノがつくられてるけどね。赤のコーネロ、白のビアンケッロはその中でもかなりいいよ。最近はずいぶんいいヴィーノがこの地方でも出来るようになってる。でもワシは三十年以上前からヴェネト州のヴィーノを飲み続けてるんだ。

風通しが良くないんだよ、メルカテッロは。いい葡萄は風通しのいいところで育つんだ。この地方はメタウロ川に注ぐ水路沿いに木立が並んでて、それが丘陵地帯で葉脈のようにつながってる。それがこの地方の風景だ。その木立にさえぎられて風通しが悪くなるんだ。

ヴェネト地方の葡萄園に初めて行ったときには、思わず息を呑んだね。緩やかにうねる丘一面に葡萄畑が広がってるんだ。見渡す限り、木立のようなものはない。そこを静かに風が吹き渡っていくんだ。そうでなくっちゃいい葡萄は出来ないんだ。

ワシはヴィーノには一徹にこだわってるが、本当は茸にうるさいんだ。どこでどんな茸が採れるか一番いいところを知ってる。誰にも教えてない。息子にもまだ教えてない。トリュフの採れるところも知ってる。みんなは訓練した犬を使ってトリュフを探させるけど、ワシは犬なんか使わない。自分で分かってるんだ、どこにトリュフが育つか。ワシは最高の茸を採ってくる。ポルチーニはもちろん、いろんな種類の茸を採ってくる。オルディナーリオ（普通）という名の茸がある。なぜか全く知られてない茸だ。ワシはこれは「最高の茸だ」と思う。香りも素晴らしい。採りたてのオルディナーリオの香りを嗅ぐと、くらくらして気が遠くなるくらいだ。足がふらつくよ。冷凍庫に保存しておいても十分いける。ちょっとだけ香りは落ちるけど、大丈夫だ。

生で食べるんだ。友人のムッチョーリに食べさせたらびっくりして、「これが何でオルディナーリオ（普通）なんだ！　名前を変えなくちゃいかん！」と言ってたよ。それでいいんだよ。ワシだけが知ってる極上の茸が、この辺りにはあるってことさ。ある意味、トリュフ以上の茸だね。

昔ワシの友人にえらくいいヴィーノを飲んでるのがいてね、そいつのとこにとびきり美味い茸を手土産に持って行ったんだ。「どこでヴィーノを買ってるんだ」と聞いたら、つくってる農家を紹介してくれた。

一九七三年まではずっとそこの農家からヴィーノを買って飲んでたんだ。ここから北東二〇キロのフォーリア渓谷と呼ばれる地方だった。そこをやめたのは、その農家が葡萄栽培をやめたからさ。葡萄畑をつぶしちゃって、畑を広げて麦畑にしちゃったよ。今じゃ彼らもどっかの農家でヴィーノを譲ってもらってるんだろう。まさかスーパーで買ったヴィーノを飲んでるとは思えないからね。

また茸を持って例の友人に相談に行った。今度はヴェネト州のコッリ・ピアチェンティーナのスクラーヴィ・イータロという農家を紹介してくれた。一〇〇キロ以上北に行くんだ。

ワシはヴィーノの愛飲家であって、愛好家ではないんだ。ソムリエみたいにヴィーノを飲み分けてその違いを楽しむ、そんなんじゃないんだ。自分に一番相性の良いヴィーノを見つけて、それを飲むんだ。そりゃあいろんなヴィーノを飲んで歩いたよ。でも飲み比べたんじゃない。自分のヴィーノを探して歩いたんだ。

コッリ・ピアチェンティーナの葡萄畑は素晴らしかったね。緩やかにうねった丘に、一面に葡萄畑が広がってて、爽やかに風が渡っていく。天国のような葡萄畑だ。最初に行ったときそう思ったよ。

そこの葡萄酒貯蔵庫を見せてもらって、ここだと決めたんだ。塵ひとつ落ちてなかった。見事に掃き清められてて、ヴィーノの樽が整然と並んでた。

隅々まで注意が行き届いてピッチリ、整えられているのがよく分かった。棚に置かれた道具も真っ直ぐに置かれてた。物入れの扉を開けても、箱を覗いても、その中は整然としていた。すべてが正確に整えられてた。ワシの貯蔵庫と同じだよ。

そこのヴィーノは素晴らしかった。透明度は申し分なかったし、味も香りも自分の好みにピッタリだった。ちょっと飲んでごらん、注いであげよう。二〇〇七年の赤だ。飲み終わるとほら、ボトルの底に葡萄の滓が残るだろう。これが正真正銘、農家産の混ざりけのないヴィーノだという証拠だよ。工場で詰めてるヴィーノではこうはいかない。注ぐとずいぶんと泡が立つだろう。グラスの淵に届くくらい泡が立つ。そうして、見る間にその泡がしぼんで消えていくだろう。ほらもう、全くなくなった。飲むとほんの少しだけ舌を刺す微細な泡を感じる。かすかな発泡性がワシの好みなんだ。だから白はスプマンテ（発泡性のヴィーノ）を買ってる。

スクラーヴィ・イータロの農園から四キロ離れたところにテヌータ・マラスピーナという農家があって、白はそこで買ってる。スプマンテだから、こっちは農家で瓶詰めしたやつを買ってくる。アルコールは一一・五％だ。六本入りのカートンを一四カートン買って帰る。以前の半分だ、何度も言うけど。

これは飲む前に貯蔵庫から出して冷蔵庫で冷やして飲む。赤は冷やさないほうがいいね。むしろ「冷やしてはいけない」、とワシは言うね。

農家は収穫して搾って樽に詰めたヴィーノを、翌年の一月から蔵出しする。ワシは年が明けるとすぐにトラックに二五リットルか三〇リットルのプラスチック容器を一二個積んで駆けつける。買ったヴィーノは一月のうちにボトルに詰め替えてしまわないと駄目になってしまうんだ。

以前は五四リットル入るダミジャーナ（ガラスの大瓶）で、一二瓶買ってたんだ。だから大型のトラックで買いに行った。いい気分だった。やっぱりヴィーノはガラスの大瓶に入れてやるのが一番似合ってる。ワシとしてはヴィーノにすまない、という気が今はしてるんだ。

円筒形の大瓶、六瓶は小型トラックに積みきれないんだ。プラスチック容器一二個だと立方体だから隙間なく荷台に積むことができる。小型トラックにピッチリ積めるんだよ。あんたが欲しかったら、もう一瓶くらいは入れる余裕があるかもしれないが、やってみないと分からない。今はピッチリと積んでるからね。

家に運んできたら四、五日貯蔵庫の奥でそっとしておくんだ。そうやって滓が下に降りて落ち着くまで、静かに寝かせておく。
四、五日たった風のない日を待って、いよいよボトルに移すんだ。木の葉がそよいでもいけない。静かに、寝静まったように風のない夜を待って、瓶詰めを始める。
貯蔵庫の角に椅子を置いて、そこに座ってプラスチックの容器からボトルへ、静かにヴィーノを移す。咳ひとつしてはいけない。ラジオもかけない。空気を動かしてはならないんだ。そうやって一晩かけて瓶詰めをやるんだ。必ず、一月の満月になる前にやらなくちゃならない。

ボトルは立てて並べてる。二年たったものをその年に飲んでしまうようにしている。ワシは年代ものをつくろうとは思ってない。だから横に寝かせる必要はないんだ。ワシのヴィーノは三年目のものが一番美味いんだ。年代ものをつくろうと思えば、それなりに高価なヴィーノを買ってこなくちゃならんが、それと同じか、ややもするとヴィーノ本体よりも高価なコルクの栓を買わなくちゃならない。ワシはそこまでは手が回らんし、そこまでやる気はない。ワシはヴィーノの愛飲家であって、愛好家ではないと言っただろう。

今年のヴィーノは楽しみだ。きっと一三%以上のアルコール分になるな。暑くて雨が少なかったからきっといい葡萄が採れる。収穫量が少ない分、滋養分が濃縮されるんだ。お土産にこの赤をあげるよ、白もあげよう。ブオンアッペティート［註1・3・3］。

【1・4・1】バールは入り口は狭いが中は広い。入るとカウンターがあってコーヒーやワインを立ち飲みする。壁には様々な催しの情報ビラが貼ってある。その奥にゆっくり座れる場所がある。

【1・4・2】バールの入口の辺りにはいつも人だかりがしている。暇そうなのはたいてい男たちだ。

【1・4・3】夏、バールは広場にテントを張ってカフェテラスをつくってくれる。広場は一段と賑やかになる。

【1・4・4】バールに集う奥さん方はカップチーノの泡の立て方に、とても厳しい判定を下す。

4 みんながつながる場所

街には顔を合わす場所と機会が様々に用意されている。「みんな孤独だけど独りではない、みんな一緒に生きている」、そのことを確かめるために広場に出て来る。カフェテラスでおしゃべりする、コミュニティのつながりが出来る。高密度でコンパクトにまとまった生活圏の息苦しさから気分を解放する、生活の知恵でもある。

■バール（BAR）

メルカテッロにはバールが四軒ある。そのうちの一軒、ガリバルディ広場の一角にあるカフェ・リナルディはフランキーノとフィリッポの兄弟が経営している。入ったところが立ち飲みのカウンターで、その右手に最近サロン風のコーナーを拡げた。壁には様々な催しの情報ビラが貼ってある。その脇の小部屋は若者のゲーム室で、奥に二部屋続きの広間がある。大きなテレビが置いてあって、みんなでサッカーを見るときは大騒ぎになる。普段は静かな町のリビングルームだ。バールの前はいつも町の人た

【1・4・5】2015年の夏、週末のメインストリートは自動車の通行を止めて歩行者専用道路になった。カフェ・ピエヴェ・ディーコが早速道にテーブルと椅子を出して、ここにも町のたまり場が出来た。

ちが何となく集まるたまり場だ。朝六時から夜十一時頃まで店を開ける。週末は夜中の一時過ぎまで開けている。

六月中旬から九月末までは前の広場にテントを張ってカフェテラスをつくる。ウッドデッキ(日本製だそうだ)の床にモダンな椅子とテーブル、人口一四〇〇人の町にしては上等すぎるほど立派で快適なカフェテラスだ。一か月約四〇〇ユーロの広場占用使用料を町に払う。年中置いていて欲しいカフェテラスだが、手間と採算を考えるとそうはいかないのだろう。ワイ・ファイ（Wi-Fi）が自由に使えるので、夏になるとバカンスでやって来た人たちがここに座って長居する。

メインストリートのベンチベンニ通りにあるピエヴェ・ディーコは若い夫婦の経営で、余りやる気が感じられない。それでもそんなこととは関係なく町の人はやって来る。バールが町に欠かせない場所であることが分かる。

あとの二軒は旧市街のすぐ外にある。レストラン・ピッツェリアの一階と一昨年春夏の六か月限定で公園の中にオープンしたキオスコだ。

キオスコはデザインがひどく悪いことが評判で、強引にここにキオスコをつくった町長のフェルナンダはたいそう気にしている。それでも夏場の木陰のオープンカフェはよく繁盛してメルカテッロの新しいたまり場になった。当然、その分旧市街のバールの賑わいがかなり衰えた。デザインの悪さよりもそのことの方が問題だ。

奥さん方もバールに集まって気勢を上げるし、旦那方もしょっちゅうバールでおしゃべりしている。町長のマルケッティ、司祭のファビオ、元郵便配達員のマリオ。元町長も議員も役人も住民もバールに来ていつも一緒におしゃべりしている。町議会は開くけど半分はバールで話がついているのではないだろうか。町を家庭に例えると議会が父親で、バールは母親だ。

イタリアではバールは町に欠かせない存在だ。顔を合わせて安心する場であり、情報交換の場であり、議論の場であり、小腹がすいたときに重宝な場であり、何もすることがないときに行く場だ。

【1・4・6】教区教会の起源は 10 世紀、1363 年に再建。正面ファサードは 1927 年に整えられたもので、そこだけが新しいのがすぐに分かる。

【1・4・7】復活祭から50日目が5旬節。そこから2番目の日曜日が聖体節（コルプス・ドミニ）。キリストの肉と血（パンと葡萄酒）を捧げ持つプロチェッシオーネ（行進）は花で飾られた道に沿って進んでいく。

【1・4・8】聖体節にはイタリアの多くの町で道路に花の絵を飾る花祭りが行われる。メルカテッロでも道路に這いつくばって色とりどりの花びらや葉っぱを使って絵を描く。

夕方六時頃になると仕事を終えた男たちのたまり場になる。家に帰る前に一、二杯、食前酒を飲みながら気分を切り替える。他愛もない話が大部分、そして政治の話。イタリアの市民社会の原点だ。四軒のバールが日を替えて休むのでバールが閉まっていて行くところがないという日はない。

もし町にバールがなかったら？

イタリアという国そのものが存在しなかったかもしれない。

■広場

何事もそうだが結び目がないとばらばらになってしまう、都市も同じだ。それがイタリアの場合は広場、日本の場合は神社やお城だったということだろう。

イタリアの都市に広場は欠かせない。広場を中心に都市が成立している。あるいは都市は広場が中心になるように構成されている。

広場のない町は「都市」ではない。

多くの建物が建てられ、たくさんの人が住んだり、行き来したりしていてもそれはただの寄せ集めの集落にすぎない。イタリアの広場は物理的存在として町の中心であると同時に、それは人間社会（コミュニティ）の中心でもある。広場には必ずと言って良いくらい人が集まるバールとカフェテラスがくっついている。だから中心広場のない集落は、コミュニティの結び目のない、「無為の雑多な集団」ということになる。

この見方をそのまま日本に当てはめることはできないが、漫然と拡大した郊外の市街地や閑散としてしまった地方の中心市街地を見るにつけ、全く無視することもできない事実のように思われる。

イタリアの広場は役所の前にある政治的な広場、教会の前にある宗教的な広場、市場が開かれる商業的な庶民の広場、この三つの性格を備えている。大きな都市ではそれぞれに三つの広場があるが小さな町ではそれが一緒になってひとつの広場になっている。メルカテッロの中心、ガリバルディ広場もそうだ。四〇m×四〇mの一角が大きく欠けたような変形の正方形で、人口一四〇〇人の町としては自慢できる広さと品格を備えた広場だ。

　東に教区教会、西に町役場、北にパラッツォ・ガスパリーニ（文化センター）、南にメインストリートが通ってバールがある。どっちを向いて写真を撮っても絵になる町の自慢の広場だ。

「なぜこの町に来たの？」と尋ねたとき、「広場があるから」と移住してきた若いオランダ人が答えた。こんな見事な広場はこの近くの町にはない。町の中心にしっかりと納まっているガリバルディ広場の存在が、近くの町を押さえてイタリア観光協会の「オレンジフラッグの町（小さいけれど、観光の質が高い町）」指定を勝ち取っている理由のひとつだろう。

　ガリバルディ広場は町のリビングルーム、ダイニングルームだ。時には改まったお座敷にもなる。広場に出て来る人々の様子を見ていると、メルカテッロの豊かな生活はこの広場なしには語れないことが分かる。

【1・4・9】町のすぐ東側にある墓地。夕方にはお参りの人が絶えない。

【1・4・10】クリスマスが近づくと広場の中央にモミの木のツリーが立てられる。クリスマスの季節は日本のお正月のように、静かに過ぎていく。

■教会

町のまとまりをつくっているのは広場であり、バールであり、カフェテラスだが、そのまとまりをまるで母親が子供たちを見守るように包み込んでいるのが教会だろう。教会は黙って広場の端に立っているだけで、誰も(特に男たちは)その存在を無視しているように見えるが、実はみんなそれがあることで安心して暮らしている。

メルカテッロで一番大きく重要な教会は広場の東に建つサン・ピエトロ教区教会だ。創建は十世紀、一三六三年にほぼ今の形に再建されたが正面ファサードは未完成のままだった。ファサードが完成したのは一九二七年だ。町には七つの教会があるが常駐の司祭がいるのはここだけだ。洗礼式やお葬式はここで執り行われる。

結婚式は必ずしもそうではなくサン・フランチェスコ教会を選ぶ人もいる。シンプルで明るい堂内の雰囲気が教区教会の厳かな雰囲気よりも好まれるのだろう。元は十三世紀中頃に建てられた修道院付きの教会だが、今はお堂だけが残されて教会も修道院の機能もなくなって町の歴史博物館の一部として運営されている。

【1・4・11】クリスマスが過ぎて年末31日のカウントダウン。2014年の新年は元町長のマルケッティと現職町長のピストーラが広場でスプマンテ（イタリア産のシャンパン）を抜いて市民にふるまった。

土曜日の夜と日曜の朝に教区教会やサンタ・ヴェローニカ修道院付属教会で礼拝がある。見ているとと信心深いのは年配のご婦人方が圧倒的に多く、男の参拝者は限られている。

いつも扉が開いている小さなお堂がある。中を覗くと必ず誰かがここで静かに祈っている、それもやっぱり年配のご婦人だ。

プロチェッシオーネというのは日本語で「宗教行列」と訳せばいいのだろうか、司祭を先頭にして行列をつくって町なかや町の周囲を巡り歩く行事だ。

こういう宗教行事がほぼ月に一回あって、宗派によって異なる裾の長い祭事用の衣を着てゆっくりと行進する。日ごろの言動を見ているから特に信心深いとは思えないけど、「当番だから…」という感じで十字架や大きな燭台を担いで行列する。彼らは全員が男性だ。その後に女性も加わって、男女が混ざり合って普段の身なりで、たくさんの人たちがゆっくりと歩いていく。最後は教区教会に戻ってミサがあってあっさりと解散だ。この時は例の食事の会はなく、皆おとなしく家に帰ってしまう。

行列は日本のお神輿に似ているが、日本のように威勢よく盛り上がるのではなく、カメラを向けるのも気が引けるほど生真面目に静かに歩いていく。

メルカテッロで一番重要なプロチェッシオーネのひとつが復活祭（パスクア）のプロチェッシオーネだ。復活祭は処刑から三日後にキリストが甦る、そのプロセスを街で再現する厳かな祭日だ。

古代イスラエルで金曜日の初めにあたる木曜日の日没後、皆が黙って見守る中、教区教会の祭壇でキリストが十字架に架けられる。「みんなでキリストを磔にしてしまった」「えらいことをやってしまった」。そんなことを感じさせる見事な演出だ。

翌日は一日中、十字架に架けられたままのキリストの遺体が紫のカーテンで隠されて教会に置かれている。この日の教会はまるで生身の遺体が置かれているような重苦しい気配に包まれる。

その夜がキリストの降架。遺体を引き取って担架に乗せ、もとあったサンタ・クローチェ教会まで静かに黙って運ぶ長い行進になる。このときのプロチェッシオーネが町で一番重要なプロチェッシオーネだ。次の日の真夜中にキリストの復活を告げる高らかな教会の鐘の音が町中に響き渡って、一夜明けると町は歓びに包まれた明るい空気に様変わりする。復活祭の日曜日だ。「さあ、春だ！」。この日から春になる、本格的な春の訪れを喜ぶ祝日だ。

もうひとつ重要なプロチェッシオーネは復活祭から五十日目の五旬節の後、二つ目の日曜日に催されるコルプス・ドミニ（聖体節）、花祭りのプロチェッシオーネだ。町の主な通りを花で飾るお祭りで、元はそれぞれが自分の家の前の通りに花でマリアやキリストの絵を描いていたのだが、今は全部で十余りのグループがここと思う場所を選んで思い思いに大きな絵を描く。ほとんどは宗教画だが最近はそうとも限らない気楽な絵も現れてきた。街中が落書き大会のような楽しさに溢れる。

材料は黄色いエニシダ、紅い芥子、赤や黄色や白のバラ、紫陽花、緑の木の葉、茶色のコーヒーの粉、コメや麦などの穀類、岩塩の粒などの自然素材に限られている。

前日かその日の午前中に材料を用意しておいて、昼食後二時頃からいっせいに道路に這いつくばって描き始める。最初はあれこれと相談しながら楽しくやっているけど、六時の締め切りが近づくにつれて焦り始め、熱気が盛り上がってくる。六時から教区教会でミサが始まるからだ。本当はミサに出なければならないのだが描いている連中にその余裕はない。ミサが終わって教会からプロチェッシオーネが出て来始める七時ぎりぎりまでかかって、ようやく間に合わせる。

プロチェッシオーネは約一時間、花で飾られた道の上で華やかに繰り広げられて終わる。一夜明けると道路は綺麗に掃き清められて、かすかに花飾りの痕跡が残っているだけだ。

一九六〇年代前半までは教会とお坊さんは町の生活に欠かせない存在だった。宗教行事が苦しい生活の中で貴重な楽しみでもあった。今はほかに楽しいことがいくらでもある。宗教行事はただの季節的な催しになったようだ。町の娯楽の担い手は教会からプロ・ローコ（町おこしNPO）に変わって、宗教とは関係のない様々なイヴェントを催してくれる。宗教が町の娯楽や教育に関わる役割は少なくなったが、それでも朝晩に教会の鐘が鳴り、プロチェッシオーネの行列を見ていると宗教がまるで空気のように町の隅々に行きわたっているのを感じる。日本でも地方の村や町のお祭りがずいぶん廃れてしまった。それに比べるとメルカテッロではまだ宗教行事が形だけにしろ、よく続いている。そしてその形を守り続けるコミュニティがある。

町に宗教学者のファビオ・ブリッカが住んでいる。宗教学者兼聖職者だ。教区教会の司祭さんは五、六年たつと入れ替わるが、ファビオはずっとこの町に住んでいるから、町の宗教のことで分からないことがあったら彼に聞けと司祭さんに言われるぐらいだ。学校には選択科目だが宗教（キリスト教）の科目があって、彼はそこで教えている。

司祭のドン・ピエロは私に言わせれば宗教者というよりもむしろ宗教学者、哲学者だ。クリスマスのミサで聴衆に向って、「神は天上のどこかにいるのではない、あなたたちの中にいる」と説くのを聴いて改めてそのことを思った。どこかで胡散臭く思っているカソリックの世界の別の一面と奥深さをメルカテッロで覗かせてくれた。

墓地は町のすぐ脇にある。人口は減ってもお墓は増える一方だから、納骨式の新しい墓地が拡張されている。お墓参りは特にお年寄りにとっては欠かせない日課になっている。だから墓地にはいつも季節の花がいっぱいに捧げられている。

街からお墓まで、いかにもそれらしくデザインされた参道がある。お葬式では教区教会でお弔いした後に参列者は教会を出て広場を横切り、街を抜けて参道を墓地まで、ゆっくりと遺体を送って歩く。

お墓から夕焼けを背にした町のシルエットを眺めると、お墓もまた町にとって欠かせない存在であることがしみじみと分かる。

インタビュー④

シスト・パッリアルディーニ

Sisto Pagliardini（元ブラスバンドの楽団長）

「あって当たり前、ということかな、町のバンドは」

記録はシストと交わした会話に筆者の補足を加えて、聞き取り記録として編集した。記録内容に誤りがあればそれはすべて筆者の責任に帰する。

確かに自慢のひとつだな、メルカテッロのブラスバンド楽団はこの地域で最初につくられたバンドだ。記録によると一八一二年ということになる。二百年の歴史があるということだ。メンバーの一人が日記に残してくれてたから間違いない。

〈最初につくられた楽団のひとつだと言うほうが正確かもしれない。隣町のサン・タンジェロ・イン・ヴァードにもその向うの町ウルバーニアにもバンドがある。町のバンドはみんなその頃に出来たのだろう。一八〇〇年代終わり頃のバンドの記念写真がある。金モールの付いた制服を着て、飾りの付いた帽子を被って、すごく気張った格好をしている。二五人、全部男で、そのうち二〇人が口髭を生やしてる。これが格好良かったんだろう、多分女の子に人気があったのだろう〉

今のメンバーに年齢制限はないよ、楽譜が読めれば誰でもいい。男女合わせて三〇人弱といったところだ。多いときには五〇人くらいいたんだが、今はほかにやりたいことがいっぱいあるからねえ。一九五〇年代までの楽しみといえば、町の劇場と、教会の催し、そしてバンドだったんだな。

楽団員は昔からチェントロ（中心市街地）の住人だ。五〇年代までは町の人口はチェントロの外に七〇%以上が住んでいたけど、遠くからやって来るのは大変だし、農作業は大変だからバンドをやるような余裕もなかったと思うよ。今は車で来れば町のどこからでも参加できる。でも人口の八五%が今はチェントロに住んでるから、やっぱりチェントロの住人がやってるということになるな。

練習は町の音楽学校の教室でやるよ。そこの先生が教えてくれるし、指揮者もそこの先生だ。教室は以前はチェントロにあったけど、今は町の救急介護所と一緒にチェントロの外に出ている。グインツァの山のほうに坂道を登って歩いて五分ほどの右側にあるよ。介護所の下の階だ。そこに毎週集まって練習するんだ。県の大会で二等賞になってメダルをもらったことが何回かある。優勝？　それはどうかな……。

出番はたくさんあるよ、年に十回以上は町の行事で出て行くし、そのほかにも何かと催しがあれば呼ばれるし、こっちから出かけても行く。町の組織の一部と言ってもらってもいいよ、補助を受けてるんだ。もちろんみんなボランタリーで、好きでやってるんだけど、経費の大部分は町の補助でまかなっている。行くところによっては出演料を出してもらうけど、それはバンドの収入になる。以前は楽器は自前だったからバンドに入りたくても楽器が買えなくて入れないのがいた。今は楽器はバンドで揃えるからそんなことはない、小学生からでも気楽に入れるんだ。

〈最高の晴れの舞台は町のお祭り、七月のパーリオ・デル・ソマーロだ。広場が最高に盛り上がったところで楽器を吹いて入場する。広場が煮込みスープの鍋の中みたいに沸騰する。大事な場面ではバンドが欠かせない。夏にはいつも真面目にコンサートをやる。夏は帰省した家族で町はいっぱいになっている。だから真夏の二週間はいろんな催しがプログラムされている。その中に必ずバンドの出番がつくられている。いつもと違って一段高い舞台で皆に見上げられながらライトを浴びて楽器を吹いてる楽団をみると、緊張してちょっと晴れがましいように見える。みんな静かに聴くし拍手ももちろんしっかりする。バンドは町の一部だから頼りにしているよ、という感じの拍手でもある。

五月一日のメーデーには広場で輪になって演奏する。労働者の祝日だからお祝いの演奏ということだ。輪になって、みんなが輪の内側を向いて演奏する。市民の何人かが輪の中に入って、楽譜を手に持って演奏者に開いて見せてくれたりする。町の人たちが遠巻きにして聴いて、一曲終わるごとに拍手する。朝の十時頃広場からバンドが聞こえてきて、今日はメーデーだなと分かるのは、一種の季節感だ。「イタリアは労働に基礎を置く共和国である」と憲法の第一条にうたっているから、そういう意味でもメーデーは特別な祝日だ。日本のように労働者の祭典というと政治的な感じが強いけど、それとはちょっと違う。働いて国を支えているみんなの祝日と言った方が近い。日本の十一月二十三日、勤労感謝の日に近い祝日と言った方が良いだろう〉

大晦日には楽器を吹きながら町を練り歩くんだ。年の替わる十二時過ぎまで通りで大騒ぎさ。飲んで騒いで、歌って、楽器を吹きまくって、町のみんなで大騒ぎするんだ。あんまり騒ぐから迷惑だとおかみさんたちから文句が出て、今は夜八時くらいまでで引き上げる。それだともうひとつ気分が出なくて、前みたいには盛り上がらないね。

四月二十五日の解放記念日にはイタリア中で行進をして戦没者記念碑に花輪を捧げる。私はメルカテッロの退役軍人会の会長だからこのときはいつも町長と並んで列席するんだが、実に感慨深いものがある。

〈四月二十五日は第二次世界大戦の解放記念日だ。ドイツの占領から自らを解放した日ということで、イタリアではそう言っている。日本が敗戦記念日でなく終戦記念日と言うのと同じ思いだろう。

この日の朝は広場から戦争犠牲者記念碑のある公園まで行進する。他の多くの町にはその町出身の戦没者を悼む記念碑（日本で言う忠霊塔）が建てられていて、そこまで行進して花輪を捧げる。メルカテッロの記念碑はそうではなく戦争の犠牲になったすべての人たち、軍の戦死者、ファシスト、レジスタンス、一般市民、そしてイタリアだけでなくドイツ、日本、アメリカなど世界中の全ての戦争犠牲者に思いを寄せる記念碑として建てられている。パオロ・チンチッラが町長の時に建てた記念碑だ。

毎年この日になると町長と警察署長が真面目な顔をして先頭に立って、その後にバンドが国歌を吹奏しながら行進していく。国の記念日や宗教行事はバンドのフォーマルな出番になる。皆紺色のジャケットを着て、赤、白、紺の縞のネクタイを締める。その後に町の人たちが続いて、広場から公園まで二〇〇メートルほど行進していく。五〇メートルくらいの行列になる。行列をつくるのは男たちだ。行列に参加しない人たちも道の端に並んだり、女たちは二階の窓から見送ったりして結構厳粛な行事を毎年やっている。私の父は先の大戦で戦死した。その当時日本とイタリアは枢軸国で味方同士だった。イタリアには特別の親近感を持っていたに違いない。その息子がここでイタリア人と肩を並べて行進していると思うと、時の流れを実感して感慨深いものがある。公園では町長の毎年決まりきった、でもやらないわけにはいかない演説があって、記念碑に献花して、最後にバンドの国歌演奏で終わりになる〉

今の平和な社会に生きてると、彼らに感謝する気持ちがしみじみと湧いてくるよ。私も彼らと同じにあの大変な時代を経験してきたんだから。

国の記念日で大事なのがもうひとつある、第一次世界大戦の終戦記念日の十一月四日だ。こっちも広場に集まって同じような式典をやる。教会の北側の壁に第一次世界大戦で戦死した町民の名前が大理石に彫ってはめ込んであるだろう、全部で五八人、この町から出て行って戦死しているんだ。

一世紀前の戦争ということになるけど、ずっとこうやって献花してきたし、これからも、し続けるだろうよ。それでも人間は戦争をする。この町で暮らしてると外の世界のこととは無関係で、まるで桃源郷で暮らしてるような生活だけど、そんなことはない、外の世界と確実につながってるんだよ。記念日になるとそんなことを思い出すんだ。

私はこの町で生まれて、町の小学校を出て、十三歳、一九三六年にバンドに入ったんだ。三十五歳からマネージャーをやってそれから楽団長になって、七十二歳で辞めたんだ。五十九年間バンドをやったのを皆がすごく立派なことだと言って、町長のマルケッティが一九九五年に表彰してくれたよ。その表彰状をほらここに、家の階段を上がったところにかけている。

私の父親も、母親もこの町で生まれたんだ。私の家内のエーデもこの町の生まれ。娘が二人いるけど二人ともこの地方の男と結婚して、この町に住んでいる。何もかもがこの町の中にあるというわけだ。でも私の経歴を話すと、そうとばかりは言えないんだよ。

第二次世界大戦では軍隊に召集されてソ連のウクライナに出征したんだ。一九四二年だから十九歳だった。ドン川を挟んでソビエト軍と向かい合った。ソビエト戦線の最前線だ。寒かったねえ、ドン川はこっちから向こうまですっかり凍ってしまうんだ、戦車だって走れる。四十五分以上外で歩哨に立つのは不可能だ、体が凍ってしまう。

半年後にソビエト軍が攻めてきた。私らは蹴散らされて退却したよ。そこで私は凍傷にかかってしまった。左の耳と左の足だよ。後方に送られてオデッサの病院に入った。そこにはドイツ軍の医者がいていい薬をくれたんだと思うよ、それで助かったんだ。ドイツの医術はやっぱり進んでるからねえ。

ユーゴスラビアの病院に転送されて、その晩痛かったんだ。たまらなく痛かったよ。そこで思ったんだ、血が通い始めてる、切り落とさなくて済んだとね。おかげで耳も足もこの通り残ってる。左の耳に触ってごらん、硬いだろう。そのまま固まってしまったんだ。でもこうして残ってる。

その後イタリアに戻されて、今度はナポリへ送られた。そこからサルデーニャ島へ食料や燃料を送る民間の舟を警護したんだ。

ところがサルデーニャ島には風土病のマラリアがあって、今度はそれにかかった。マラリアは簡単には治らない。再度病院に収容されているうちに、イタリアは旗色が悪くなって、軍は解散してしまった。

メルカテッロの家に帰って、やれ助かったと思ってるところへ今度はドイツが後ろ盾になったサロー・イタリア共和国に徴兵された。一九四三年の十一月だ。幼馴染のエーデと結婚したのは翌年の二月だ。戦いは続いていたけど十五日間の結婚休暇をもらったよ。ありがたいことにそのときの町長がさらに十五日間休暇を延長してくれて、このときは故郷でゆっくりできた。

軍には戻ったけどマラリアは治っていない。結局、南から上がってきた連合軍にいたイギリス軍の医者が治してくれたよ。イギリスは植民地でマラリアを経験しているからいい薬を持っていたんだ。

一九四五年四月二十五日にイタリアは戦争を終結した。ドイツは間もなく降伏して、そして日本も降伏した。私は新生共和国の軍に編入されて最終的に除隊になったのは一九四六年の五月だった。

戦後の生活は苦しかった。敗戦国だからねえ、仕事は何にもない。だから多くの連中が外国に出稼ぎに出たんだ。私も先に行ってた兄のディーノを頼って、フランスに行った。スペインの国境に近いオージュール地方の炭鉱で働いた。

地下八〇〇メートル以上の深いところまで潜るんだ。きり羽（掘削現場）では年中四〇℃になる。仕事はきつかったけど、一年後にはエーデと娘のロベルタを呼ぶことができた。二人目の娘、エレオノーラはそこで生まれたんだ。だからフランスの市民権を持っている。二人の娘はフランス語も上手に話せる。家内のエーデも上手に話すよ、私は駄目だけどね。男は駄目だな、向こうでも男たちはイタリアの連中とばかり付き合って、イタリア語ばっかり話すんだ。女と違って男は社交性がないんだな。

九年間フランスで働いた。職場環境は実に良かった。フランス人、イタリア人のほかに、スペイン人、ポーランド人、みんな同じ仲間だった。和気あいあいと働いたんだ。そして夏のバカンスには毎年メルカテッロに帰って来た。

妻のエーデはこのままフランスに住みたいと言っていたけど、私はイタリアに帰りたかった。その頃仲良くしたフランスの家族とは今でも親しくしているよ。兄のディーノはそのままフランスに残って、フランス人になった。フランスのことはいい思い出になっている。

一九五八年、三十五歳のときにメルカテッロに帰ってきて、町役場に就職した。父親が退職してその後を継いだんだ。仕事は警護官という職だ。役場の上の階に住んで、建物の管理人も兼ねていた。今で言う交通警察の役目や、その頃メルカテッロにあった屠殺場の監理、町の労働の日当の監理をやるのが仕事だ。毎日忙しいんだ。バンドのマネージャーにもなった。役場には二十四年間勤めて、それから年金生活さ。バンドはずっと続けていたから楽団長になって、七十二歳になったとき辞めたんだ。ずっとフルートを吹いてた。私の性格に合ってるんだ、あの大人しさがね。

〈シストは生まれて育った七月二十四日通りに今も住んでいる。毎日、身なりを整えて、真夏以外は必ず上着をつけてネクタイをする。そうやって広場を横切ってリナルディのバールへ行く。バールの奥でゆっくりと新聞に目を通して、それからみんなに挨拶しながら家に帰る。妻のエーデが家で待っている〉

〈二〇一二年一月の大雪の日にシストは亡くなった。その四年後、エーデはその後を追った〉

5 みんなで支えるコミュニティ

一四〇〇人のメルカテッロのコミュニティは親戚縁者が入り乱れて暮らしている。互いにどこかで血か縁がつながっている。まるでひとつの家族であるかのようにみんなで助け合って生きていこうという空気が町にはある。一四〇〇人の運命共同体だ。

運命共同体を支える頑張りはただ事ではないと同情したり感心したりするのだが、一度その中に浸ると世知辛い外の世界は羨ましくないし、近寄りたくも、真似たくもない。豊かでハッピーな生活がここにはあることが分かる。その生活を守るために彼らは彼らなりに頑張っている。そんな頑張りが分かるとイタリアの不思議な底力が見えてくる。メルカテッロに限らず、イタリアの社会ではそのような価値観が普通のようだ。

■商店街

メルカテッロの旧市街には商店街がある。広場の南側を通っているメインストリート、ベンチヴェンニ通りと町役場の下のアーケード通りがそうだ。

町なかに商店街がちゃんと生きているのはとても大事なことだ。一四〇〇人の町でどうすればどんな店が成り立つのか日本人の私には想像もつかないが、メルカテッロには商店街がある。経営が苦しいことは簡単に想像がつくけどどこも綺麗に商品を飾っていて、みんなでお店屋さんごっこをやっているのじゃないかと思うくらい恰好がついている。

店先はどこもこじんまりしていて、日本とは通りの雰囲気がまるで違う。イタリアでも観光地では商品を通りに出して並べているが、ここではそれがない。中に入ると商品が並んでいてやっと何の店だか分かる、そんな店が多い。

【1・5・1】町のメインストリート、ベンチヴェンニ通りは商店街だが日本とはかなり雰囲気が違う。看板らしい看板はなく入口は狭くて中がよく見えないので、どんなものを売っているのか近づいて中に入らないと分からない。

【1・5・2】朝早くから夜遅くまで日曜日も店を開けている雑貨屋さん、タバッキは元はその名の通りタバコ屋さん。元はタバコやパイプと一緒に切手や印紙を扱う特別な店だったが、この店は食品や雑誌、新聞も置いているイタリア版コンビニだ。商品は店の奥の倉庫にいっぱい詰まっている。

二軒のバール、文房具店、美容院、床屋、肉屋、食料品店、雑貨店、なぜか宝石店（日本でいう質屋を兼ねているらしい）、保険事務所、看板だけの不動産屋、古い礼拝所を利用した観光案内所、中に入っても何を売っているのかよく分からないスポーツ用品店、以前は小さな八百屋が二軒あったけど二軒とも今は店を閉めている。そして五年前に開店した気合十分のホテルレストラン。

二〇一八年に街の入口の公園の中に木立に覆われたバールがオープンした。今年になって中央広場の一角に気の利いたヴィーノを出してくれるエノテーカがオープンした。どちらも人気の店で繁盛している。旧市街は物販に代って飲食中心の街に変わりつつあるようだ。

町役場の下に雑貨屋（タバッキ）がある。その名の通り元はタバコ屋だが、印紙、切手、絵葉書、雑誌に新聞、パンやパスタ、ハム、オリーブオイル、ワイン、お菓子、何でもある。形は全く違っても日本でいうコンビニだ。働き者の母娘がほとんど休みもなく店を開けているので助かる。

旧市街のすぐ外にバールが二軒、レストラン、ピッツェリア、花屋、ＤＩＹの金物屋、クリーニング店、郵便局、

【1・5・3】旧市街の中に２軒の美容院がある。メインストリートの１階にある美容院はモダンなガラス張りのファサード。建築規制が緩かった70年代初めに改築したもの。

銀行、薬局がある。少し離れたところに地元の協同組合が経営する小型のスーパーと食料品店。個人経営のものと、協同組合の店だ。これらの店は距離的には歩いて済ませる範囲にまとまっているが、多くの客が車でやって来る。それだけに旧市街の商店街は次第に淋しくなっている。

あと魚屋があれば完璧だがそれは隣り町から週に一度やって来る移動魚屋を頼りにしている。猫もそのことを知っていて、週に一度おこぼれを目当てに車の近くにやって来る。

日常生活でこの町になくて困るものはない。ただしお昼休み（十二時から十六時）と閉店時間の二十時、日曜と木曜の定休日をしっかりと守るので油断すると不自由なことになる。

■市場

土曜日の午前中、中央広場で市場が開かれる。その間広場に車は入れない。大きな八百屋、自信たっぷりのチーズ屋、美味しそうな匂いで客を呼び寄せる魚の揚げ物屋、花屋、衣料品屋、靴屋、金物屋、雑貨屋。

【1・5・4】旧市街にある個人経営のスーパーマーケット。一番奥には生鮮食品のコーナーがあって、肉やチーズを売っている。

【1・5・5】毎週土曜日の午前中はガリバルディ広場に市が立つ。

雑貨や衣料品はどれも皆大衆好みに徹していて、値段が安いのでそれなりの需要があるようだ。品ぞろえの豊富なことに驚く。なくても済むけどあれば良さそうに思うものが所狭しと並んでいる。見ていて飽きることがないけど買ってしまうと後で後悔するものばかりだ。それでも買ってしまう。人の弱みと可愛さを知り尽くした商売だ。

市場の主役は八百屋の夫婦だ。ひときわ大きな店を開く。四〇キロほど北の自分の畑で採れる野菜を運んで来る。畑で収穫したそのままを運んでくるので形や大きさは当然不揃いだ。夏場の商品の八〇%ほどには「自家栽培」の手書きの札が付けられている。ここのメロンを買って、すぐ近くのタマーラの店で手切りの生ハムを買って、財布の心配なしに生ハムメロンを食べる贅沢を私は憶えてしまった。

市が立つと用事がなくとも人が出て集まってくる。何となく心が華やぐのだ。

西隣の町ボルゴ・パーチェでは日曜日の午前中に市が立つ。東隣の町サン・タンジェロは水曜日だ。隣町まで、もっと先の町まで、市が立つと出かけていく。大きな町では大きな市が週に二度三度と開かれる。どこも営業は午前中だけで、遅くても午後二時には全部引き上げて、街は何事もなかったかのように元の姿に戻る。

町には毎週やってくる市場 mercato（メルカート）とは別に特別な

【1・5・6】1800年代末のブラスバンドチーム。2012年に創設200年を祝った。写真は「IERI A MERCATELLO」より。

日にだけ開かれる定期市 fiera（フィエラ）というのがある。定期市にはそれぞれ名前が付いていて、メルカテッロでは「サンタ・ヴェローニカの市」と呼ばれている。町の守護聖人サンタ・ヴェローニカの祭日七月九日に一番近い日曜日に毎年開かれる。六〇年代まではもっと多くの定期市があったが今はこの一つだけが残っている。

この日は広場だけでなくメインストリートのベンチヴェンニ通りやその脇道、町の外の駐車場まで様々な店が出て大賑わいになる。小鳥が入った鳥かごを売る店、椅子やソファーを売る店、夏なのに大きなストーブを並べている店。テーブルと椅子を並べた軽食の店も出てお祭り状態だ。まさに日本の縁日の境内や参道の賑わいだ。

神様がいなくても、市が立てば人は十分楽しめる。だからみんなで楽しむために市を開く。あっけないくらいストレートに納得のいく生活の知恵だ。

で、商売は成り立っているのか？

市場の商いを生業とする人が日を替えて町を巡っている。商品を積んだトラックがそのまま店になる。トラックの屋根には電動で開く大きなテントが仕込まれていたり、トラックの横腹を開いて持ち上げるとそれがそのまま屋根になったりする。その下に適当な高さの台を置いて商品を並べる。売り場が足りないと持参のテントをセットして売り場を広げる。驚くほどたくさんの商品がトラック一台に整然と詰め込まれている。七面鳥や子豚の丸焼き、海老のから揚げ、クレープを焼く店など、調理場付きのトラックもある。

様々な種類と大きさの市場専用のトラックの製造や商品の供給、流通の仕組みが整っている。日本のように市場が市民のボランティアや、農家のお小遣い稼ぎ、町おこしや観光のイヴェントなど特別なものではなく、イタリアでは日常の経済活動の一部になっている。

大きな町ではともかく、メルカテッロのような小さな町で市場の商いはどう見ても儲かっている商売には見えないが、何処かでつじつまが合う仕組みになっているのだろう。

「何とかやってるよ」、訊ねるとそういう答えが帰ってくる。

市民の普段の生活に市場の存在が欠かせない。毎週開

【1・5・7】夏の夜にガリバルディ広場で開かれた町内対抗バレーボール大会。石畳の上ででもバレーはやれる。

かれる市場、年に数回の定期市、不定期にやって来て開く市場。どれも管轄はそこのコムーネ(役所)だ。コムーネはそれぞれ自分の「商業計画」を持っていて、普通の店舗と市場の両方を管理している。どこの町でも市場を開く日と時間、場所が決められている。市場を開く業者は場所と大きさと内容を提出して許可を受け、公共用地(広場や道路、駐車場)の占用使用料を払っている。

日本ではこうはいかない。道路を人と車の移動以外の用に使うことを厳しく制限している日本では、市場など

【1・5・8】スポーツ公園のサッカー場は街のすぐ外にある。練習も試合も滅多にやっていないが、どんな小さな町も必ずサッカー場を持っている。かつて日本の小学校には必ず相撲の土俵があったことを思い出させる。

【1・5・9】イヴェントに向けてライトアップされたガリバルディ広場。

【1・5・10】真夏でも夜はセーターが要るくらい涼しくなる。快適な夏の夜が更けていく。

[illegible]・5・11】クラシックのコンサートはサン・フランチェスコ教会で開かれる。毎年州の交響楽団がやって来て演奏を聴かせてくれる。聴衆は 70 人ほどという、贅沢な演奏会になる。町のコーラスグループは夏の音楽祭で州立交響楽団の演奏に合わせて合唱した。

交通以外の用に道路を使うことは原則として認められない。道路を一般市民に開放して自由に使うことを認めるのは年に一度のお祭りのときくらいで極めて限られている。道路を所有している国、県、市町村などの役所は道路法に従って道路を維持、管理している。同時に各県の警察署が道路交通法に従って道路の通行を規制、管理している。道路を人と車の通行以外の用に供することはもとから考えられていない。

イタリアをはじめヨーロッパでは道路などの公共空間の自由な使用が伝統的に市民の権利として認識されており、市長がそれを交通政策と合わせて一元的に管理している。都市計画の一部として道路や広場の多様な使い方を定めている。市場や屋台、カフェテラスが毎日道路や広場にたくさん出て、それが街の賑わい、楽しさを盛り上げている。日本でもこのやり方を取り入れたいものだがハードルは高い［註1・5・1］。

■クラブ活動

メルカテッロではクラブ活動が盛んだ。一番歴史があ

【1・5・12】ブラスバンドクラブが演奏の質を問われるのは夏の舞台だ。いつもとは違う緊張感が漂う。

【1・5・13】パラッツォ・ドナーティの裏庭を借りての音楽祭。特別に編曲した映画音楽の組曲がスクリーンの前で演奏された。

るのは、町のブラスバンドチームで、町の催しがあると必ず出てきて盛り上げてくれる。二百年の歴史があることが彼らの誇りだ。制服で並んだ記念写真が残っている。当時のメンバーは全員が男性で、みんな口髭を生やして胸を張って並んでいる。若い娘たちの憧れの的だったのだろう。

コーラスグループがある。交響楽団の演奏に合わせて合唱することもあるが、なぜか町のブラスバンドと一緒に歌うのは聴いたことがない。

山歩きの会がある。リーダーだったマリオ・カラーの奥さんが亡くなって以来二十年、ほとんど休会状態だ。二人のマリオが世話役だった。マリオ・サッキとマリオ・カラーだ。同じ郵便局員だったせいか仲良しで、ほとんど同時に年金生活に入ると、いつも広場の椅子に座っておしゃべりしていた。二人とも山歩きが好きで日曜日の山歩きは適当に声をかけ合って続けていたが年を取って、今は朝の散歩をするのが精いっぱいというところだ。

バレーボールチームがある。夏には町内の地区対抗バレーボール大会が広場で開かれる。プロテクターをつければ石畳の上でもバレーボールができることを初めて知った。町議会の野党側の党首を務めた経験があるニコレッタは一時期チームのリーダーだった。バレーボールに熱中している若々しい女性チームを見ていると、メルカテッロはこの先も大丈夫、そんな気がしてくる。

もちろん元気なサッカーチームがある。一九六八年に出来た全国組織F・I・G・Cの第一リーグに今は所属しているが、かってては市民だけで組織して近くの町のチームと勝負する「草サッカー」だった。その頃人口が三倍くらい多い隣町のチームにはずっと負け続けていた。それが一度だけ勝った。その時のことを当時のチームメンバーは今も語り継いでいて、自分の家にその時の写真を飾っている。数十年に一度の歴史的な出来事だった。

サッカー場は街のすぐ外にある。どんな小さな町も必ずサッカー場を持っている。かつて日本の小学校には必ず相撲の土俵があったことを思い出させる。

一一人制のサッカーとは別に五人制のサッカーリーグがあってデザイナーのマルコはそのチームのリーダーだ。昨年C2リーグで優勝してC1リーグに格上げになった時はけが人が出るくらい一晩中街なかで大騒ぎした。方々で花火を打ち上げる音がした。チームには応援団が組織されていているがわずか一四人を結んでいる。その町の試合には応援に行くし、自分の町の試合には応援に来てくれる。そうやって大騒ぎを盛り上げる仕組みをつくっている。

バスケットボールのチームや乗馬クラブ、魚釣りのクラブもある。

極めて閉鎖的な美食クラブがある。食べ歩いた先々の模様は必ずフェイスブックに出して自慢するけど、新しい仲間を歓迎する気配を全く感じさせない。しかし自己満足の閉鎖的なクラブではない。町の四季折々の「食の楽しみ」を盛り上げるイヴェントを主宰し、アメリカの観光レポーターをもてなすなど、町おこしに貢献している。

鉄の球を投げるテント張りのボッチャの競技場をみんなの労働奉仕で建てたこともあるが、間もなくゾームが去ったのか競技場にはいつも鍵がかかっていた。二〇一二年の大雪でつぶれてすっかり撤去されてしまったとき、「醜い小屋がなくなってよかった」と元町長のパオロがつぶやいた。私も実はそう思っていた。

ローマのサン・ピエトロ寺院参拝、ヴェネツィアの手漕ぎのボート競走（レガッタ）見物、オーストリア観光、そんなバスツアーが企画される。みんな弁当持参で、バスの中で延々とパーティをやる。我々日本人もよくやるかなりの強行軍で、すごく安上がりのツアーのようだ。

■夏のイヴェント

夏は帰省客で町の人口が五〇％増える。彼らは短くて二、三週間、長い人は二か月間メルカテッロに滞在する。町に自分の家を持っている人たちが家族と共に帰ってくる。春から秋までの一番いい季節はメルカテッロは懐か

【1・5・14】ロバ競走は男の競走だが、お母さんたちはタリアテッレ競争で日頃の腕を見せる。穴を開けることなく広く伸ばしたほうが勝ち。写真は Icoflash 提供。

【1・5・16】祭りの華は旧市街の中を一周する地区対抗ロバ乗り競走。ロバは人間の言うことを無視するから走らせるだけでも大変だ。写真は Icoflash提供。

【1・5・17】夏のフィナーレはビステッカ祭り。町のスーパーマーケットの主力商品はこの地方のブランドになっているマルキジャーナ牛。それを山ほど食べさせてくれる。

【1・5・15】7月後半に開かれるパリオ・デル・ソマーロはメルカテッロ最大のお祭り。お祭りの準備でその前1か月、広場は夜まで賑やかだ。お祭り当日の広場は市民で埋め尽くされる。写真はIcoflash提供。

しい顔ぶれがそろう、まるで町の同窓会だ。みんなが一緒になって様々なイヴェントを楽しむ。遠来のバカンス客もそこに加わる。アグリトゥリズモやB&B、カントリーハウスはこの間満室だ。町の都市計画、建築が担当のダニエーレは急に人口が増えた町の世話で忙しく、夏のバカンスがとれない。

七月末から九月初めまでのひと月間余り、広場には特設ステージが設置されて夏の間のイヴェント会場になる。ブラスバンドの演奏会、ジャズバンドの演奏会、子供カラオケ大会、舞台劇、幼稚園の発表会、釣りクラブの表彰式、町の功労者の表彰式、古い写真を集めた映写会、町のブティックが後援するファッションショーなど、寄ってたかって盛り上げる町の文化祭だ。隣り町でも同じようなことをやっていて、お互いに行ったり来たり、親戚や友達が誘い合って夏の二か月余りを楽しむ。

毎回イヴェントが終わると広場の軽食パーティになる。広場の賑わいはしばしば真夜中まで続いて、小学生の子供たちも夜遅くまで大人たちに交じって駆け回って遊ぶ。

夏の二か月間は「MUSICA&MUSICA（ムジカ・ムジカ）」と名づけられた音楽祭の季節でもある。州や町の補助を受けて、夏の間中開いている。聴衆はほぼ一〇〇%、町の人たちだ。交響楽団やシエナからジャズバンドを呼んだり、音なしの映画を映しながらそのテーマ音楽を演奏したり、多彩なプログラムが組まれる。クラシックのコンサートはサン・フランチェスコ教会で開かれる。州立ペーザロ・ロッシーニ交響楽団がやって来て演奏を聴かせてくれる。聴衆は百人ほどで三〇人編成の交響曲を聴くという贅沢な演奏会になる。

音楽祭をプロデュースしているのは、グエッリーノとガブリエーレだ。グエッリーノは文房具店の店主だが店は奥さんに任せて自分は音楽教室を開いてそっちの運営の方に熱心だ。ペーザロの音楽学校（コンセルヴァトーリオ）で学んだ。今は音楽祭を実行することを生きがいのひとつにしている。ガブリエーレはこの町出身の建築家だ。音楽が好きで、彼の事務所の壁には自分のプロジェクトよりも音楽祭のポスターの方が沢山貼ってある。

この数年はこの時期に合わせて毎年アメリカの音楽学校がやって来て一か月の声楽特別コースを開く。二〇人程のアメリカの若者が滞在すると、その両親も訪ねて来たりして町は活気づく。その発表会は音楽祭のプログラムに組み込まれている。

ムジカ・ムジカの音楽祭をはじめ、夏のイヴェントをプロデュースするのはPRO LOCO（プロ・ローコ）だ。その事務所は広場に面する一階にあって、町の地図や観光案内、郷土史の出版物、写真集などがそこで手に入る。観光案内所もすぐ近くにあって、英語が話せてB&Bを経営しているマウリーツィオがそこに座っている。

この団体は全国各地にあるが横の連携は意識されていない。観光案内所を兼ねて観光産業に一役かっている町もあるし、全く何もやる気のない町もある。基本は、自分たちで町を愉しむボランティアの会だ。日本の自治会、町内会に通じるところがある。近くの町ポッピのように、今はほとんど使われなくなっている一階の葡萄酒倉庫をいくつも借りて毎年「トスカーナ・ワイン祭り」を主催して町を満員にするようなものすごく元気なプロ・ローコもある。

メルカテッロで一番大きい祭りは七月に開かれるパリオ・デル・ソマーロ（地区対抗ロバの競馬）だ。

祭りは三日間続く。その間街の外の公共駐車場に大きなテント小屋がかけられて、百人くらい座れる臨時のレストランが出来る。以前はこれも町のみんなで運営していたが数年前からはその種のイヴェントを請け負う業者に外注している。タリアテッレ、ラザーニャ、マカロニ、仔羊、馬や牛の肉料理、ワイン、ビール。威勢のいい料理人が手際よく、愛想

【1・5・18】音楽祭の主催者グエッリーノ（左）とガブリエーレ（右）。グエッリーノはペーザロの音楽学校（コンセルヴァトーリオ）出身。奥さんと一緒に街の文房具店・書店を経営しながら音楽活動を続けている。ガブリエーレはフィレンツェ大学出身の建築家。最近のメルカテッロの主な仕事は全部彼がやっている。都市基本計画、地区詳細計画の改定も彼が担当した。

【1・5・19】一枚が500グラムから1キロの肉をどんどん焼いていく。塩をかけてから焼くか、焼いた後にかけるか。岩塩か、海水塩か。レモンはかけるか、かけないか。オリーブオイルはかけるか、かけないか。こしょうは白か、黒か。肉の厚みは何センチか、焼き加減をどうするか。すべての好みに対応する態勢が整っている。これを食べると本当の肉の美味さが分かる。

よく働く。多くの市民が三日間は家で料理はせずここでお祭り気分を満喫する、まさに町の大食堂になる。

祭りは一九九八年から始められて今はすっかり町に定着している。ご婦人方が競うパスタ打ち競争、男が競う木登り競争、男女混合の丸太の鋸伐り競争、竹馬リレー（竹は取れないので木製だが、格好は日本と同じ）、木製足踏み自動車のF1レースもこのとき開催される。どの競技も四つの地区に分かれて勝負する。七月になると広場は竹馬リレーとF1レースの練習を繰り返す若い男女で賑やかになる。夜遅くまで広場は盛り上がっている。学校の夏休みは三か月もあってそこにバカンスの帰省客が混じると、町はすっかり解放された夏の空気になっている。

毎日どれかの競技が開かれて最終日にロバの競争で盛り上がって終わる。シエナの美しい貝殻型の広場で開かれるパリオは裸馬で競走する長い歴史を持ったお祭りで、世界中に知られている。メルカテッロのパリオはそれをロバで借用したお手軽パリオだ。旧市街の石畳の通りを三周するレースだったが、ロバが足の爪を痛めるのが可哀そうだということで、二〇一三年からは旧市街のすぐ

【1・5・20】ステーキ祭りは深夜まで続く。パンやサラダにワイン、ポテトフライも用意されている。

外の農地でやることになった。

八月十日には「流れ星を見る会」が催される。この日は一年のうちで一番流れ星が多い日と言われている。この日に焚刑（ふんけい）にされた殉教者サン・ロレンツォの涙が空から降ってくるのだと伝えられている。天文学ではこの時期に地球に接近するペルセウス座流星群による流れ星だと説明している。

二時間くらいかけて山の奥に歩いて行って、小高い山の上で流れ星を見る。真っ暗な山中を懐中電灯を頼りに歩く。小学生、中学生がたくさん参加する。こういう山歩きになるとミンモが必ず現れる。子供たちに星座の位置を教えたり、草笛のつくり方を教えたり、虫の名前、木の名前を教える。

お年寄りも負けずに参加する。マルターノとピエロはこの町出身の同窓生で、二人とも数年前に亡くなるまで毎年参加していた。マルターノは一七キロ離れた町ウルバーニア、ピエロは移民した先のアイルランドから帰省して一緒に流れ星を見る会に参加した。

ステーキ祭りは夏の最後を飾るに相応しい充実したイ

ヴェントになる。この地方特産の自慢のマルキジャーナ牛肉を炭火で焼いて食べる。何時間も、ひたすら食べて、飲んで、おしゃべりする、まさにイタリアならではのお祭りだ。

この町の畜産組合が中心になって開催する。広場に白い大きなテントを張って、その下で夜遅くまで賑わう。一枚が五〇〇グラムから一キロの肉を注文して自分で焼く。使う炭もこの地方の特産だ。肉の厚みは何センチか、焼き加減をどうするか。塩をかけてから焼くか、焼いた後にかけるか。岩塩か、海水塩か。レモンはかけるか、かけないか。オリーブオイルはかけるか、かけないか。こしょうは白か、黒か。すべての好みに対応する態勢が整っている。これを食べると本当の肉の美味さが分かる。ステーキ祭りは深夜まで続く。パンやサラダにワイン、ポテトフライも用意されている。応援の奥さんたちが調理場に入って場を和らげてくれる。男たちが肉の塊りをガンガンとたたき切る。

豚汁で満足する我々のイヴェントとは違う、肉食社会のエネルギッシュなたくましさを見せつけられる思いがする。

ステーキ祭りが終わって広場の特設ステージが運び去られると、季節はすぐ秋になる。

インタビュー⑤

ニコレッタ・アミチーツィア

Nicoletta Amicizia（若くて元気な国際派の町会議員）

「今のところ、人生順調ってとこかな」

記録はニコレッタと交わした会話に筆者の補足を加えて、聞き取り記録として編集した。記録内容に誤りがあればそれはすべて筆者の責任に帰する。

〈町長選挙のことから話し始めてもらうことにした〉

町長選挙は忙しかったわ、目が回るってのはこのことだってよく分かったわ。小さな町だけど、選挙に関しては大きくても小さくても変わりないでしょ、あなたの一票を私にくださいという単純な戦いだから。投票率はいつも八〇%をちょっと超える程度だから、全部で八〇〇票あるってことよ、その取り合いよ。

もちろん票読みするわよぉ。あの人は大丈夫、あの人は絶対駄目、全部読めるわ。全部顔見知りだから。だからそのグレーゾーンを攻めるのよ、負けることは分かっていたわね。

かなりの善戦だったと言ってほしいわ。もっとも前の選挙では八票の差で町長が決まるという大変な接戦だったから、それと比べると完敗と言われても仕方ないわ。三〇〇票の差だったからね。若い人たちの票はしっかり頂いたというところかな、もちろん恋人のジョルジョの票もそのうちの一票よ。

バレーボールチームの票ももらったわ。六歳のときに始めて、今も町のチームでやってるの。セブンファイターズっていう女だけのバレーチームよ、四〇人いるの。でも全員が私に入れるほど単純じゃないわ。町は友達、親戚入り乱れて絡み合ってるからね。

選挙はいくつかのグループに分かれて戦うのよ。勝ったほうのグループのリーダーが町長になるの。今回は私たちニコレッタグループと現職のピストーラグループの戦いだったわけよ。私たちが負けたからピストーラが町長を続けることになって、そのグループの八人が町議会の与党を組むの。私たち負け組は四人で野党になるからまだ町議会でそれなりに頑張る余地はあるってことよ。カフェ・リナルディのオーナーやってるフランキーノは私たちのグループよ。

〈フランキーノがどういうつもりで選挙に出たのかは分からない、町の人みんなが大事なお客さんだから、ピストーラだって毎日リナルディのカフェテラスに座っておしゃべりしているんだから、彼が町のどちらかの側になってしまったら町で一番大事な集会所がむちゃくちゃになってしまう。広場のバールはある意味、町議会よりも大事な町の集会所だ。そこのオーナーが町を二つに分ける張本人になるようなことはあってはならないはずだ。案の定、一年もたたないうちに彼は議員を辞職してしまった。ニコレッタのグループは大差で負けたけれど、もし勝ってたら二十八歳の美人町長、まさに町の看板娘になっていた〉

二〇〇六年のワールドカップサッカーがなかったらジョルジョとの出会いはなかったかもね。最後にフランスと戦ってイタリアが優勝したあの大会よ。

町が広場に大きなスクリーンを立ててくれて、その前に広場いっぱいに椅子を並べて、毎晩みんなで観戦したのよ。そりゃあすごい盛り上がりよ、決勝戦は一対一の延長戦で最後はＰＫ戦になって、広場が大きな拡声器になったようだったわ。そこで隣に座ったジョルジョと一緒に盛り上がって、すっかり仲良しになってしまったということよ。

それまで顔は知ってたけど、十二歳も年が離れてるから話したことはなかったの。私は大学生だったけどジョルジョはムラトーレ（石組み職人、日本で言えば大工さん）だから仕事が終わってから広場にやって来てたの。劇的な試合だったけど、私たちにとっては特別に劇的な試合になったわ。

ジョルジョと仲良くなったからペルージアの大学へは戻らずに、フロンティーノっていう近くの町のホテルレストランに就職したの。そこはカルチャーセンターもやっていて、英語とかレストランのマネジメントなんかを教えてたんで、そこの先生になったのよ。二年半そこで働いたけど、オーナー夫婦が離婚して店を閉めてしまったので失業よ。イタリアでは多いのよこんなことが。夫婦でやっている店が多いでしょ、片方がいなくなると、もうやっていけないの。今はマーケットリサーチの新しい仕事を準備中よ。

ジョルジョが私の人生を変えたのよ。何とか卒業論文を仕上げて、卒業試験は受けたけどね。良い成績で担任教授には褒められたわ。論文は「オーストラリアのメディアはイラク参戦にいかに関与したか」、五〇〇頁の大作だったのよ。ジョルジョに出会わなかったら私はオーストラリアの大学に行くつもりだった。シドニーの大学とは既に話が通じてたのよ。町を出て、遠くへ行きたかった。でも、ジョルジョに出会ったからこうしてメルカテッロに残ってる。

小学校の同級生は二四人いたけど、そのうち九人が大学まで行ったの。私たちの年代は優秀で経済的にも恵まれてたのよ。いつもは大学まで進学するのは五人くらいよ。九人大学へ行って、卒業できたのは七人。私ともう一人、美容師ファブリーツィオの娘のセレーナがメルカテッロに今も住んでるわ。ほかは全部、卒業したら外に出て行ったわ。ここではやることがないのよ、私も出て行くつもりだったんだから。フランス、ロンドン、ローマ。ミラノへは二人、町から出て行ったわ。もう帰って来ることはないでしょう。向こうで家族が出来ると、歳をとってももう帰れないわね。

高校へは事情のあった一人を除いて二三人が進学したの。そのうち九人が大学に進学したから、高校までで終わったのは一四人、彼らはほとんど全員、今もここに住んでるわ。彼らは外の世界に関心がないの。ここの生活に満足してるのよ。今年の春、復活祭（パスクア）に合わせて高校の卒業十周年同窓会をやったらみんな集まったわ。

私は三六キロ離れたウルビーノの五年制のリチェオ（普通高校）に進学したの。高校は普通高校のほかに商業高校や工業高校、ホテル・レストラン高校、美術高校などの職業高校があるけど、そのどれも三年制と五年制とがあって、五年制を修了すると大学に進学できるの。私の同級生では大学に進学した九人のうち五人が女で、女のほうが多いのよ。女はまだ社会的に弱い立場だからそれだけ頑張らなくちゃね、分かるでしょ。

高校へはバスで通うんだけど、見てるとみんな屈託なくてすごく楽しそうでしょ。実際楽しいんだけど、中では集団社会のいやらしい習慣もあったのよ。

席順が決まってるのよ。後ろのほうが上級生なの。新入生には「洗礼」があって、バスの中でよ、ひざまずかせて上級生がつまらない質問をするのよ。それに合格したら教科書で頭を叩いて、高校生に仲間入り、ということ。メルカテッロのような田舎だとその程度で済んでたけど、都会ではお金を出させたりとか、結構深刻で、今は「洗礼」は禁止されてしまったわ。

私たちの頃はインヴェクタのリュックが流行で、みんなそれに教科書なんかを入れてバスに乗ってたわ。今はインヴェクタじゃなくて、ナッパピエリになってるのかな、イーストパックかな、流行があるのよ。

思春期だからいくつもカップルが出来るわね。バスの中ですぐそれと分かるカップルが、ひとつふたつはいるでしょう。長続きするのもいるけど、そうでないのもたくさんいるから関係はかなり入り乱れるわね、狭い社会だから。大人の社会も同じよ。メルカテッロは狭い社会だから、いろんなことが起きるわ。大問題になることもあるけど、最後は時間が解決するのよ。何年かたつうちに、何事もなかったようにみんな忘れてしまうのよ。

高校では英語の授業が一番身についた。七人のクラスで先生が一人。みっちり鍛えられたわ。授業中は英語しか話しちゃいけないの。英語のほかにフランス語、ドイツ語の科目もあったけど、英語が一番厳しかった。大学に入ってから、夏休みにオーストラリアに語学留学したのも良かった。シドニーで二か月暮らしたの。だから私は英語にはかなり自信があるわ。シドニーは清潔で綺麗ないい町だったわ。ヨーロッパ以外では初めての外国だったけど、カルチャーショックなんかなかったわよ。

イギリスに留学しなかったのはできるだけ遠くに行ってみたかったから。メルカテッロは狭い社会よ。仲間同士でふざけあって、集まって食事パーティをやって、酔っ払って、広場にたむろして、そうやって一生暮らすの。みんなそれで満足してるのよ、ほかの生き方なんか考えたこともない。

家はあるから月に八〇〇ユーロもあればゆっくり暮らせる。のどかで平和な、そして平凡な人生よ。その平凡な人生が町の美しさを守ってるとも言えるんだけどね。みんなの理想の人生って何か分かる？　何にもせずに有名になって、お金持ちになることよ。それを象徴するテレビ番組があるわ。「偉大な兄弟」というタイトルの人気番組よ。イギリスでもこれを流してるっていうから、イギリス人も私たちと同じくらい愚かね。愚かな理想よ。

〈メルカテッロとは逆に日本では若い者みんなが大都市や東京に行きたがってメルカテッロのような地方の小さな町は住む人が極端に少なくなって、生活が成り立たなくなっている。その分大きな町では何でも効率的になって、歩いて行けるところに必ずコンビニエンスストアーがあって普段の買い物は全部そこで間に合う。電車は秒単位で正確に動いているし何処に行ってもドアは手で開けなくても勝手に開いて閉まってくれる。トイレは温水洗浄便座で何時もきれいに掃除されている。メルカテッロと比べるとずっと便利で快適だ〉

日本のほうが何かにつけて便利で快適だってことは想像できる。行ったことはないけど私はかなりよく分かっているつもりよ、残念なことに便利で快適だと美しくないのよ。

ペルージア大学では国際学科に入ってスペイン語、フランス語、それに少しだけど日本語も勉強したの。スペインにはバルセローナに二か月、語学の勉強に行って自信をつけたの。話すだけならスペイン語とイタリア語はよく似てるから楽だけど、書くとなるとスペイン語は私たちにも難しいのよ。
スペイン語は綺麗な言葉だと思うわ。イタリア語は聴いてるとまるで歌を聴いてるみたいに綺麗なリズムがあるけど、スペイン語はイタリア語の次に綺麗ね。フランス語も悪くないけどドイツ語は最低ね、無骨な言葉だと思うわ。日本語はどう言っていいのかまだ分からない、今も勉強中って言っとこ。英語は一番やさしい言葉よ。動詞や名詞の格変化がまるっきりないし、論理的で話しやすいつくりになってる。ビジネスには最適な言葉ね。

大学の五年間はペルージアの町に部屋を借りて下宿してた。初めてメルカテッロを離れて生活したのよ。大きな家を五人でシェアして、自分たちで料理して暮らしたの。

料理は大好きよ、母に教えてもらったの。夏休み、クリスマス、復活祭の休暇、それに年に十日ほどある祝祭日にはメルカテッロに帰ってた。そのときは母と一緒に料理するの。楽しいのよ。

今は両親の家に住んでる。運動公園の東の住宅地の、庭付きの一戸建てに住んでるの。大きな庭にいっぱい果物のなる木を植えて、母のヴィタリアーナと父のバシーリオがよく面倒見てるの。二〇〇六年にメルカテッロに大きな雹（ひょう）が降って屋根瓦が割れたりして大騒ぎしたでしょう。あのときは家の庭も全滅したのよ。母が泣きながら電話してきたわ。

母は料理が上手で、私はとても尊敬してる。父は隣町のサンタンジェロの出身で銀行員、母はメルカテッロの出身、私はその一人娘。

大事に育てられたと思うわ。祭日には今でも教会のミサに行くし、サンタ・ヴェローニカの信者行進にはずっと参列してる。町の守護聖人サンタ・ヴェローニカの祭日はメルカテッロだけの祭りだから、ほかの町で働いてるときは休みじゃなくて参列できないけどね。祭日には子供たちは両親に連れられて教会に行くし、大きくなってからもみんな参列するわ、普通にね。

みんなが洗礼を受けてるし、学校に入ると毎週一回、教会の教室に行ってキリスト教の教理を学ぶのよ、選択制だけどみんな授業を受けるわ。そして中学に入る頃、堅信式に参列して立派なクリスチャンになるの。

私も同じようにして大人になってきた。日曜のミサにはほとんど参列しないけど、普通にクリスチャンよ。都会では洗礼を本人の自覚があるようになってから受けさせるってこともあるらしいけど、この辺りではそんなことは聞いたことがないわ。みんなが自然にクリスチャンになって、自然に教会を中心に生活のリズムがつくられるの。

今年の夏のバカンスは素晴らしかったわ。サルデーニャで一週間過ごしてきたの。恋人のジョルジョと二人でゆっくり楽しんだわ。いいバカンスだった。

安いツアーを探したら、船で行くのが一番お得ってことが分かったの。交通費と一週間のアパートの借り賃を含めて一人二〇〇ユーロよ、安いでしょ。飛行機で行くと一二〇〇ユーロなんてばかばかしい値段になるの。サルデーニャ島の北のほうに大統領のベルルスコーニがつくったバカンス村があって、そこにはお金持ちがたくさんやって来て、お金をばらまくのよ。一二〇〇ユーロってのはそのせいもあると思うわ。せいぜいが一ユーロのミネラルウオーターを彼らは五ユーロで買ってるのよ。

メルカテッロの人はバカンスに遠出はしなくて、自分の家で休んでたり、近くの海沿いの家に行って潮風にあたったりする人が多いのよ。この町自体が避暑地みたいなものだから、バカンスで帰って来る人のほうが多いくらいよ。八百人から千人くらい帰って来るんじゃないかしら。

若い人はギリシャやスペインのイビサ、南イタリアなんかに行くの、割安だからね。

でもアドリア海沿いの近くの町に行くことが結構多いわね。リッチョーネなんかに行くのよ。ここから二時間足らずで行ける町だけど、ヨーロッパ中からバカンス客が集まってきて大賑わい。浜辺で遊んで、朝までディスコで騒ぐのよ。そうやって若いエネルギーを発散して、またメルカテッロに帰って来るの。

バカンスが終わった秋のメルカテッロは美しいわよ。茸が美味しい季節になるの。私はメルカテッロが大好きよ。今のメルカテッロを大切にしながら、もう少し外の世界に開かれた町にしたいの。町のホームページにも英語を入れて、町の施設をもっと積極的に活用すべきだと思うの。外国にもメルカテッロの素晴らしさを紹介したいのよ。外の世界に関心を持てばメルカテッロの可能性も膨らむ。町長選挙ではそのためのプロジェクトをいくつか提案したのよ。公式の演説会が二回、あとは戸別訪問で支持を訴えるの。結構ハードな選挙戦を戦ったのよ。負けはしたけどその甲斐はあったと思うわ。町が目覚め始めた感触があるのよ。

〈ニコレッタはその後両親の家を出てジョルジョと同居し、間もなく結婚した。娘を乳母車に乗せて広場にやってくる。ジョルジョは築五百年の塔が付いた廃屋を買って暇を見ては修復している。そこに引っ越すのか、セカンドハウスにするつもりなのか、B&Bでも経営するつもりなのか、まだ聞いていない〉

6 町の必需品、文化と福祉

ヨーロッパの生活の豊かさはつまるところ、生活の端々に見られる彼らの文化へのゆるぎない信頼と誇りそのものだ。そして彼らの豊かな生活文化を保障しているのが国の社会保障だ。衣食足りて礼節を知る、の東洋の格言通り、メルカテッロの豊かな生活文化は社会保障に支えられている。

多様な文化が混成しているヨーロッパは自分たちの文化を「そこまでするか！」と思うくらい意識する。国に限らず、それぞれの地域や都市もまた自分たちの文化のアイデンティティを守ることに熱心だ。メルカテッロももちろんそうだ。

それを支える豊かな生活は高負担・高福祉の社会保障で成り立っている。ヨーロッパ連合を支える主要国に共通する価値観と言ってよい。イタリアでは所得の半分近くが税金と保険、年金の負担に取られてしまう。消費税は原則二二％だ。納税者である市民が政治に敏感に反応するのは当然だ。

■文化会館・郷土史美術館・パラッツォ（お屋敷）

文化会館はガリバルディ広場の正面に建っているモニュメンタルなパラッツォだ。ガスパリーニ家のお屋敷だった建物を、パオロ・チンチッラが町長のときに買い取って町の文化会館に変えた。

広場の正面が堂々たるパラッツォの文化会館であることがどれほど町の品格を高くしているか、パオロ・チンチッラは本当に良いことをやってくれた。

夏にアメリカからやって来る音楽学校の練習をここの三階でやることがある。そのときは綺麗な歌声が広場に降りてくる。

地下に現代美術館、一階が展示会など様々な催し物会場とエントランスホール。二階の一部が図書館と会議室、それ以外は通常は空き部屋になっている。全体を活用するのはなかなか難しいようだが、その気になって頑張ればもっと充実した文化会館になるはずだ。後で述べる郷土史美術館との連携を考えることも必要だろう。

現代美術館はこの町で作家活動をしている彫刻家マルティーニの尽力で実現した。町に縁のある作家の寄贈を得て二〇一三年にオープンした。一流の作品ばかりとは言えないが、現代美術に触れる場がメルカテッロに出来たことは意義深い。

【1・6・1】文化センターに用途変更されたパラッツォ・ガスパリーニ（1640年築）に2013年、現代美術館がオープンした。地元の彫刻家、マルティーニが町に縁が深い作家に呼びかけて作品を収集した。

【1・6・2】郷土史美術館に用途変更されたサン・フランチェスコ教会とその修道院。パオロの後の町長マルケッティと建築家ガブリエーレの仕事だ。教会堂と美術館が一体のものとなるよう工夫している。修道院だった部分が歴史美術館になった。中に入ると13世紀と現代が融合したデザインが楽しめる。

【1・6・3】パラッツォ・ドナーティ。ドナーティ家は旧家のひとつだが、戦前にタバコ産業で財を成したメルカテッロの資産家ファミリー。夏は裏庭をムジカ・ムジカの会場に開放してくれる。1970年代初めにファサードを新しく整えている。映画「ロッシーニ！ロッシーニ！」などの舞台美術を担当したエジーディオ・スプニーニがデザインした。舞台美術家の（遊び心いっぱいの）デザインと我々建築家の（真面目な）類型学的デザインの違いが良く分かる。彼は近くのウルバーニアに住んでいる。

【1・6・4】パラッツォ・ステファーニ（1389年築）。ステファーニ家は今はなく、所有者はメルカテッロを離れているが家はよく手入れされている。

郷土史美術館は二〇〇五年、パオロの後の町長マルケッティの尽力でオープンした。パオロが町長の時代にサン・フランチェスコ派の旧修道院を改装、介護老人施設に転用していたものをもう一度改装、美術館にしてオープンした。ミサなどに今も使われる修道院の聖堂も美術館につながっていて、多くの重要な壁画が鑑賞できるようになっている。郷土の美術品を守ることに情熱を注いでいた町の住人ヴェーロ・バルデスキが国の文化財監督局を説得して町に残した貴重な美術品がもとになって、美術館の建設に結びついた。修道院の改装はこの町出身でフィレンツェ大学で学んだ建築家のガブリエーレが設計した。十四世紀以来の宗教画や遺物が大切に並べられている。大家と言われる作家の作品はないが、それはそれなりに地方の文化遺産として意味がある。二〇一〇年には拡張して、教区教会に長年大切にしまってあった様々な聖器、聖服がそこに展示された。訪れる人は極めてまれだが、山奥の人口一四〇〇人の町にそれがあることを思うと他の国ではとてもあり得ない、イタリア文化の奥の深さを感じさせられる。

この町には、古くて立派なパラッツォが五つある。ガリバルディ広場の正面に建つパラッツォ・ガスパリーニ（一六四〇年築、町所有、文化センター）、メインストリートに面したパラッツォ・ドナーティ（建設年代不詳、一九七〇年代初めに大改修、個人所有）、パラッツォ・ベネデッティ（一四六四年築、個人所有）とパラッツォ・ステファーニ（一三八九年築、個人所有）、そしてかつての町の東門の脇を固めていたパラッツォ・ドゥカーレ（一四七四年築、旧公爵邸、個人所有）だ。パラッツォ・ガスパリーニ、パラッツォ・ドゥカーレ以外のパラッツォは、持ち主はそこに住んでいないがどれもよく手入れされている。

もう一棟、パラッツォ・ファドッシ（建設年代不詳）がサン・フランチェスコ教会の前に建っていたのだが、戦争中に連合軍の爆撃で完全に壊された。そこには今、戦後の住宅政策で建てられた三階建てのカーサ・ポポラーレ（公営住宅）がいかにも場違いな表情で建っている。

パラサッチョ（小お屋敷）と呼ばれる立派な建物がサンタントニオ川に張り出すような形でそびえている。かってはパラッツォ・ドゥカーレと地下で連絡した町の要塞の一部だったらしい。長年所有してきた一族が相談して、分割して相続するのではなく、一人に相続させて当時の姿のまま保存することにした。現在の所有者でそこに住んでいるラファエッロは当時の姿を伝える主要な部分を大切に保存している。

パラッツォ・ベネデッティの所有者アンナ女史（インタビュー⑥参照）は現在七〇キロ離れたペーザロに住んでいる。帰って来たときに屋内を見せてくれた。部屋は父上が使っていた当時のままに残しているとのことだった。親交のあった画家や彫刻家の作品が飾られていた。その中に建築家のジオ・ポンティの絵もあった。書斎のテーブルには書きかけの万年筆が置いてあって、まるで「父はちょっと席を外している」という感じで整えられていた。そのたたずまいは田舎町とはとても思えない高貴な空気に満ちていて、メルカテッロの文化の奥深さをここでも感じさせられる思いだった。

パラッツォ・ドナーティの所有者、ドナーティ家は戦前戦後にタバコ産業で財を成したメルカテッロの旧家で今も十分に資産家のファミリーだ。一九七〇年代初めにファサードを新しく整えた。映画「ロッシーニ！ロッシーニ！」（一九九一年）の美術監修などを担当した著名な映画美術監督エジーディオ・スプニーニがデザインした。彼は一七キロ先の町、ウルバーニアに住んでいる。映画美術監督の遊び心いっぱいのデザインと我々建築家の生真面目な類型学的デザインの違いがよく分かる。「アメリカ人に大うけするようにデザインしたんだ。大当たりだった」と、エジーディオは自慢して設計の経緯を話してくれた。夏は広い裏庭をムジカ・ムジカの会場に開放してくれる。ドナーティ家は七〇年代にシエナ郊外に居を移して、贅沢だが華美ではない、田舎住まいのバカンス村を経営している。

町にとって歴史的に一番重要なお屋敷はパラッツォ・ドゥカーレ（公爵の館）だ。ルネッサンスのパトロンとして知られるウルビーノ公国領主で公爵のモンテフェルトロが建てたパラッツォだ。モンテフェルトロは八歳になるまでメルカテッロに住んでいたと言われているが、彼が住んでいたのはこのパラッツォではない。その当時はガリバルディ広場に面する建物に住んでいた。パラッツオは彼がウルビーノ公国の領主になった後に建てたもので公爵領の西方を治める屋敷であり、公爵の厚い信頼を得ていた伯爵オッタヴィアーノ・ウバルディーニの居館だった。設計はルネッサンスを代表する建築家の一人、フランチェスコ・ディ・ジョルジョ・マルティーニ。惜しいことに建物は西の端っこだけ建てられて未完成のまま今に至っている。

持ち主は転々として、長い間ほとんど放置された状態だったが、ドクター・ゴストリが買い取って修復した。パラッツォの修復は大事業だった。設計は建築家になりたてのガブリエーレに、仕事は全部この町の職人に発注した。仕事に関わった人たちの名前をドクター・ゴストリはリストにして残している。「町の人たちみんなで再生したんだ」と、リストを広げて見せながらドクター・ゴストリは誇らしげに言う（インタビュー⑧参照）。

集落が形成され始めた十三世紀の建築様式を残した小さな町家もいくつかある。町の旧市街の地区詳細計画で重要な歴史遺産に指定されているが、街並みに埋もれていて、そうと言われなければ誰も気がつかない。小さな説明のパネルが壁に付いていて、読んで初めて納得する。

旧市街の建物にはしばしば修復の手が加えられて眠っていた命がよみがえる。それなりに余裕のある暮らしになって故郷の旧市街やその周辺の古い建物を修復することは、日本風に言えば「故郷に錦を飾る」、人生の誉れであり故郷への恩返しでもあるようだ。

■学校・病院・介護老人保健施設・墓地・ヘリポート

どこで暮らすにしても一番気になるのが病気になったときの医者、子供の教育、歳をとって一人暮らしになったときの生活だろう。人口一四〇〇人の町でそれはどうなっているのだろうか。

【1・6・5】街はずれにある町立の介護老人保健施設「休息の家」。パオロ・チンチッラは「休息の家」は街なかにあるべきだと考えて、サン・フランチェスコ修道院（現在の歴史美術館）を施設にするつもりだったが、後任のマルケッティはそうしなかった。スポーツ公園の外に静かに建っている。

教育と年金の負担、病気の治療は国が主体となって負担する。メルカテッロの保育園、幼稚園、小中学校の先生方は国家公務員ということになる。その他に教会が指名して国が給料を払う宗教（キリスト教、選択科目）の先生がいる。義務教育は日本と同じで無料だ。高校、大学のほとんどすべてが国立で、授業料は日本の公立とあまり変わらない。原則として、ＥＵ（ヨーロッパ連合）の市民権を持つ人すべてに適用される。病気の治療はイタリアは原則無料だ。旅行中の外国人であっても、病気になれば原則無料で治療を受けられる。ただし歯科医には国は無関心でやむなく個人の開業医にかかることが多く、結構高い治療費がかかる。

特別の病気の治療は予約制で融通が利かない不便さはあるようだ。

元町長のパオロ・チンチッラは長年の不眠症に悩んでいる。その道の名医がいるということを聞いて、「診察して欲しい」と電話した。「十六か月先まで予約で詰まっている」という返事だ。「保険外でも良いんだけど」と言うと、「明後日は如何？」と言われた。

【1・6・6】ヘリポートが出来たから雪で閉ざされるようなことがあってももう大丈夫。急病人も運んでくれるに違いない。

以前は人口に応じて国とコムーネが地域担当の医師を配置していたが今は家庭医制度に変更されて、各自が自分の家庭医を選ぶことになっている。メルカテッロでもそのような家庭医の一人が月曜から金曜まで診療所を開いている。救急患者用の搬送車は一七キロ離れた町ウルバーニアに待機している。大きな総合病院は三〇キロ先のウルビーノや県庁所在地のペーザロ、州庁所在地のアンコーナ、隣の州の大都市フィレンツェやボローニャを都合に応じて家庭医に紹介してもらうことになる。

メルカテッロには幼稚園、小学校、中学校がある。生後六か月から預かる保育所が隣町のサンタンジェロにあるが入所できる人数が限られていて、やはりお祖母さん、お祖父さんや親戚に見てもらうことが多い。

小学校は各学年十人足らずで、中学校になると隣町のボルゴ・パーチェの子供たち数人が合流する。校舎はベビーブームで町の人口が三〇〇〇人に近かった頃に建てられたから教室の数には十分に余裕がある。大きな体育館もあって、これは町の体育館としても活用されている。

イタリアの義務教育は小学校五年、中学校三年、高校二年の十年だから日本より一年長い。でも夏休みが三か月と長いから、実質の通学日数は日本のほうが多い。

高校は三六キロ先の町ウルビーノとその手前の町ウルバーニアにある。

高校へはバスで通う。この地方のバスはそのためにあるようなもので、学校が休みの時期には運行回数が激減する。バスにはどっと高校生が乗り込んでくる。学校が引けた帰りのバスに乗ると、解放された若い男女がカップルになって思いっきり仲良しムードになっているのを見せつけられて閉口する。

カップルになって結婚して一生をメルカテッロで過ごすかなりのカップルの人生がここで生まれるのだから、のどかな丘のふもとを走るバスはメルカテッロの変わらぬ生活を繋ぐ、家庭のインキュベーター(孵卵器)のようにも思われる。

高校は大学進学のコース、その他に芸術、技術、商業科など各種の専門教育のコースがある。二年が義務教育だが、大学に進学するにはさらに三年間の高校教育を受けて国家試験にパスしなければならない。

大学まで行くのは毎年数人だ。一番近い大学が三〇キロ先のウルビーノ大学だが多くの学生はほかの大学を選ぶ。ボローニャ大学、フィレンツェ大学、ペルージア大学、ローマ大学などになる。大学に入ると、ウルビーノ大学以外はメルカテッロを出てそれぞれの町に下宿することになる。

町が委託して協同組合が運営する介護老人施設がメルカテッロにはある。街を出たところにピクニック公園があって、その先にある「休息の家」と呼ばれる平屋の建物がそうだ。入居は二七床、七人ほどがそこで働いている。町のある人にとっては休息の家であり、ある人にとっては仕事の場でもある。入所するにはかなりの費用がかかることもあって、自宅介護を選ぶ家庭が多いようだ。在宅で介護してくれるのは東ヨーロッパの移民。住み込み、食事付きで、それも家族のすぐそばで見てもらえるから、家族を大切にするイタリア人の価値観にはぴったりのようだ。公的な支援ももちろん付いている。

人が住むところには必ず墓地が要る。人口は減ることがあっても墓が減ることはない。メルカテッロの墓地は旧市街を出て一五〇メートルほど参道を歩いたところにある。メタウロ川に沿って塀で囲まれた三〇〇平方メートルほどの土地だ。朝夕にお参りするのを日課にしているお年寄りが季節の花を持ってやってくる。墓地はいつ行ってもきれいに掃除されている。

二〇一三年街はずれの公園用地に救難用のヘリポートがつくられて閉ざされた僻地の印象がずっと和らいだ。

インタビュー⑥

アンナ・マリア・ベネデッティ

Dott. ssa Anna Maria Benedetti（ベネデッティ家当主、美術史家）

「父は私の生きる目標でした。今でもそうです」

記録はアンナ・マリア女史と交わした会話に筆者の想いと解説を加えて聞き取り記録として編集した。内容に誤り、誤解があればそれはすべて筆者の責任に帰する。

〈アンナ・マリア女史は普段、メルカテッロから六〇キロ離れた海沿いの町ペーザロに住んでいる。落ち着いた近代的なアパートが並ぶ住宅地、通りは大きく枝を伸ばした街路樹に覆われている。そのようなアパートの一室に女史を訪ねた。女史は穏やかに、しっかりとした口調で話し始めた〉

【1・6・7】パラッツォ・ベネデッティ（1464年築）は普段門を閉ざしているが中は気品高く整えられて、生活文化の奥深さを感じさせる。現在の所有者アンナ・マリア女史は父親の書斎を当時のままに残していて、しかるべき家族のしかるべき暮らしの様がうかがわれる。

【1・6・8】パラッツォ・ドゥカーレ（1474年築）。ルネッサンスの建築家、ジョルジョ・マルティーニが設計している。ドクター・ゴストリが買って修復した。

私は決してあの時代のファシストの悪口は言いません。歴史を冷静に受け止めています。私の父アレッサンドロはファシスト寄りでした。党員ではなかったけど、シンパではありました。あの当時、多くの人たちがそうでした。一九四四年の夏メルカテッロで戦争が終わった後逮捕されて十三か月、ウルビーノの政治犯警察署に拘留されました。

私にとって父は生きる目標でした。今でもそうです。私は父が四十八歳の時の子です。ひとりっ子でした。私が二十五歳の時に亡くなりましたから、一緒に暮らしたのはそう長いことではありません。今でも父の部屋は当時のままに残しています。ちょっと席を外しているだけ、そうしておきたいのです。使っていた万年筆はそのまま机の上にのっていますよ。

〈女史が生まれた一九三三年はファシストの二十年と呼ばれるイタリアが最も激しくファシズムに傾斜した時代のちょうど真ん中頃に当たる〉

母は当時誰もがしていたように実家に帰ってお産をしましたから私はパヴィーアの町の生まれです。

その頃両親はローマに住んでいました。だから私は幼稚園から小学校に上がるまでローマで育ちました。幼稚園ではメルカテッロの大地主、ドナーティ家の娘のフランカと一緒でした。あの頃ドナーティ家もローマにアパートを持っていてそこに住んでいたんです。

イタリアは一九四〇年六月にドイツの後を追って世界大戦に参戦します。それを機に父と母はメルカテッロに帰ることにして、私も一緒に帰りました。だからその後は今の役場の四階にあった、メルカテッロの小学校に行きました。先生はあなたたちの家の所有者だったフラービオ・ムッチョーリのお母さん、エルダさんでしたよ。

〈一九四三年九月八日にイタリアが連合軍と休戦協定を結ぶとドイツはイタリアを占領し、ドイツ軍がメルカテッロにやって来た。そこをめがけて連合軍の爆撃や砲撃が始まり町の人たちは皆山の中に避難して暮らし始めた〉

私たち一家も街を出て田舎に疎開していました。戦争が終わったとき私は十二歳でした。当時義務教育はそこまででしたが、私はウルビーノの町の中学校に進学しました。両親も一緒にウルビーノで暮らしましたので、不自由はありませんでした。バスがありましたが小さい私を一人で通わせるわけにもいかず、そのために両親はウルビーノに住まいを移したのだと思います。高校もウルビーノの進学コース（リチェオ・クラッシコ）で学びました。その時三歳年上に、後に私の夫になるヴィットーリオがいたのですが、その頃はそんなこと考えてもみませんでしたね。

高校を終えてローマ大学に進学しました。ローマ大学の文学部で四年間、さらに卒業後の三年間、美術史を学びました。戦前に父が持っていたアパートに私一人が戻って大学に通ったのです。

〈ローマはようやく戦後の混乱を抜けて、日本より一足早く復興の機運が盛り上がっていた。女史が大学を終える頃は一九六〇年のローマオリンピックを目指して街中で建築や土木の工事が盛んだったはずだ〉

そんな中で私は思いっきり、新しい時代の空気を吸い始めたのです。

大学で私は生涯を決める四人の教授に出会いました。最初に出会ったのは美術作品の修復に関しては当時すでに第一人者として知られていたチェーザレ・ブランディ教授（一九〇六－一九八八）。でも教授は常に家のごたごたにかかずらわっていてほとんど大学の授業はしませんでした。だから彼の指導を受けたとは、とても言えませんね。他の三人にはしっかりと指導していただきましたよ。

まず戦前戦後を通じてイタリアの現代美術の展開に大きな役割を果たした美術評論家ジュリオ・カルロ・アルガン教授。そして印象派の研究家リオネッロ・ヴェントゥーリ教授、マリオ・サルーミ教授です。

〈ジュリオ・カルロ・アルガン教授（一九〇九－一九九二）はアンナ女史が師事した一九五〇年代のモダンアートの世界で最も活躍した美術評論家の一人だ。一九七六－七九年にローマの市長を務め、その後上院議員を務めた政治家でもある。

リオネッロ・ヴェントゥーリ教授（一八八五－一九六一）は戦前、ファシストを嫌ってパリへ、そしてニューヨークへ亡命、戦後すぐにイタリアへ戻ってローマ大学で教鞭をとった。チェーザレ・ブランディとカルロ・アルガン教授はその教え子だ。

マリオ・サルーミ教授（一八八九－一九八〇）はルネッサンスの画家ピエロ・デッラ・フランチェスカの研究で良く知られている。一九六〇年代にいち早くイタリアの風景、植生の保護を強く主張したことでも知られている〉

私は大学で先生方に恵まれました。素晴らしい七年間でした。美術史を学ぶことに熱中しました。そのようなときに父を亡くしました。そして一人になった母の住むメルカテッロに帰って来たのです。

大学での研究に熱中したのも元はといえば父の影響です。父の文化人としての生き様に影響されたことは間違いありません。

あなたトゥリルッサの名前を聞いたことおあり？　父はトゥリルッサとは大の仲良しでした。十四歳年下の父はすっかりトゥリルッサに心酔していました。トゥリルッサが最も輝いていた時代に父もローマに住んでいたのです。

〈女史に知っているかと聞かれたとき不勉強な私はトゥリルッサのことを何も知らず、何も答えられなかった。後で調べてみると彼はローマの方言で詩を書き、二十世紀初頭のローマの社交界で人気者だった。トゥリルッサはペンネームで、本名はカルロ・アルベルト・サルストリCarlo Alberto Salustri、写真で見るとサルバドール・ダリみたいな髭を生やしたダンディな男だ。

二つの大戦の間、ヨーロッパの政治は揺れ動いていた。そのようななかイタリアでは一九二二年ファシズム政権が台頭する。ヨーロッパ文化もまた大きな革新の時期にあった。ローマはそのようなヨーロッパの政治的、文化的変革の中心地のひとつだった。トゥリルッサはそのようなローマの中枢部を漂った文化人だ。

トゥリルッサはファシストの党員になるよう誘われていたが、それを避けていた。彼は自分のことを「反ファシスト」ではなく「非ファシスト」であると言っていたそうだ。ムッソリーニのファシストの時代の社交界の人気者だったということはファシストの身近にいたということだろう。アンナ女史の父、アレッサンドロ・ベネデッティはそのようなトゥルリッサの傍らにいた。女史は何も語らなかったが、父のアレッサンドロも政治的には同じような立場だったのだろう。トゥリルッサは一九五〇年、時の大統領によって終身上院議員に任命されたがその二十日後にこの世を去っている。任命の知らせを聞いてトゥリルッサは「終身上院議員にして見送ってくれるんだね」と皮肉った。そのことは戦前戦中にトゥリルッサが「反ファシスト」を明言しなかったことの不名誉を最後に国が水に流したということではないだろうか。そしてそのことは女史の父アレッサンドロの不名誉もこの時同じように回復されたと考えてよいのではないかと、私は女史の気持ちを慮(おもんぱか)る〉

私がまだ幼く、ローマに住んでいた頃父に連れられて何度もトゥリルッサに会っています。そのことはよく憶えています。ローマを離れてからも父は彼がいかに素晴らしかったかを思いを込めて何度も話してくれました。

父は一八八五年にメルカテッロで生まれています。小学校はメルカテッロですが、その後ローマの学校で学びました。なぜローマに行ったのか、私は父がずいぶん歳をとってから生まれた子ですのでその辺りの事情は聞いていませんが、若い頃から文学や芸術に思いを寄せていたようですから、自然にローマのそのような空気に引き寄せられたということではないでしょうか。

彼はローマでジャーナリストとして暮らしました。第一次世界大戦とその後のヨーロッパ、そして第二次世界大戦に至る激動の二十世紀前半を彼はローマでつぶさに見ていたのです。絵描きや彫刻家、文筆家、詩人と親しく交わりました。今家にある絵や彫刻はその当時父が親しくした人たちの作品です。建築家のジオ・ポンティの絵もほらあそこにかかっているでしょう。

戦争が終わったとき父は五十九歳でした。

一九五八年、私が二十五歳の時に父がこの世を去りました。戦後私はローマにいました。そして父の死を機会にメルカテッロに戻って、母と二人で暮らすことにしました。この時の三年間だけが、私が本当のメルカテッロの住人だったと言えるでしょう。私は間もなく結婚して、ペーザロに住むようになりますから。

〈元ファシストの烙印を押されたアレッサンドロ・ベネデッティが戦後どのような思いでメルカテッロで暮らしていたのか、町の人たちがどんな目で彼を見ていたのか、女史は何も語らなかった。しかし同じ敗戦国で、戦後に手のひらを返すように価値観が変わった話を聞いている私には、ベネデッティ家の置かれた立場を想像して胸の詰まる思いがした〉

ベネデッティ家はメルカテッロの旧家のひとつで、およそ二〇〇ヘクタールの土地を所有する地主でした。豊かな地主ではありますが、特別に大きな地主というほどではありません。

所有地は大きくまとまった土地ではありません、あちこちに分散していました。全部が耕作された農地や牧草地というのではなく、雑木林も混ざっています。それらの土地を小作に出して、その収入で生活していました。小作人と収入を折半するメッザドゥリーア（折半小作農業）の地主だったのです。祖父のアレッサンドロは農地の測量技師で、農業が主産業であった当時、なくてはならない、みんなに尊敬される仕事でした。

今の家は元はステファーニ家とラファエッリ家の建物でした。それを譲り受けてベネデッティ家の一戸のパラッツォにしたのだと父は話していました。外壁にはその当時の二つの家の紋章を残しています。広場に近い方の壁に一四六四と建設年代が刻まれています。

父は思い通りに内装に手を加えて家具を整えました。くすんだ朱色の階段室や廊下、部屋部屋の家具調度、壁にかけたたくさんの絵画、それはすべて父の趣味で整えられています。あなたが、メルカテッロの隠れた文化の奥深さを見る思いだと賞賛してくれましたが、それを聞いたら父は密かに満足するでしょうよ。

ベネデッティ家は貴族の家系ではありませんが、祖母のアンナ・ラファエッリはウルバーニアの貴族の出身です。墓碑にはＮＤ（ノーヴィレ・ドンナ、貴族の婦人）と刻まれています。今の世の中でこんな話をすると誤解されかねませんけど、祖母はそんな人でした。私が生まれた時にはすでにこの世の人ではなかったですが、父は多分、そんな母の血を受け継いでいることを意識して生活していたと思います。

私の母リータはパヴィーアの町の出身です。パヴィーアと言えばゴルゴンゾーラのチーズで良く知られていますが、母の実家はそのゴルゴンゾーラを商う事業家でした。事業家の娘だった母がベネデッティ家の会計をうまく仕切ってくれたようです。二人は夏のバカンスで行った先のギリシャで知り合って結婚しました。父が四十七歳、母は三十九歳でしたからすごい晩婚ですよ、その翌年に私が生まれたんです。

文化人とのおつきあいにうつつを抜かして暮らす父を支えて家を守ってきたのは母でした。戦後の苦しい時代の家計を支えたのも母でした。

〈小作に出している農地の収入で一家は裕福に暮らしていたはずだが、戦後の復興が進むに連れて小作人は次々に土地を離れて都会へ出て行ってしまう。次第に以前のように農地収入だけに頼って暮らすことはできなくなってくる。それでもベネデッティ家のことを親切な立派な地主だったと話す町の人に私は会ったことがある〉

その間私はローマの大学で新しい自分の世界を見つけていました。大学が休みになるとメルカテッロに帰りました。試験が終わるとすぐに汽車に乗って帰って来ました。アレッツォでバスに乗り換えて、そこからアペニンの山道を越えて帰って来ました。

大学で学んでいることを父に話しました。父は相槌を打ちながらいつまでも私の話を聞いてくれました。彼は本当にうれしそうに私の話を聞きました。彼が愛したローマの豊かな文化の空気を、夢中で話す私の話の中から吸っていたのでしょう。そのような空気を運んでくる私を、いつも待っていてくれました。私にとっても一番幸せな、充実した人生の一時期でした。

〈山道の風景は今も昔も変わらない。今あの山越えの道を車で通るとき、戦前にメルカテッロとローマを行き来したベネデッティ一家、そして戦後、休みになるとローマから父アレッサンドロの待つメルカテッロに帰っていた若いアンナ・マリア女史、その姿が映画の一コマのように目に浮かぶ〉

父が亡くなって三年後、気晴らしに出かけた海沿いの町ペーザロで、ウルビーノの高校で一緒だったヴィットーリオ・ピエレッティに再会しました。そして結婚しました。式場はメルカテッロのサン・フランチェスコ教会です。幼馴染のフランカ・ドナーティももちろん出席してくれました。

ヴィットーリオは弁護士になっていました。そして私は彼が法律事務所を持っているペーザロに住むことにしたのです。それ以来、私は今のこのアパートに住んでいます。モダンな明るい部屋で、窓を開けると海からの風が入って来ますよ。晩年の母もここに呼んでここで看取りました。両親の墓はもちろんメルカテッロにありますよ。

〈ペーザロは大きな町だ。産業都市であるだけでなく夏のバカンスで賑わう町だ。ヨーロッパ中から海水浴客がやって来る。海の近くにはそれなりに立派な別荘が並んでいる豊かな町だ〉

ギャラリーもたくさんあるし、文化的な催しもあります。私は気に入っていますよ。私の企画する催しもできるし、美術史の研究仲間とのお付き合いもあります。忙しい老後に恵まれていると言っていいでしょうね。

夫が亡くなって六年になります。ずっとペーザロに住んでいます。メルカテッロへは年に数回帰って、昔のままの家を見て回るだけです。その時は娘のアレッサンドラが必ず一緒に帰ります。彼女はミラノで国際弁護士の仕事をしています。息子のピエトロはアメリカのコンサルタント事務所に勤めていて、今はシンガポールに住んでいます。だから二人の孫には滅多に会えません。

でもこの秋には私がシンガポールまで出かけて、一緒に過ごしてきたんですよ。

そうそう、娘のアレッサンドラはこの夏三週間、友達と二人で日本を旅行したんですよ。とっても楽しかった。カキ氷が美味しかったと言ってましたよ。

7 グローバル社会の地域経済

メルカテッロの経済はどうなっているのか、これを書かないと「小さな町の豊かな生活」がどうして成り立っているのか、その話が片手落ちになる。日本でも地方創生の掛け声で「コミュニティ経済」や「ソーシャルエコノミー」という話が出るが、私が見聞きしたメルカテッロの地域経済はそうしたものとはだいぶ違うようだ。

■イタリアの地域経済と日本の地域経済は似て非なるもの

イタリアは中小企業の国だといわれる。中小企業は家族経営、協同組合経営が主になる。その中で特に品質が高く、ブランド力をつけた企業は世界市場で認知されるグローバル企業になる。イタリア第三の経済と言われる中小企業はそのような地域密着の企業で、ボローニャはその代表的な都市だ。一方それとは別に、フィアット、フェラガモ、ヴェネトンなどのグローバル大企業がイタリアには存在している。

それぞれの生活圏で成り立っている経済とグローバル経済の二重構造で成り立っているのがイタリアだ。

それに対して、日本はアメリカを中心とするグローバル経済体制の中でしのぎを削っている。それが経済の基本にあって、例外的に地方の村おこしや町おこしの地域経済（ソーシャル・エコノミー）が日本で話題になる。それらは大都市（大消費地）に産物を買ってもらうことで成り立っている。その地域でお金が回る自立した経済圏は成立していない。

日本で若者が山間の僻地に移住して田舎暮らしの豊かさを経験する、都市のデザイナーが出向いて田舎の町おこしイヴェントを開く。それらの多くは国が用意する補助金で賄われている、その時その場限りの僻地の延命治療だ。同じ「地域経済」という言葉を使っても、イタリアと日本では全く別物だ。

日本の地方再生は基本的に大都市頼みのコマーシャリズム、補助金頼りのイヴェント型町おこしであって、地域で自立した経済圏をつくろうとはしていない。東京を中心とする大都市の豊かさは地方を搾取することで成り立っている。その構造を変えない限り、地方再生には限界がある。それを分かったうえで、イタリアを見ていかないと、イタリアの小さな町の豊かさを支えているものが何か、その本当の姿は見えない。

もうひとつ大事なことは、イタリアは大量生産大量消費のフロー経済の社会ではなく、ものを大事に長く使うストック経済の社会だということだ。そのことが建設業や家具や自動車の修理など、地域の日常生活に密着した様々な中小企業や自営業の仕事につながっている。

■ 農業・畜産業・林業

地域経済で一番大事なのはもちろん農業だ。メルカテッロの農業人口はかつての一〇％以下だが、それでもメルカテッロで一番重要な産業は今でも農業だと、メルカテッロの前町長で農業の技術顧問ジョヴァンニ・ピストーラは言う。

メルカテッロの面積の四四％が山林（三〇〇〇ヘクタール）、二八％が牧草地（一九〇〇ヘクタール）、二三％が穀類、豆類などの畑（一六〇〇ヘクタール）だ［註1・7・1］。イタリアでも農業は非常に大きな課題になっている。歴史的中心市街地の保全・活性化はほぼ目処が立って、今は周辺の市街地、そして農業をどうするかが都市計画の大きな課題だ。

メルカテッロの農業についてジョヴァンニは熱く語ってくれた。彼はサルタレッリ・ミジアーニ有機農業有限会社で働いている。一九五〇年代に設立されて今では約六〇〇ヘクタールの受託農地を耕作している従業員約百人の会社だ。農業を心から楽しんで働いていることが話を聞いていると分かる。

【1・7・1】農家が点在するメルカテッロの田園風景。多くの農家が廃屋になっている。手を入れてセカンドハウスとして利用されるものも少しずつ増えている。現役の農家は広い敷地の中に大きな住まいを構えて、トラクターなどの農業機械置き場、家畜小屋、牧草の納屋などを備えている。

【1・7・2】牧草の刈取りが終わった畑。刈取りは春から秋にかけて年に2～3回。四圃式農業では牧草地にすることで地力の回復を待つ。遠くに緑の麦畑が見えている。

【1・7・3】ほぼ10m間隔に植えられた葡萄の列と、その間の耕作地。農地が大きくまとめられて今は希少になったかつての伝統的な農地の形がここに見られる。3月、葡萄はまだ芽を出さないが冬でも下草は青々としている。

【1・7・4】間伐材は長さを整えて薪にされる。小枝は別に集めて木炭にする。

【1・7・5】9月になると家に薪を運び込んで冬の支度を始める。近所の人たちが出てきて手伝ってくれる。

【1・7・6】白くて大きくて皮のたるんだマルキジャーナ肉牛。ちっとも美味しそうに見えないが、これが美味しい!

一九五〇年代以降に進んだ工業化、都市化によって、一九九〇年代末にはかつての六〇%にまでメルカテッロの耕作地面積は落ち込んでいた。しかし二〇〇〇年のアメリカ発の世界同時不況で農業はむしろ見直されて徐々に復活し、現在はかつての耕作地の八〇~八五%まで回復した。若い層の農業への意欲も高く、ここでは後継者の問題はないとジョヴァンニは断言する。現代の農家は農地を耕作するだけでなく後で述べる畜産業、林業、アグリトゥリズモにまで手を広げて多様な農業経営を展開している。

メルカテッロではかつて一〇〇ヘクタール当たり四〇~五〇人働いていた農民が、二〇分の一以下の、二人で済むようになった。大型トラクターの導入など農業の機械化がそれを後押しした。メルカテッロの専業農家は一五戸、兼業農家はほんの片手間程度まで含めて約三〇戸。ここでも親子、兄弟で共同するイタリア独特の一族経営がなされている。

戦後のイタリアでは日本で行われたような農地解放はなく、伝統的なメッザドゥーリア(折半小作農業)と呼ばれる大地主制のもとで零細な小作人による農業が戦後も続いていた［註1・7・2］。

一九五〇年代に農地を離れて都会や外国に職場を求めて出て行く農民が増えて、なし崩し的にメッザドゥーリアの制度が成り立たなくなる。

地主は所有地を小作人に買ってもらったり、しかるべき地代で耕作契約を結ぶなど、結果的に近代的な農業環境に落ち着いた。多くの小作地に分かれていた農地は少数の農家が経営する大きな農地にまとまって、トラクターなどの導入も進んだ。

一九五〇～七〇年代の田園では現代ののびやかな丘のうねりとは違って、多様な耕作地がパッチワークのように織りなされた風景が見られた。生物多様性の観点からそのような風景を惜しむ人もいる。

ヨーロッパで最も有機農業が普及している国はイタリアだが、この地域はイタリアの有機農業の中心地だ。イタリア有機農業のカリスマ的存在であるジーノ・ジロローモの活動の拠点がメルカテッロから四〇キロ離れた土地イーゾラ・デル・ピアーノにある。彼らの主張によると「農業はグローバル化するべきではない」という。イタリアはEU規約から脱退するべきだと主張している。イタリアは日本と同じような集約農業で、一農家当たりの農地も平均するとEU平均の二分の一以下（五・一ヘクタール）だ。だから大規模な粗放農業ではなく集約した特殊なブランド農業を目指すべきだと主張している。運動家ジーノの主張がそのままイタリアで受け入れられているとは言えないが、日本に比べるとイタリアの有機農業への関心はずっと高い。

メルカテッロが属するマルケ州、中でもペーザロ・ウルビーノ県は有機農業を農業経営の柱にしようとしている。イタリアにおける有機農業の占める割合は一五％程度だが、マルケ州ではそれが三〇％以上、ペーザロ・ウルビーノ県は七〇％、メルカテッロはほぼ一〇〇％が有機農業だ。

ジョヴァンニによれば、有機農業の基本は伝統的な輪作だ。化学肥料、殺虫剤、除草剤を一切使わない自然農

【1・7・7】メルカテッロの畜産ブランド、ゴレッタをふるまうエリーツィオと奥さんのダニエッラ。最後にアチェート（ワインビネガー）を振るとボッと炎が上がる。

【1・7・8】グエッラ・マッシモの経営する「La Grotta dei Folletti」は田舎暮らしを体験できる本格的なアグリトゥリズモ。山と牧草地に囲まれて、野生の鹿も姿を見せる。プールは木造の小屋の中につくられているので、田舎家の雰囲気が損なわれることはない。料理はこの地方の田舎料理で極めて好評。

法だ。穀類（軟質小麦・硬質小麦・大麦）を一年、ひまわり、トウモロコシを一年、そして豆類（ヒヨコマメ、レンズマメ）を一年、その後地力回復のために牧草地にして四年～五年、標準的なやり方はこのような四圃式の輪作だ。有機農産物はほかと比べると価格は高くなるが十分な国際競争力があると自信を持っている。

メルカテッロには大規模な野菜農家はない。野菜はもっと海寄りの平地で栽培されている。自分たちが食べる野菜は自給自足していた伝統が根強く残っており、多くの人が家庭菜園を持っている。

メルカテッロには地元産の牛肉を主力とする共同経営でスーパーマーケット形式の食品販売店がある。隣町にはまた同じような別の食品販売店がある。地域の農家は生産物の約六〇％をそれらの店に、四〇％をその他の流通業者や食品加工の業者に売っている。

イタリアの農業協同組合は多くの事業目的別に分かれ、農家はそれぞれの目的に応じた組合に加入している。畜産は農業の中でも大きな比重を占める分野だ。メルカテッロでは牛乳やチーズは生産していないが上質の肉牛を飼っている。「ボヴィンマルケ」はマルケ州のブランド牛、マルキジャーナ牛を飼育販売する協同組合だ。メルカテッロで牛を飼っているドメニコとベネデッティはその組合員で、ドメニコは組合長だ。マルキジャーナ牛はＥＵ認定の地域ブランド

【1・7・9】元祖アグリトゥリズモのカ・ベターニアは古い農家の雰囲気を大事にしていたが、最近の人々には受け入れられにくく、2010年に廃業した。その後を買い取ったオランダ人夫婦が都会人に受けやすい雰囲気に改装した。オランダのバカンス客に受けてシーズン中は満室状態だ。

「中部アペニン山地白毛牛」三品種のなかの一品種だ。良く知られているビステッカ・フィオレンティーナ(フィレンツェ風ステーキ)は伝統的にこの白毛牛のステーキだ。脂身の少ない、噛みごたえのあるやわらかさが特徴だ。オーガニックな飼料を与えること、一頭当たりの飼育場面積が六平方メートル以上であること、一定時間以上牧草地に放牧することなど、できるだけ自然に沿った飼育法を守るよう厳しい基準が定められている。

このように農産物をブランド化することは大きなテーマになっている。今のところメルカテッロのブランド農産物はゴレッタ(GOLETTA)のブランド名で知られる「豚の頬肉、脂身の塩漬け」だけだ。熱くした鉄板の上で焼いて、そこにアチェート(ワインビネガー)か白ワインを振りかけてボッと炎を上げた後に、熱々を頬張って食べる。

メルカテッロの面積の四四%を占める山林はそのほとんどが雑木林で、耕作地と入り混じってこの地方独特の美しい田園風景をなしている。二十年ごとの間伐で薪や木炭にしてこれも農家の収入源になっている。炭焼きと薪の伐採は戦前からこの町の大事な産業だった。今でも

【1・7・10】廃集落だったカステッロ・デッラ・ピエヴェには今1軒のカントリーハウスと2軒の住まいがある。2人で頑張って住み続けたグアルコ夫妻には心から敬意を払いたい。

【1・7・11】ロマンチックに整えられたカントリーハウス、Castello della Pieveの玄関。フィレンツェ大学を出た建築家ルチアが廃屋をコンバージョン(用途変更)した。出資者はルチアの両親。シェフはルチアのお婿さん、ベルナルド。典型的な家族経営でうまくいっているようだ。

アドリア海沿岸にまで広がる流通経路が生きている。

メルカテッロでは冬を過ごすために薪は必需品だ。九月になると炭焼き農家がトラックで薪を運んできて家の前の道路いっぱいに下ろして帰る。山で伐ったままの大きな木を家の前まで運んで来て、そこで適当な長さに切って納めるやり方もあった。道路に置いて帰った薪を近所の人が手伝って一階の奥に仕舞い込むのが風物詩になっていたが、この四、五年でその風景はほとんどなくなった。今は木枠に詰めた薪をフォークリフトで家の中まで運び込んでくれる。

アグリトゥリズモ［註1・7・3］と呼ばれるイタリアの観光農業〈農家に宿泊する滞在型観光〉が日本でも知られるようになった。本来は農家の副業としてここで扱うテーマだが、これについては次の〈観光業〉の中で述べる。

■観光業—アグリトゥリズモとカントリーハウス、そしてB&B

観光客には来てもらいたい。しかし大量に団体でやって来る観光客に生活を乱されるのは困るし、それを期待するような魅力がないことも承知している。それを受け入れるだけの用意もない。それがメルカテッロの観光産業の身のほどだ。

メルカテッロの観光は心安らかに一週間を過ごしたい家族やカップルなどの個人旅行が対象になる。個人経営の町なかのプチホテル、B&B、そして田舎の観光農業アグリトゥリズモ、カントリーハウスがこの二十年間でずいぶん増えた。

アメリカの音楽学校が夏の一か月間、一五人ほど町の家々に分宿して声楽の練習をする。その間学生の両親が訪ねてきたりするので町で珍しく英語の会話が聞かれる。彼らは最後にオペラの発表会を開いて帰る。

共同でセカンドハウスを持っているオーストラリア人は、交代でやって来て一か月単位で町に滞在する。山奥

【1・7・14】旧市街に1軒だけあるホテル。1階のレストランはオーナーの趣味で、かなり個性的に洗練されている。

【1・7・12】町の方針に従って限りなく「池」らしくデザインされたプール。カントリーハウスにプールは欠かせないアイテムだが田舎の風景にはそぐわない、「池」であれば問題ない、というのが町の見解。

【1・7・13】山奥の別天地、Valbuona B&B。廃棄された農家集落を改修したもの。付属の小さな教会堂で結婚式を挙げることができる。

【1・7・15】旧市街に住むヴェーラは空き部屋に手を入れてB＆B Appartamento Bencivenniを開業した。ヴェーラが丹精込める芝生の裏庭が付いている。モダンな住み心地と中央広場を見下ろす絶好の場所が人気でよく繁盛していたが、2018年以来営業を止めている。

のアグリトゥリズモには夏の間途切れることなくオランダ人が滞在している。アメリカの音楽学校がメルカテッロで特別コースを開き、オーストラリア人がセカンドハウスを買う、オランダ人が何組もやってくる。そんなことがなぜ辺鄙で平凡極まりない町、メルカテッロで起きるのだろうか。

彼らに聞いてみると観光地になっていないメルカテッロでは素顔のイタリアに触れることができる、それが魅力だと言う。トスカーナ州などイタリアの多くの町は観光客に占拠されている、イタリアの素顔が楽しめる町は今や貴重な存在だ。メルカテッロは辺鄙で小さくて、大きなホテルも特別な観光資源もない、だからこれからもイタリアの素顔を持ち続けるだろう、それが素晴らしいと言う。

これといった観光資源がないことが観光資源という、そんな価値観は日本人には通用しないだろうが、イタリアでは立派に通用する価値観だ。

イタリア観光協会は国中からそんな町を選んで一六〇余の町に「オレンジ・フラッグの町」の称号を与えた。メルカテッロは二〇〇二年以来その栄誉を維持している。観光地でないことが観光資源になる、それを観光協会がわざわざ広報する。その行く先はどうなるのだろうか。

この二十年ほどは田舎に人を呼ぶアグリトゥリズモがイタリア中で盛んになっている。農家の副業としてイタリア政府が進めた政策が観光農業、アグリトゥリズモだ。国は十年据え置きの融資を用意するなど、積極的にそれを勧めた。

二〇〇〇年の世界同時不況の影響で一時は客足が鈍り、滞在日数も短くなって、先行きが危ぶまれるようになった。それがこのところ少しずつ客が増えている。

アグリトゥリズモのほかにもこの五、六年で宿泊施設がずいぶん増えて、メルカテッロには現在九軒のアグリトゥリズモ、二軒のカントリーハウス、七軒のB＆Bが町に登録されている（二〇一八年九月）。明らかに観光客と思われる訪問者がカメラやスマートフォンを構えて街の広場や通りを撮影する姿が見られるようになってきた。

メルカテッロのアグリトゥリズモは、ハイシーズン以外は宿泊室の稼働率がそれほど高いとは思えない。どう見ても九軒のアグリトゥリズモは供給過剰としか思えない。その中で実際に営業してそれなりに客が付いているように見えるのは五軒だけだ。その五軒は農家の副業でやるアグリトゥリズモというよりも、農業と（アグリトゥリズモという名目の）観光業を制度に合うようにうまく組み合わせて、別々に経営しているというのが実情だ。

一族で農業とアグリトゥリズモを分業したり、農地を専業の農家に貸して自分はアグリトゥリズモに専念したりしている。成功しているアグリトゥリズモはいずれも農業をやりながらの片手間の仕事ではない。客を泊めたりレストランを経営するのに片手間でやれるほど世間は甘くない、この世界も競争は厳しい。成功している五軒のなかのいくつかはレストラン経営にも力を入れている。自家栽培、自然食品、地元の乳製品、肉、ワイン、オリーブ。そしてお母さんがつくるこの土地ならではの素朴な味。周りには美しい山や田園の風景。イタリアの辺鄙な山奥の豊かな生活がそのまま観光資源になっている。

最近の利用者の好みに応じて、アグリトゥリズモはカントリーハウスと見分けがつかないような姿に変わってきた。カントリーハウスは本来農業とは無関係な宿泊施設で、快適にゆっくりと滞在するカジュアルなリゾートホテルだ。

広い芝生と青いプール、白い寝椅子。大きな車でやって来てゆったりと駐車できる駐車場。そのようなカントリーハウスの雰囲気がアグリトゥリズモにも求められるようになってきた。

カ・ベターニアはアグリトゥリズモの原型のようなスタイルで、農家にそのままお客さんを滞在させるやり方をレッロ夫妻は二〇〇〇年から十年近く続けてきた。車が通るのがやっとの山道を通って辿り着くような自然環境の中にある。特別の駐車場もなく、道の傍らや空き地に車を止める、そんな古い農業環境を保っていた。牛や羊の鳴き声、そして糞の臭いも漂っていた。

都会の俗塵から離れて農家の生活を体験する、それがアグリトゥリズモの原点だった。しかしこの種のアグリトゥリズモは限られた人たちには貴重な存在だが、一般にはもっとロマンチックなつくりのカントリーハウスのほうが好まれるようだ。

二〇一一年の春にカ・ベターニアは営業を停止した。オーナーのレッロが「もういいよ、潮時だ」と寂しく目をそらした。

その後を買い取って経営を引き継いだのはオランダからやって来た五十歳代の夫婦だ。レッロの農家は快適なプール付きのカントリーハウス風に改修されて、オランダからやってくる客でにぎわっている。

メルカテッロで最も洗練されたアグリトゥリズモのひとつがベルナルド夫婦が経営するカステッロ・デッラ・ピエヴェだ。ここは廃棄された農家集落だったが、町の地区詳細計画で保存修復の方針が立てられて二〇〇〇年頃から徐々に修復が進んだ。ベルナルド夫婦とその両親が廃屋を数軒買い取ってアグリトゥリズモにした。

ここでは田舎料理というよりも、地方色の強いオリジナル料理と言ったらよいのだろうか、かなり凝った洗練された料理を出してくれる。プールも出来た。これについては、一悶着あった。私はそれを町議会で傍聴した。カステッロ・デッラ・ピエヴェは農業景観を保持する。だからそこへ行く道路は拡張しないし舗装もしない。駐車場はつくってはならない、プールも駄目だと、町は二〇〇八年の改定地区詳細計画で規定した。一方宿主のベルナルドたちはプールをつくりたいし、駐車場も整備したいと考えていた（旧地区詳細計画ではプールも駐車場もつくれた。積極的にリゾート地として整備する方針だった）。

二〇一〇年に傍聴した議会ではそれに関する激論が交わされて、最後は与党の賛成多数で原案通りに議決された。プールはつくれないことに決まった。

【1・7・16】メルカテッロの電子、電気部品工場。ファウスト（写真中央に立っている男性）はメルカテッロで同じように電機、電子製品の事業をやっている仲間に呼びかけて、2007年に4社で最初の協同体を設立した。2009年には9社で、法的な体制を整えた協同体として「チームグループ」を設立した。それが今は10社の協同体になってメルカテッロを支える重要な産業になっている。

【1・7・17】大きな工作機械に囲まれたファレーャーメ（家具職人）のリッカルド。この種の職人の多くは工場の脇に自宅を構えて住んでいる。

【1・7・18】良質の食肉加工で地域ブランドを確立しているICAM社のメンバーと工場。長男のベルナルドを頭に兄妹4人が共同で経営している。

リゾート開発よりも農業景観を守ることに熱心なのが元町長のマルケッティだ。懐古趣味と一口で片づけることのできない、彼の文化的信念と行動力は認めざるを得ない。当時の町長ピストーラは農業コンサルタントで、マルケッティとは志を同じくする仲間だった。

宿主のベルナルドがつくりたがっていたプールがどうなったか、一年後に見に行った。

小さな芝生の庭に、八×四メートルほどの楕円形の緑色の水たまりが出来ていた。プールに付き物のタイル張りのテラスはない。芝生に囲まれた水たまりだ。それでもそばに寝椅子が置かれるとプールらしい体裁になる[写真1・7・12]。

「プールではない。あれは池だ」。それが町が出した(大人の)見解だ。駐車場はやはり出来ていないが、空き地は十分にあるから不自由はしていない。

二〇一七年には広い庭とプールを備えた申し分ない大きなB&Bが山の中にオープンした。オーナーは大学卒の若い夫婦、ピエトロとクラウディアだ。壁や屋根の工事は地元の建設会社にやってもらったが仕上げの工事は家族総出で自分たちでやりあげた。妻クラウディアの両親エリーツィオとダニエーラ、夫ピエトロの両親ジョヴァンニとマリーザが毎日のように現場に出向いて働いた。ここでもイタリアの家族経営事業を目の当たりにした。クラウディアの父で元工業高校教師のエリーツィオは小さい頃からムラトーレの父親の仕事を手伝った。工事に関してはプロ顔負けの腕前でセンスも良い。ピエトロの父ジャンニは医者だが、家具をつくらせたら彼もプロ並みの腕前だ。それぞれの母親はシーツや枕カバー、食器などを様々に工夫して揃えた。何でも自分たちでやってしまうイタリア人の生活力とそれを楽しむ生き方は日本人には真似しようにも真似できない超能力だ。

自然の風景に囲まれた魅力を売り物にする宿泊だけでなく、街なかに泊まって広場のカフェテラスで一日過ごすB&Bや貸部屋も増えてきた。メルカテッロでは今まで見なかった宿泊施設だ。余っている部屋を提供する初期投資の少ない事業で、部屋の回転率をあまり気にしないで済む事業だ。外国からの客も多く、インターネットの普及が山奥の小さな町のこのような事業を可能にしている。

■製造業・商業・サービス業

メルカテッロには様々な製造業が立地している。電子製品の製造、組み立て、建具、家具の製造や修理、食品加工、自動車整備、金属加工などだ。

一番大きくて今のメルカテッロを支えているとすら言える産業が電子部品の製造、組み立て工場の「チームグループ」だ。メルカテッロとその周辺の一〇社が互いに独立しながら協同する協同企業体だ。国内国外の企業に製品を供給している。国営の大企業の注文を受けることもある。設立者でグループの中心人物（マネージャー）はメルカテッロ出身のファウスト・ボネッリ、チームグループ全体の従業員は約一一〇人、その八〇%がメルカテッロの住人だ。一九七〇年代初めまでタバコ工場だった蒲鉾型屋根の架かった古い建物を再利用している（詳しくはこの後のインタビュー⑦を参照）。

メルカテッロには代々町を支える製造業が時代の趨勢に合わせて立地してきた。

第二次世界大戦の前後には煙草乾燥工場で多くの人が働いた。一九五〇〜七〇年代は家具、建具の製造工場とジーンズの縫製工場、そして今はチームグループの電子部品の製造、組み立て工場だ。

イタリア、特に田舎ではほとんどすべての窓や扉が木製で注文生産だから、どの町でもファレニャーメ[註1・7・4]は重要な地場産業になる。リッカルドはインダストリアル・ゾーンにある工場で木製の建具や家具をつくっている。もともとこうした仕事は旧市街の一階に工房を構えた職人の仕事だったが、一九六〇年代以降は大きな工作機械を備えないと成り立たない状況になった。二〇〇〇年代になると次第に需要が減って近代化した職人の工場も経営が難しくなった。年輩の腕利きの職人が経営する工房がひとつだけ残っているが、あとを継ぐ者はいないようだ。今やメルカテッロのファレニャーメはリッカルドの工場だけになっている（インタビュー⑨参照）。

彼は工業高校を出たあと、バイオテクノロジーの会社に入って、アッシジ［註1・7・5］の下水処理場のプラント工事の主任として大きな実績をあげたのだが、ふるさとで手づくりの仕事をしたいと思い直してメルカテッロに帰って来た。多くの分野の人間とシステマチックに仕事を進めるアッシシでの経験が、今の工場経営に役立っていると彼は言う。新しい技術や材料の導入にいつも気をかけている。

インダストリアル・ゾーンの入口にある食肉の加工工場ＩＣＡＭはこの地方の牛と豚を仕入れて加工する。良く熟成したマルキジャーナ肉牛、サラミやハムなどの豚肉製品などこの地方特産のブランドを確立した。六〇キロ先の海沿いの町ペーザロ、そして国外にまでマーケットを広げている。兄妹四人で経営して、工場を男兄弟、町のフラッグショップを妹と、手分けして稼いでいる。手切りの熟成した生ハムはここでしか手に入らない。

自動車は生活の必需品だからこれも町には欠かせない産業だ。自動車の整備工場は三か所ある。そのうちの一か所はメカニズムだけでなく車体の修理もする。国道沿いの工場は車の販売、ガソリン販売、レンタカーもやっている。そこのオーナー、サヴェーリオ（二〇一〇年死去、息子のマリオが後を継いだ）は年代物の

【1・7・19】我が家の工事を手がけてくれたムラトーレ（石組み職人。日本でいう大工さん）。右から2人目が18年の付き合いになるファブリーツィオ。皆長い付き合いだ。

【1・7・20】サン・タントニオ川に鉄のパイプを打ち込んで水力発電のダムがつくられた。同じ所に以前は木造のダムがあって水車小屋に水を送っていた。

自動車に目がなく、五〇年代、六〇年代の車を手直ししては新車と一緒に売り場に並べていた。眺めていると近寄ってきて説明してくれる。売り物と言うよりも彼のコレクションの陳列だった。

この地方一帯のバールやレストラン、ホテルを顧客にしているケーキ工場がある（詳しくはインタビュー⑩を参照）。一九九四年に住み着いた中国人移民の华孔汉（ファ コン ハウ）はそこで働いている。

ジュセッペ・チンチッラはコンピューターのシステムエンジニアだ。一九七五年にローマ大学を卒業した。すぐにメルカテッロに戻って三〇キロ南の町チッタ・ディ・カステッロの工業高校の教師になり、数年後にやめて仲間と一緒にコンピュータのハードとソフトを扱う会社、システーミ・インフォルマーティチ（情報システム）を興した。この地方で起業した最初のコンピュータサービスの会社だ。仕事は順調に発展して彼の会社のロゴを入れた車が走っているのをこの辺りの町でよく見かける。今は会社を引退して、古い顧客に頼まれるソフトウエアのプログラミングを仕事にしている。会社は甥のカルロが引き継いだ。

プロジェッティ・ソノーリ（音企画）という小さな音楽誌編集の会社がある。ランフランコとその妻アンナが始めた会社だ。娘二人と従業員一人が一緒に働いている。夫のランフランコはペーザロのロッシーニ・コンセルヴァトーリオで学んだ音楽家だ。長年メルカテッロのコーラスグループの指揮者だった。会社は国の教育省の認可を得ており、全国の音楽教育や音楽教師が勉強するための教材に特化したテキスト、CD、DVDを作成している。高い評価を得て経営は順調のようだ。

建築家のガブリエーレは改定都市基本計画、カステッロ・ディ・ピエヴェの改定地区詳細計画、歴史的中心市街地の改定地区詳細計画、歴史美術館増築とその裏庭の整備、ガリバルディ広場の設計など町の主な仕事をすべて引き受けた。ドクター・ゴストリが所有する文化財、パラッツォ・ドゥカーレ（公爵邸）の修復も彼の仕事だ。ガブリエーレは今は八〇キロ北のリミニの町の劇場修復という大きな仕事をやっている。ガブリエーレの後を追うメルカテッロ出身の若い建築家が私の知る限りでも三人いる。三人の建築家が食べていけるだけの十分な仕事がメルカテッロにあるとは思えないが、町の品格を保つためにもできるだけ彼らに仕事の機会を与えることは町の大事な課題だ。マルコはイラストレーターだ。漫画風の独特のキャラクターでこの地方のチラシやポスター、冊子などの仕事を一人でこなしている。ウルビーノ美術学校の教師でもある。

そのほかにサンドブラストの工場、モーターバイクの排気筒など特殊な機械部品を溶接する工場、町のごみや不用品を収集する町営のリサイクル工場などがある。

商店街が何とか生き続けていることは前に書いた。食料品や雑貨などの生活必需品だけでなく、お洒落な手づくりのろうそく屋さん、様々な彩りの糸屋さん、紙屋さん、宝石屋さん、文房具屋さん、骨董屋さん。まるで趣味でやっているとしか思えない店が新しく開店したり、閉店したりを繰り返している。小学校の授業でやったお店屋さんごっこが、ここでは現実に起きているような気がする。

イタリア人は家の手入れや修理など、たいていのことは自分でやってしまう。そのための道具や材料を売る店、フェラメンタ（日本で言うＤＩＹの店）がどの町にもある。メルカテッロにももちろん立派な店がある。

隣町にある靴修理の店では、革靴だけでなくジョギングシューズなど普段ばきの靴の修理もする。簡単に買い替えてしまう消費社会ではなく一度買ったら手入れしながら長く使う生活習慣がこんな小さな町で靴修理という仕事を成り立たせている。地域経済とストック経済とが対であることが分かる。

■町役場・銀行・保険会社・経理事務所

メルカテッロの町役場の一般行政部門の職員は全部で一六人（二〇一八年九月）、内勤の事務系、技術系職員が六人で道路や公園、学校などの公共施設のメンテナンスを担当する外勤の職員が一〇人だ。ごみの収集は他の町と共同して民間の会社に委託している。日本の市町村の一般行政部門の職員数は全国の平均で一〇〇人当たり〇・五四七人（二〇一九年、総務省）、人口一四〇〇人のメルカテッロの場合それが一・一人だから、この数値で見る限りでは日本の行財政効率化はメルカテッロより進んでいると言って良いだろう。しかし役所が開いているのは平日の一〇：三〇〜一三：〇〇と土曜日の八：三〇〜一三：〇〇だから職員の延べ勤務時間数、したがって職員に払う人件費で見ると日本とほぼ同じだ。

町議会議員一〇人はほぼ無給で、シンダコ（町長）の報酬でも月三五〇ユーロ（四万二〇〇〇円）だ。議員になると「先生」と呼ばれる日本と違って議員職に特別のステイタスはないらしい。ほとんど無給で、したがってその職へのこだわりもあまり感じられない。

自立した地域経済が成立するには銀行の存在が欠かせない。日本では考えられないことだが人口一四〇〇人のメルカテッロに地方銀行の支店がある。日本円をユーロに、何時行っても換金してくれる。各種の保険会社、経理事務所、司法書士事務所も旧市街の中にそろっている。

■不動産業

「売ります」の張り紙が付いた中古住宅はかなり多いが、何年も売れずにそのままで過ぎていく。そのうちに売れて人が住み始めているのに気づくことがある。張り紙なしで売り買い、貸し借りされている物件もかなりある。ベンチヴェンニ通りに売り物件の写真を並べたウインドウがあるが、連絡先が書いてあるだけで不動産を扱う事務所ではない。不動情報は人の口から口へ伝えられて、水面下で静かに取引されているようだ。

人口が減っているのだから新しい建物を建てて売る不動産事業は難しいはずだが、それでもこの二十年余りで二〇戸ほどの新築物件が売りに出た。

ドクター・ゴストリは医者だが経営の才能に恵まれた実業家でもある。市壁のすぐ外、街の東の入口に空き地があった。一九八八年の地区詳細計画では空き地をなくし建物を連続させるべきだとされていた。その土地にドクター・ゴストリが一階が店舗、二、三階が住宅の建物を建てて売りに出した。一階の店舗は近くにあって手狭だったフェラメンタ（日本で言うDIYの店）が移ってきた。住宅四室の内二室をオーストラリア人のグループが買った。別のグループが別の場所に一軒、庭付きの家を所有しているから、メルカテッロには三軒のオーストラリア人所有の家がある。北海道にもオーストラリア人がグループで所有している別荘があるが、それと同じだ。オーストラリアでは十二か月働くと次のひと月は休暇を取らなければならない。だから一三人で一軒の別荘を所有する仕組みが普及していると、メルカテッロに来たオーストラリア人が話してくれた。郊外の廃集落をイギリス人が買った、改修してリゾート村にするらしいとのうわさもある。メルカテッロは小規模ながらも国際的な不動産市場に組み込まれている。

■建設業

建設業はメルカテッロの大切な地場産業だ。

一九九六年からほぼ三年間、町の補助による旧市街の外壁修復促進事業が行われた。一戸当たりわずか八万円の補助だが、みんな率先してこれに参加し、町の外壁はみるみる綺麗になった。その波及効果は数億円あったとも言われている。

建設業の仕事の多くは旧市街の建物や郊外の農家の修復工事だ。ドクター・ゴストリのアパートのような旧市街での新築工事は例外中の例外だ。

一戸建てやテラスハウス型の郊外住宅が一九八〇年代から二〇〇〇年代前半までに建てられた。その頃のようなピークは過ぎたが、建設業の需要は途絶えることなく、四人の組合はいつも忙しそうにいくつかの現場を掛け持ちしている。新築工事はほとんどないが建物の補修、改築の工事は何時も町の何処かでやっている。建築工事だけでなく道路や下水道の補修工事や小学校の外構工事、一戸建ての家の門や塀の工事もムラトーレの仕事だ。

十年程前からシチリアからやって来たムラトーレ数人が新しい建設会社を興した。東ヨーロッパからの出稼ぎ労働者も建設現場に参入している。安い工事費で仕事を奪われると地元のムラトーレは穏やかではいられない。

■ 水力発電所

医者で公爵邸を所有、修復したドクター・ゴストリは町の南側を流れるサン・タントニオ川の急流を利用して水力発電を事業化することを思いついた。日本のフクシマ（福島）の原発事故以来、ヨーロッパでは自然エネルギー利用に今まで以上に関心が向かっている。その流れに乗っている事業のようだ。発電量は最大九八キロワット。おおむね三〇戸分の消費量をまかなうことができる。エネルギーまで自給自足してしまう、超未来型地域経済のモデルを見るようだ。水車小屋の息子が、長じて水力発電の事業主になる。水力エネルギーを家業とするファミリー・ストーリーだ。

インタビュー⑦

ファウスト・ボネッリ

Fausto Bonelli（ＭＣＥ社長、チームグループマネージャー）

「食べることにも美味しいワインにも興味がない。僕には仕事だけだ」

記録はファウストと交わした会話に筆者の補足を加えて、聞き取り記録として編集した。記録内容に誤りがあればそれはすべて筆者の責任に帰する。インタビューしたのは二〇一八年十月。

チームグループでメルカテッロの就業者の一〇％以上が働いている。日本風に言えばメルカテッロはチームグループの企業城下町だ。チームグループが好調なおかげでこの十年、街なかで遊ぶ子供の姿が増えている。チームグループは中小企業一〇社が連携する企業共同体で、グループの年間売上高は二四〇〇万ユーロ（三〇億円）、従業員数一一〇～一二〇人、チームグループの創設者でマネージャーはファウスト・ボネッリ（一九六五年生まれ）だ。職人工場ゾーンの一番奥にある彼の事業所でインタビューした。

〈協同企業体のリーダーのあんたはと言いかけると、ファウストは言葉をさえぎって言った〉

僕はリーダーではない、リーダーにはなりたくない。僕はグループ全員のマネージャーだ。それぞれの会社は独立していて、それぞれが自分の目標と事業所、技術、マーケットを持って頑張っている。僕の会社もそのうちのひとつだ。中小企業は一社だけでは技術力もマーケットもそれほど多くを期待できないし経営効率も良くない。でもそれらの会社が互いに連携すればさらに大きな力を発揮することができる。大企業を顧客にすることができるし、国内だけでなく国際的な競争力も維持できる。僕はグループが互いにより効率的に、効果的に連携するためのお世話をするマネージャーだ、全体を統括するようなリーダーではない。

〈チームグループを構成する企業は現在一〇社だ。そのうち五社はメルカテッロに、他の五社はそれぞれアドリア海寄りの小さな町に事業所を構えている。すべて車で二時間以内に到達できる距離にある。

メルカテッロにある五社は職人工場ゾーンとその周辺に集まっている。職人工場ゾーンに二か所（ファウストの事業所と数年前に廃業した建具工場を再利用した事業所）と、一九五〇年代のたばこ工場の大部分（修復して再利用）だ。その中に五社がそれぞれの事業所を構えているが、初めて訪れた人にはあたかも一つの会社であるかのように見える。ここの従業員の八〇％はメルカテッロの住人だ。

チームグループの事業は電気部品、電子部品の製造、組み立て、製品開発、製品企画、設計、試作、品質検査、そして資材調達と経理の多岐にわたっている。構成一〇社はそれぞれの得意分野で営業するだけでなく、プロジェクトに必要とされるすべてのプロセスに対応できるネットワークが整っていることをアピールする。ある一社を訪れた顧客からチームグループの他社へ関連する仕事をつなぐこともあるし、チームグループの総合力を求めて訪れる顧客もある。

顧客は国内だけでなく国外にまで広がっている。だから国際競争力を持たなければならない。大都市から遠く離れたローカルな企業だがグローバルなマーケットで事業を展開している「グローカル」な企業集団だ。ファウストは言う〉

品質だけでなく価格も、中国に負けない力をわれわれは持っている。最近、ある製品を中国に発注していた会社が、半分をイタリア国内の我々に、そしてその後すべての製品を我々に発注するようになった。

〈ファウストはチームグループのマネージャーであり、共同体を構成する企業のひとつであるＭＣＥの経営者だ。ＭＣＥは様々な工業用、家庭用の電子部品、電子回路の組み立て、電気配線、印刷配線、そしてその品質管理をする会社だ。さらにankerの商品名で様々な電気回路製品や工業用照明器具を生産、販売している。特殊なカラオケの機器もつくっている。最近工場内でパッケージされた製品の移送に伴う人身事故を防ぐ警報器を開発して販売にこぎつけた。

製造の現場を見るとベルトコンベヤーとロボットを使う流れ作業の生産体制ではなく、作業員が作業台に座ってひとつひとつを仕上げていく手作業の仕事のように見える。そのような生産体制を支えているのは高度な工作機械と品質管理の検査機械だ。

最先端の工作機械や電気、電子製品の動向には常に敏感に対応しなければならない。ドイツ、ミュンヘンの国際見本市に毎年、ボローニャ、フィレンツェの国際見本市には機会があるごとに出かけて動向を知り、最先端の技術水準を維持するようにしている。彼が出たウルビーノの工業高校にも出入りして技術の動向には常に気を配っている。

ファウストは大学に進学して教師になるのが夢だったが家庭の事情で進学をあきらめた〉

大学に行って学校の先生になりたかった。今は若い人たちが勉強するセミナーに講師として呼ばれることがあるけど、講義するのはやっぱり好きだ。学問としてではなく実務に沿った話が僕にはできる。

小学校の時から成績は良かった。五年制の工業高校を終えて大学に進学するつもりだったができなくなった。父親が務めていた会社が破産してしまったんだ。父親は体が丈夫ではなかったし、諦めて左官の仕事について家を支えたよ。

壁を塗りながらいつも考えていた、メルカテッロでやれる事業が何かあるはずだとね。

一九八四年、十九歳の時に近くの町サッソコルバーロで電子オルガンの部品を組み立てる仕事を紹介してくれる人があって、その仕事をやり始めた。メルカテッロのご婦人方の内職仕事で配線の作業をやってもらった。車で町なかの家を周って出来た製品を集めた。そこから徐々に仕事を広げていった。いけそうに思ったので同郷の友人ピエルパオロ・シモンチーニと二人でMCEを起業した。

一九八六年にメルカテッロの手工業者ゾーンに小さな工場を建てて会社を興したんだ。それが今本社にしている事業所だ。隣に住まいを建てて廊下でつないでいるからいつでも家から行き来できる。

この土地は所有者が二人いて互いに仲が悪かった。それをうまく調整して僕が取得できるようにしてくれたのは当時町長だったパオロ・チンチッラだ。彼はその後にも町が所有しているたばこ工場の一部を貸してくれて僕の事業を応援してくれた。町のみんなで支えあって生きていく、それが当たり前だけど、そうやって僕の事業は軌道に乗り始めた。

そうするうちに得意先の会社の一人からEU全域、そして世界中に品質を保証するKIWA認定を取得することを勧められた。

これが大きな転機になった。当時この認定を受けた事業所はこのあたりに一つもなかった。この認定があればほかの事業所との競争に大きな差がつけられる。大企業からの注文も来るようになる。でも認定を受けるのは楽ではない。一九九〇年に思い立って、認定を受けたのは一九九六年だ。最初の年の六か月間は毎週木曜日、一〇〇キロ離れたセニガリアまで行って講習を受けた。大きな会社であればだれか一人を選んでその担当にすればいい、しかし僕のところにそんな余裕はない。僕が働きながら講義を受けて勉強しなければならない。すべてのコースを受講して認定を受けるのに六年かかった。

MCEの事業は軌道に乗り始めたが山奥の小さな町で経営するハンディキャップは大きかった。小さな会社が地方で孤立して事業を続けるのは難しい。メルカテッロでもやっていける方法はないか、そのことを考えてたどり着いたのが今のチームグループだ。メルカテッロで同じように電機、電子製品の事業をやっている仲間に呼びかけて、二〇〇七年に四社で最初の共同体を設立した。二〇〇九年には九社で、法的な体制を整えた共同体としてチームグループを設立した。それが今は一〇社の共同体になっている。

〈一九九六年にMCEは国際的な品質基準ISO（International Organization for Standardization）九〇〇一の認定も受

けている。この地方で最初の認定だったし、イタリア中でも二二〇番目だった。こうしてENEL（イタリア電力公社）のような大企業とも対等に商売ができる体制を整えている。

　顧客の信頼を得るのに品質を保証する生産体制だけでは十分ではないとファウストたちは考えた。イタリアは日本と同じように地震が多発する国だ。イタリア中部では一九九七年、二〇〇九年、二〇一六年と、この二十年間に三回大きな地震に見舞われている。地震によって注文を受けている製品が納入できなくなるようなことがあってはならない。そのために事業所の建物には十分な耐震補強をした。このことは会社の信頼を高め、他社との競争力をより確かなものにしている。

共同体を設立したメリットは経営効率、従業員の労働環境の整備にも大きな効果をもたらしている。銀行の信用度が増した。共同で広報の冊子をつくれば各社別々につくるよりは安くすむし宣伝効果も大きい。従業員の健康管理も共同でやっている。失業保険や退職金制度、年金制度への対応も共同でやっている。この地方では珍しい夏の冷房も工場全体でやっている。従業員が安心して働ける環境をつくることにファウストは特に気をかけている〉

従業員とその家族の生活を僕は預かっている。そのことを僕はいつも意識している。だから、従業員を路頭に迷わせることがないように失業保険、退職金、年金を保証し、健康管理に力を入れている。父親の病気と会社の破産で僕自身が進路を変えざるを得なくなったことが忘れられない。従業員にはそんな思いをさせたくないのだ。
〈ファウストの生活は仕事に明け暮れている。美味しい食事にもワインにもほとんど興味がないと言う。愛妻のヴェローニカとの新婚旅行は仕事の都合でわずかに三泊しただけで四日目の朝早くに帰ってきた。その日の朝一番に仕事の約束があったのだ。
ファウストは山奥の小さな町で友人と二人でＭＣＥを起業、三〇年で世界をマーケットにする事業所に育て上げた。メルカテッロのコムーネはその間支援したのだろうか〉
コムーネには起業した当初から大きな支援を受けた。今事業所のある土地と建物は全てコムーネの所有だった。それを使えるようにしてくれたのはコムーネだ。州の支援も受けたし、その他にも多くの人に助けられた。みんなに助けられて今の事業にたどり着いたのだ。
〈ファウストにはエネルギーが充満している、明確な言葉で話し、自信に満ちた目が輝いている。そして人に感謝することを忘れない。そのような彼の人柄がみんなの信頼と応援を呼び寄せたに違いない。
あんたの事業は今のメルカテッロの人々の生活を支えていると言って良いだろう。もしあんたがいなくなったら、あんたが失敗したら、メルカテッロは大変なことになる。あんたの責任は重大だ、その重圧にあんたはどうやって耐えているのかと、最後に質問した。ファウストは私の目を見ながらあっさりと答えた〉
そんなことはない。私の代わりを務める人が必ず現れる。メルカテッロはそんな町だ。

〈グローバルな経済体制が押し寄せ、世界的な経済危機が何度もやってくる中でメルカテッロの地域経済が生き延びていく力の源泉を、私はファウストに見た。

彼の母親リータは私の隣に住んでいて毎日のように顔を合わせている。良く通る大きな声で話すけどメルカテッロ方言だけでしゃべるから私にはほとんど理解できない。ファウストはここで生まれてここで育った。道端に飾る花のことでリータとは時々相談することがある。まことにおおらかに人の意見を聞き入れる。この母親があのファウストを育てたのだ。いろんな苦労があったに違いない、人に裏切られることもあっただろう。それでも常に人に感謝してまっすぐに前を向いておおらかに歩いて行く、そんな人物をメルカテッロの町が育てたのだ〉

8　メルカテッロ・スル・メタウロの歴史

コッラード・レオナルドとガブリエーレ・ムッチョーリの共著、「メルカテッロ・スル・メタウロの案内」（一九九七）を要約、加筆して紹介する［註1・7・6］。

この土地の最初の住人は紀元前十二世紀のウンブリア人だった。ウンブリア人はローマ人の支配下になってもこの地に住み続けて、ローマのアウグスト帝はメタウロ川上流のこの地域をローマの第六番目の州の一部に入れてそれが現在のウンブリア州につながっている。そのせいか、メルカテッロはウンブリア人の故郷であるウンブリア州、トスカーナ州とのつながりに愛着を持っている。

豊かな緑の森、ひときわ聳えるマッサ・トラバーリアの山々［註1・7・7］、それらはこの地がまさに「聖地」と呼ばれるに相応しく、その風景を人々は今も誇りにしている。昔からこの地は「ノービレ・テッラ（貴い土地）」と呼ばれてきた。

ローマ時代の二つの行政区、メタウレンサ［註1・7・8］とリベリーノ［註1・7・9］の間に、小さなヴィーコ（Vico 村落）があった。この小さな村落がその後のキリスト教の浸透につれてさらに大きくなって、プレブス・ヴィーチ（Plebs vici）と呼ばれるようになり、それが訛ってピエヴェ・ディーコと呼ばれるようになる。そこに後に述べるメルカテッロの町が建設された。町の人はメルカテッロの旧名がピエヴェ・ヴィーコだと考えており、その名をつけたバールもある。

西ローマ帝国の滅亡後、ゲルマンのロンゴバルド族がイタリアに侵入し、数度にわたってこの地方にも侵入する。六世紀にはロンゴバルド族がこの地にあった教会を再建し、サン・ピエトロを守護聖人とする。それが現在のメルカテッロの守護聖人サン・ピエトロにつながっている。

中世にこの地は、ローマ皇帝の司法権とチッタ・ディ・カステッロの教会権の下におかれていたが、その後その支配をはなれてマッサ・トラバーリアとして独立した領域を形成する。

七五六年、領域はローマ教皇の保護下に入る。教皇は直ちに領域内の村落に大きな市（メルカート mercato）を開くことを認める。市は大いに栄えて後にそれがメルカテッロ（Mercatello）の地名になる。

一二〇〇年代、この地一帯にダミアニーテ派修道院やクララ女子修道院、カステッロ・デッラ・ピエヴェ城砦、メルカテッロの集落などが存在していたことが記録に残されている。

一二三五年三月二十一日、法王グレゴリオ九世がマッサ・トラバーリアの議会に対してこの地域に築かれている七つの小さな城塞をすべて放棄すること、そしてその住民をピエヴェ・ディーコの村落に移住させること、そしてそこに市壁で守られた都市（チェントロ centro）を建設することを提案している。

一二五七年、チェントロの市壁が出来る。そのなかでは新しい建築工事が進み共同体（コムーネ）が形成され、独自の憲章が定められ，民衆の議会が召集される。メルカテッロはこの年をコムーネ成立の年としている。この時コムーネの名前は正式にメルカテッロと定められた。

メルカテッロの町は大きな卵形をした市壁に囲まれている。当初の市壁の跡がほぼそのまま今に引き継がれている。東西南北に四つの門を構えたメルカテッロのチェントロは急速に成長する。ゆるい傾斜地に建設されたので道路と広場はほぼグリッド状に配置されている。

一三〇〇年代には多くの教会や修道院、裁判所が次々に建てられる。鐘楼を備えた教区教会はその後増改築を重ねて現在の教区教会に至っている。裁判所は現在のメルカテッロ町役場に至っている。サン・フランチェスコ派の多くの建築物、そしてサン・タントニオ川に架かる橋が建設される。山奥のヴァルボーナにあったダミアニーテ派修道会の建築群とその病院、その中心となる教会、そしてプレサニョーロの修道院がチェントロに移築される。さらに続いてサンタ・キアラ修道院がチェントロに建設される。一九六〇年代まではこれらの修道院の修道僧や多くの関係者が町に住んでいたが、その後修道院はすべて閉鎖されてしまった。

一三六一年、カステルドゥランテの豪族ブランカ・ブランカレオーニがメルカテッロを教皇特使から金貨五〇〇〇フィオリーニで買い取ってその領地とする。

そして一四三七年、ブランカの姪でメルカテッロの領主であったジェンティーレ・ブランカレオーニが都市国家ウルビーノの領主フェデリーコ・ダ・モンテフェルトロと結婚すると、メルカテッロはウルビーノの統治下に入る。

フェデリーコ・ダ・モンテフェルトロはルネッサンス文化の重要なパトロンとして知られている。ウルビーノは文人、画家、建築家が集うルネッサンス文化の重要な中心都市のひとつだった。このときブランカが姪の結婚祝いにメルカテッロの町の東の入り口に建てて贈ったのがドゥカーレ宮殿だ。ルネッサンスを代表する建築家フランチェスコ・ディ・ジョルジョ・マルティーニが設計している。

こうしてメルカテッロにもウルビーノの豊かなルネッサンス文化がもたらされる。メルカテッロのルネッサンスを語るとき、一四七四年メルカテッロの伯爵に任じられたオッタヴィアーノ・ウバルディーニ・ダッラ・カルダの存在が欠かせない。彼によって引き立てられたステファーニ家をはじめウルビーノの宮廷で働いたメルカテッロ出身の重要な人物、例えばフランチェスコ・ドラーギ、フェデリーコ公爵に仕えた主治医のバッティフェッロ、側近のフランチェスコ、近習のジロラーモ、従僕のガイオ、宮廷詩人のアントニオ・ディ・フランチェスコ・ヌーティなどの名が知られている。

この時代、伯爵オッタヴィアーノは一三五七年に定められていた古い「メルカテッロ憲章」を改定している。新しい憲章は自ら自治都市の行政官（シニョーレ）をもつことを定め、完全ではないとしても、都市の自治権が成立している。その後何度か改定されて、一六一〇年に最後のメルカテッロ憲章が公布され、その後のローマ教皇国の時代まで引き継がれた。

一四二二年ローマ教会がサン・パオロの祝祭日をメルカテッロの守護聖人サン・ピエトロと同じ日に決めた。それに合わせて、町はサン・パオロを加えて守護聖人を二人にした。メルカテッロの今の紋章の由来はこのときにさかのぼる。青地の右半分がサン・ピエトロのシンボルであるX字に交わった二本の鍵、そして赤地の左半分がサン・パオロのシンボルである振りかざした剣だ。

ルネッサンス以来この地域に豊かな文化を育む平和な時代が訪れる。最初に優れた彫刻家であったアントニオ・ベンチヴェンニの名をあげなければならない。町のメインストリートにその名が冠せられている。その子セバスティアーノが指導した木彫の工房や、マルケ、ウンブリア、トスカーナ地方の多くの作家が呼ばれて仕事を残している。そして画家ジョヴァンニ・サンティの流れを継ぐフレスコや絵画の工房、それらの活躍がこの時代には見られる。その多くが町の美術館に納められている。

宗教の歴史を振り返ると、一二八七年以来、この地域は本来のチッタ・ディ・カステッロの教区から分離されて、どの教区にも属せず孤立して存在していた。それが一六三六年、隣々町のウルバーニア司教区に含まれることになって、その小教区のひとつとなる。しかしメルカテッロ生まれの聖女、ヴェローニカ・ジュリアーナ（一六六〇－一七二七）が現れると、メルカテッロは司教区の中心的な存在になり現在に至っている。現在サンタ・ヴェローニカ女子修道院が町に残る唯一の修道院で、多くの修道尼と関係者一〇〇人ほどが住んでいる。

十七世紀以降にはブランカレオーニ、ステファーニ、ドラーギ、ガスパリーニなど多くの有力な一族が栄えて町に豊かな繁栄をもたらした。彼らの多くはすでに町を出たり絶えたりしているが、いくつかはパラッツォや通りにその名前が残っている。

一六三一年、領主ローヴェレ家のフランチェスカ・マリア二世には男子の跡継ぎがなく、メルカテッロはローマ教皇国に併合される。そして一八六〇年の国家統一で、教皇国はイタリア王国に統合され、メルカテッロはその一自治体となり現在に至っている。

イタリアの西郷隆盛と言われる国家統一の最大の英雄はジュセッペ・ガリバルディだ。統合に際してメルカテッロは一八四九年七月二十八日、大きな打撃を受けてサン・マリーノ共和国の方向に敗走中のガリバルディ将軍とその軍団を迎えてもてなし援護することで、イタリアの国家統一に貢献している。ガリバルディ将軍は現在の旧市街（チェントロ・ストーリコ）のすぐ外の小屋に宿泊したが、愛妻のアニータは旧市街の民家に宿泊した。その民家のあった通りが七月二十八日通りと名付けられて、私の家はその通りに面している。

インタビュー⑧

ピエールパオロ・ゴストリ

Pierpaolo Gostori（医師）

「パラッツォを買ったのは失敗だったよ」

記録は医師ピエールパオロ・ゴストリと交わした会話に筆者の想いと解説を加えて聞き取り記録として編集した。内容に誤り、誤解があればそれはすべて筆者の責任に帰する。

〈ドクター・ゴストリはパラッツォ・ドカーレの一階の広間でインタビューに応じてくれた。西側に大きな庭があってその外の公園に向かって鉄の門が付いている。大きな両開きの戸を開くと一階の広間からそのまま庭のテラスに出られる。広間を挟んで対称に、部屋が四つ並んでいる。ゴストリはその広間でパラッツォへの思いを語ってくれた〉

足を一歩踏み入れたときに「これだ！」と感じたよ。一瞬で感動したね。パラッツォ・ドゥカーレ（公爵邸）に、裏の入口から入ったんだ。空き家同然だったから埃だらけだった。細い綿を浮かべたような蜘蛛の巣が、高い天井の隅にいっぱい浮かんでいたよ。

二人の子供たちにそれぞれ部屋を分けてやって、大広間に家族四人が集まって和やかなひと時を過ごす。緑の庭園、大きなプラタナスの木立を通して部屋の中まで陽が射してくる。妻のエウジェーニアはソファーに座って微笑みながら子供たちの話に耳を傾ける。

すぐにそんな光景が目に浮かんだ。

「このパラッツォを買おう！」。そのときそう決めたんだ、大失敗だった。

私の生家は貧しくはなかったが裕福ではなかった。父親は水車を使う製粉業をやっていた。メルカテッロのすぐ北を流れるメタウロ川は今よりずっと水量が多くて、水車を回すには十分だった。九月から一月の間は特に水量が豊かで、近在の農家や地主がその年の穀物を運んできて、石の挽き臼は回りっぱなしで大忙しだった。親について子供たちもやって来たから、川に飛び込んだり、そこらじゅうを駆け回ったり、みんな夢中で遊んだ。夢のような、いい思い出だ。

その家は今はパンを焼く小さな工場に貸してるけど、粉は電気で挽いてるし、外から見る限り水車小屋の面影はないね。水の少ない夏場に水を引いていた細い水路にその名残があるだけだ。でも、中に入ると水車小屋のあったところは修復してその頃のままにしている。私たち家族がどこから来たのかが分かる大切な証明なんだ。

父のヴィンチェンツォはメルカテッロの北八キロ、ベルフォルテ・アッリンサウロの生まれだ。その父、つまり私の祖父も水車小屋の製粉業だった。

子供が兄弟二人だったから祖父は考えた。兄に自分の後を継がせて、弟のほうにはメルカテッロの水車小屋を買ってやったんだ。実に素朴な発想だな。

父は一九二二年、二十一歳の時にメルカテッロの製粉業を始めた。間もなく生まれ故郷に近いルナーノ生まれのフランチェスカと結婚して七人の子持ちになった。私は下から二番目の子で、一九三七年生まれだ。二人の兄がいた。あとの四人は女の子だ。父は毎日新聞を買ってきて、政治面を隅から隅まで読んだ。そして粉挽きにやって来る連中に、議論を吹っかけるんだ。いや、議論を吹っかけるというよりは自分の意見を彼らに言って聞かせるんだ。

父は社会主義者だったから、当時のファシスト社会ではかなり危ない意見だった。母のフランチェスカが気を揉んで、「もうやめときなさい」とよく注意してたのを憶えてるよ。その母はもっぱら社会面を読んでいた。父が政治面、母が社会面だ。読書というほどではないけど、当時としては珍しく家の中で文字に親しむ雰囲気があった、ということかな。

父の水車製粉業は一九六五年頃までは盛況だったが、次第に電気を使った製粉工場が主流になって、最後は自然食品向けの製粉をやっていた。八十四歳まで元気に働いて、一九九六年に九十一歳で亡くなった。私がパラッツォを買った後だがまだ改修工事は始めてなかった。

小学校はみんなと一緒にメルカテッロの学校に通った。町役場の三階にあった小学校だ。

小学校三年のときに戦争が終わって、カナダ兵やアメリカ兵がやって来て町の外にキャンプをつくった。アメリカ兵は私たち子供を集めて、歌を歌わせて、チョコレートをくれたよ。オーソレミオは定番だったが、私たちは戦争中に教わった「総統万歳！」のファシストの歌も歌った。知ってる歌は何でも歌ったんだ。アメリカ兵は無邪気に喜んで、歌が終わると、決まって「姉さんはいるか？」と聞いたね。

中学校はウルバーニアの修道院の寄宿舎に入った。高校は大学進学を目指して、アドリア海沿いの町、ファーノの修道院の寄宿舎に入って勉強した。勉強が好きだったんだ。今でも大好きだ。

一九五八年、二十一歳でミラノ大学の医学部に進学した。メルカテッロの田舎小僧が、ヨーロッパ随一の大都会にやって来たんだ。ここからの人生は自分でもよくやったと思うくらい貪欲だったな。三年間ミラノの大学に通って、その後は都合でペルージア大学に移ってそこを卒業した。

ミラノでは電話局の交換手の仕事に就いて生活費と学費を稼いだ。夕方から明け方まで、夜勤だ。

局から戻って二時間ほど眠ってから大学へ行った。イタリアの習慣で、昼食の後に昼寝して、また授業を受ける。ハードな生活だったけど、若かったから苦しいとは思わなかった。楽しいことがいっぱいあった。私の青春時代だ。メルカテッロへは年に一回くらいしか帰らなかった。大学が休みになっても、仕事があったから帰れなかったんだ。

最初は四人でアパートをシェアして暮らしてたけど、すぐに電話局の寮に入った。メンサ（寮の食堂）もあったから生活はしやすかった。同じように局で働きながら大学に行ってる連中がいたから、特に苦学しているとも思わなかった。

それに、電話局だから女の子がいっぱいいたんだ。まさに、この世の天国だったな。年に一回しか帰らなかった理由も分かるだろう。

一九七四年にペルージア大学を卒業して医師になった。すぐにメルカテッロに帰って一九七八年まで十四年間、ウルビーノとウルバーニアで病院の勤務医をやった。専門は外科だ。生活は安定したが、まだ向学心のほうが強かった。

一九七八年から四年間、ローマ大学で薬学を学んで資格を取った。そのあと一九八三年から三年間、ジェノヴァ大学で口腔歯科を学んでこれも資格を取った。病院勤務をやりくりして一年のうち三か月だけ通学するんだ。まだ神経生理学にも興味があったが、これは条件が厳しすぎたので諦めた。メルカテッロで私は医者だけど、時に歯科医だ、薬剤師だと混乱することがあるのはそのせいだよ。

この間に結婚した。幼馴染のエウジェーニアに「好きだ」と打ち明けてから、七年付き合って結婚した。今でも「好きだ」と打ち明けたときのことを話すと顔が赤くなるよ。思い切って打ち明けたけど、すぐに「シィ（分かった）」と言ってくれた。言ってくれるだろうとは思ってたけどね、幼馴染だから何となく通じるものがあったんだ。

結婚したのは一九七四年、オイルショックの後で、イタリアの先き行きはまだ見通しがつかなかった。この頃メルカテッロの人口は私の子供のときの半分近くまで減り続けていた。でもメルカテッロを離れることなんか考えたこともなかった。エウジェーニアも同じだ。

私は一九七八年、国家試験を受けてメルカテッロの委嘱医になって、完全にメルカテッロに帰ってきた。医療費はほとんど無料だから、国が私に給料を払うんだ。二〇〇四年に医療制度が変わるまで委嘱医を勤めたから、私がメルカテッロの最後の委嘱医ということになった。

委嘱医になって、サン・フランチェスコ修道院の東の端の一階に病院を開いた。道を挟んだ向かい側がパラッツォ・ドゥカーレ（公爵邸）だ。毎日パラッツォの前を歩いていたけど、その頃はパラッツォを買おうなんて考えてもみなかった。

パラッツォ・ドゥカーレは一四七四年にウルビーノ大公国領の東を守る館として建てられたものだ。この地方では泣く子も黙るという、かの偉大なモンテフェルトロ大公の、義理の弟、オッタヴィアーノの住む宮殿として建てたものだ。設計したのがルネッサンスを代表する建築家ジョルジョ・マルティーニだから、大変な町の財産だよ。

ウルビーノのモンテフェルトロ大公は偉大な武将だったが、偉大な文化人でもあった。彼が建て直したというウルビーノのパラッツォ・ドゥカーレ（大公宮殿）を見るとそのことを実感するよ。

淡いピンクがかったウルビーノ独特の煉瓦を積んで建てられてる。近づいていくとその圧倒的な量塊に私は今でも見とれてしまうよ。設計はルチアーノ・ラウラーナだが、一部にジョルジョ・マルティーニも関係している。

中庭の高貴な美しさ、大ホールの質素な気高さ。人間はここまで神に近づけるのか！　何度行っても感動してしまう。ルネッサンスが到達した人間の精神の偉大さを、体で実感するよ。そのモンテフェルトロが九歳までメルカテッロで育ったことを我々は誇りにしているんだ、分かるだろう。

ジョルジョ・マルティーニはウルビーノ大公のところに集まったルネッサンスの芸術家、文化人の一人だ。彼の「建築術」がウルビーノ滞在中に書かれたものであることはよく知られている。その中にはメルカテッロのパラッツォに関係すると思われるデッサンもあるんだ。

妻のエウジェーニアの祖父、ジュセッペ・ロッシはこの地方の大地主だったが、やはりトスカーナ州の大地主だったボッレンディ家から一九一六年にこのパラッツォを買った。それまでの歴代の所有者はもちろん記録に残っている。

エウジェーニアの母親のヴェローニカとその兄妹がそれを相続した。母親は八人兄妹だったから、八人で相続したんだ。ヴェローニカの兄妹は男が一人で女七人だった。その男の兄弟も亡くなって奥さんが相続人だったから、相続するのは女ばかり八人でということだった。

持っていても使いようがないから、誰かに売ってしまおうと、すぐに相談がまとまったらしい。一九九〇年頃のことだった。私はもちろん蚊帳の外だ。

誰かに売ることにしたという話を妻に聞いたとき、一度中を見てみたいと思った。姑のヴェローニカに中を見せてくれと言うと、鍵を貸してくれた。そうして私はこのパラッツォを買ってしまったんだ。相続人の姉妹に「私が買いたい」と言うと、売り値は決めていると言うのでその値段で買った。話がついてからそのことをエウジェーニアに言うと、ひどく怒った。今も怒ってる。

パラッツォの西側に町を囲む石積みの厚い市壁が通っていたんだが、一六〇〇年代に撤去してしまった。今回の工事中にその基礎部分が出てきたんで間違いない。

市壁を撤去したときに四つあった町の門のうち三つがやはり撤去されている。今はメタウロ川にかかるローマ時代の橋に通じる北門だけが残っているが、一九〇〇年の初めの頃まで、その門に頑丈な木の扉が残っていたと、町の老人が話しているのを聞いたことがあるよ。

市壁を撤去してパラッツォは西側に大きく庭を広げたんだ。樹齢百二十年以上のプラタナスやレバノン杉の大木が二十数本、この辺りに生えているのがその名残だ。中には国指定の保存樹もあるよ。パラッツォは西側部分だけ完成して工事は中断されている。半端な外壁がそのつなぎ目のとこに残っているからすぐにそれと分かるだろう。残りを完成して、通りのほうを向いてパラッツォの正面玄関をつくる計画だったはずだが、そこは手をつけないままで今に至っている。階高は六メートルの三階建て。それに屋根裏、地下階が付いている。床、天井はすべてドーム型に煉瓦を積んだ本格的な組石造だ。

石はこの地方でよく採れるピエトラアレーナ（砂岩の一種）だ。窓枠には中部イタリアで最も一般的なピエトラセレーナ（やはり砂岩の一種）を使っている。この地方のルネッサンス様式を伝える貴重な文化遺産だ。

それにもかかわらず、私はそれまで一度もパラッツォの中を見たことがなかった。子供のときからそれは町の一部分だったから、かえって気にしなかったのかもしれないな。毎日パラッツォの前の病院で働くようになってからも、中を見てみようと思ったことはなかったんだから。

修復に買い値の三倍かかった。そのうち三六％は国が補助してくれた。残りは銀行から借りたが、その利子も国が負担してくれる。

パラッツォを買ったとき私は五十四歳だった。度を越した買い物になることは分かっていたが、何とかなると思った。それから十三年かけてようやく修復が終わった。結局、稼いだ分は全部、ここにつぎ込んだよ。

国指定の文化財だから、修復に関してはソープリンテンデンツァ（環境文化省）が徹底的に口を挟む。修復の設計監理は、メルカテッロ出身のガブリエーレ・ムッチョーリに委託した。フィレンツェ大学を卒業して間もなかった彼の、最初の大作になった。彼はその後に向かい側のサン・フランチェスコ修道院を美術館に改修する大きな仕事に恵まれて、メルカテッロの重要な建築家の一人になっている。

工事はすべて町の人たちに発注した。ムラトーレ（石組み職人）も、ファレニャーメ（家具・建具職人）も、ガスも水道も電気も、家具の修復も、ここで働いたのはみんな町の人たちだ。みんなこの仕事に特別の意味を感じていたと思う。みんなで町の財産を生き返らせてくれたんだ。

二人の子供も、パパは良いことをしたと言ってくれる。

私の兄弟もみんな、いいことをしたと褒めてくれる。

でも妻のエウジェーニアは「あんなたいそうな家に住むのは嫌だ」と言って、今でもパラッツォに住む気にはなってくれない。少しずつ家具も調えて、いつでも住める状態にしているんだが、いっこうにその気配は見えない。

私は毎日一度はパラッツォに行って、大広間に家族が集まって楽しそうに華やいでいる様子を、一人で思い描くだけだ。


〈二〇一八年にパラッツォを訪ねる機会があった。二人の息子がパラッツォを半分ずつ相続して、長男のジュリオが結婚して親子三人でそこに住んでいる。二男のフラービオもやがてそうするだろう。完璧ではないがゴストリ先生の夢は実現しつつある〉

9　風景と郷土愛

■人間の尊厳

私たちにとって豊かで幸せな生活とは何か？　中国では「桃源郷」、ギリシャでは「アルカディア」の生活が理想とされてきた。どちらものどかな田園の生活がイメージされている。他人との関係に身心を消耗し、華やかな日常に欲望を煽られる都会の生活は理想とされていない。豊か、幸せの定義は人様々のようで実は、人類に共通する豊かで幸せな生活があるのかもしれない。

豊かで幸せな生活とは、自己の存在と自由を自覚して生きることだ。それを可能にするものは、あらゆる価値を超えた人間の尊厳を守ることしかないだろう。

資本主義社会の必然的帰結であるグローバリゼーション、その過程で人間の欲望は対象をモノから貨幣へ、貨幣から金融へ、さらに情報社会へと際限なく拡大していく。我々はこの流れにただ流されていくしかないように思われる。この流れの中で我々は、果たして自己の存在と自由を見失わずに生きていくことができるのだろうか？　自己の尊厳は地域の尊厳、コミュニティの尊厳を自覚することによって保たれる。あるがままの自分を良しとして生きる、その自分を受け入れてくれる地域社会、そしてあるがままの他人を受け入れる自分。

ひとりひとりが異なることが当然であり、そのことを尊重する社会。価値観が異なっても、精神的肉体的に（いわゆる）障碍者と呼ばれる人たちも、普通に町の人に交じって暮らす社会。人はそれぞれに違っているのが当たり前であって、その違いを互いに認め合い、尊重するコミュニティであってほしい。

メルカテッロでは明らかに認知症が進んでいると思われる老人が広場に毎日出てくる姿が見られる。誰も特別の目で見ることはなく、ごく普通にみんなに交じって日を過ごして帰って行く。日本でもかつて田舎では普通に見られた光景だ。みんな一緒ではなく、みんながそれぞれ違っていて、そして一緒に暮らす。それがイタリア人が共有している個人主義であり、自由であり、個人の尊厳を守るということだ。

イタリア一九七八年の法律一八〇号「イタリア精神保健法」による公立の精神病院の廃止はそのような社会の価値観を象徴的に現している。普通人と障碍者をどこで区分するのか？　それは不可能だ。イタリアは障碍者と普通人とを明確に区分して隔離する精神病院を廃止して、精神医療の拠点を地域に開放した。そこにはただの精神医療の問題にとどまらない、豊かな生活と人間の尊厳に対する確固とした価値観が見られる。

どのような環境がそのような価値観を生むのか、都市と建築を設計する立場から、メルカテッロの町を解析する。

■メルカテッロの豊かで幸せな生活を支えているもの

メルカテッロには普通に生きることの豊かさと幸せがある。その生活を支えているものは、都市と建築を設計する者の立場から単純に言い切ってしまうと、次の四つだ。

（1）広場（ピアッツァ Piazza）

（2）美しい旧市街（歴史的中心市街地、チェントロ・ストーリコ Centro Storico）

（3）美しい田園（カンパーニャ Campagna）

（4）郷土愛（カンパニリズモ Campanilismo）

広場を中心に町の人々の親密な生活が成り立っている。

広場はそれを囲む美しい旧市街があって成り立っている。そしてそれを囲む美しい田園がある。

広場、旧市街、田園。この三つがつくる美しい風景が豊かで幸せな生活を成立させている。美しいメルカテッロで暮らしたいという思いが、ここで生きる活力を生んでいる。

美しい風景は偶然に出来ているのではない。美しい風景をつくり、守る不断の努力があって美しい風景は保たれている。そうさせるのは住民の郷土愛だ。自己の尊厳を守ってくれる郷土への愛だ。それでは、何が郷土愛を育むのか。それは美しい風景だ。

人が風景をつくるのか、風景が人をつくるのか。どっちだと迫られたら、私は「風景が人をつくる」を選ぶ。イタリアの町で暮らせば、イタリア人と同じような風景をつくる。そのように美意識や人生観が変わる。人の生き方を変える、そのような文化の総体としての力が風景にはある。

風景が美しいと人は幸せになれる。メルカテッロで生活すると、それを実感する。私はイタリアには美しい風景を保証する仕組みがあるのではないかと考えた。

それはイタリア共和国憲法第九条だ。

「共和国は国の風景そして歴史的、芸術的な資産を守る(Republica……Tutela il paesaggio e il patrimonio storico e artistico della nazione.)」

イタリア人の生活の基本的な価値観がこの条文に込められている。

■豊かで幸せな生活は安泰ではない

しかしメルカテッロの豊かな生活は安泰ではない。常にそれを危うくする現実の脅威にさらされてきたし、今もそうだ。

税金のあまりの高負担に耐えきれない国民の悲鳴は深刻だ。国の制度疲労も指摘され続けている。先進工業国が抱える共通の課題をイタリアも抱えている。メルカテッロでもそうだ。どんな田舎でも世界の傾向と無縁では過ごせない。その中で彼らは自分たちの信じる豊かな生活をつくり、守ってきた。決して成り行きで今の生活があるのではない。

メルカテッロに新しい高速道路建設の提案があることは既に書いた。大都市にはもちろん、メルカテッロのような田舎にも近くに大きなスーパーマーケットやショッピングセンターが少しずつ出来ている。品ぞろえが多く、安くて明るく快適なスーパーマーケット。電気器具、カジュアルな衣料品や雑貨の店。オシャレとは言えないし味にこだわりもないけどお手軽で気楽なレストラン。そんな店が少しずつ出来ている。通信販売は田舎では欠かせない生活手段になっている。メルカテッロの街中の商店は苦戦している。二十年前に二軒あった肉屋は今は一軒になった。二軒ずつあった八百屋、衣料品の店は四軒とも店を閉めた。日本ほどではなくても、イタリアでも個人経営の店は少しずつ減っている。土曜日の市場に出る店もこのところ数が減っている。

リッカルドの建具工場も需要が停滞し、他所の工場製品や手軽な家具に押されつつある。よりコストが安く質の良い外国産の木材を調達し、コンピューター制御の工作機械を導入して作業を合理化しなければならない。若いリッカルドにはまだそれに対応する気力があるが、年配の職人経営者が時代に対応して次の世代に事業を引き継ぐのは難しい。

以前は旧市街の中にあった郵便局、銀行、薬屋は今は車で寄りやすい旧市街の外にある。この三つはかつては旧市街に欠かせない必須アイテムだった。

「まるで旧市街が引っ越してしまったようだ」

昔を知っているドクター・ゴストリはそう言ってため息をつく。

メルカテッロの人口は二〇一〇年までの二十年間ほぼ平行線を辿ってきたが、二〇一一年以降は漸減傾向が続いている。二〇一一年に一四五五人だった人口が二〇一五年までの五年間で七七人急減してついに一四〇〇人を切った。社会減が一〇人、自然減が六七人だ。この傾向はこれからもしばらく続く。

毎年数人、大学を卒業するが、彼らの働く職場をメルカテッロで見つけるのはかなり難しい。その一方でこんな田舎にも東ヨーロッパやモロッコから移民は入ってきており、メルカテッロの人口の三％を占めている。「彼らに仕事を取られてしまう」そんな愚痴も聞かれる。一時は中国からの移民が三〇人程住みついたことがあったが、隣町の繊維工場が閉鎖されると同時にみんないなくなった。

働く人のお昼休みは一時間になった。昼食はバールに行って軽く済ましたり、手持ちのパニーニ（イタリア式サンドイッチ）を食べる人が増えた。メルカテッロではまだ多くの人は家に戻ってお昼を食べるが、昔のようにお昼に家族みんなで食事してそのあとお昼寝、ということはなくなった。

大きな町では日本と同じように昼食は皆外で済ませるようになって、最近は一皿にサラダ、肉類、パンなどが盛られたランチメニューが用意されている。イタリアでも夕食だけが家族みんなが揃う食事の席になった。

外で働く女性が多くなって、食事の支度にしっかり時間をかけることもできなくなっている。まとめ買いができるスーパーマーケットが欠かせない。以前に比べると一日があわただしく過ぎていき、スローライフとばかりは言っていられない生活になった。

風景にも少しずつ変化が見られる。

市民の自己責任を前提にする社会通念が日本に比較するとはるかに徹底しているとはいえ、責任を公共に転嫁する傾向は年を追って少しずつ強くなっている。それにつれてより無難であることが優先される道路の安全施設が増えてきた。ほとんど見られなかったガードレールが切れ目なく設置されるようになった。のどかな丘を走る道に灰色の頑丈なガードレールはいかにも不似合いだ。

大きく育って緑のトンネルをつくっていた並木が道路拡幅で思い切りよく切り倒されてしまう。

電気の需要が増え、通信の需要が高まるにつれて田園の中の電線や通信線の本数、電柱、通信塔の数が増えた。

田園の中の電柱は日本のように道路に沿って立てられるのでなく、道路から離れた畑や牧草地の中に立てられるからそれほど目立つことはない。それでも場所によっては風景の主役とまではいかなくても、脇役と言われても仕方ないくらいに目立つところが出てきた。

日本のフクシマ（福島）の原発事故は我々が思う以上にヨーロッパでは大きく受け止められていて、チェルノブイリ原発事故以降に始まった自然エネルギーへの関心がさらに高まった。今までほとんど見ることがなかった太陽光発電のパネルが家の屋根や畑の中に目立つようになってきた。何にでも口を出す文化省・文化財保護監督局だが（風景は文化財とみなされている）まだ対応していない。イタリアの風景に馴染むようになるにはまだ試行錯誤の年月がかかるだろう。

二〇〇〇年代に入ってからの国と州、コムーネの景観計画で風力発電の風車、高圧電線の経路に関する対応がいくつか出てきている。イタリアでは次々に景観の課題が取り上げられて気の休まる時がない。メルカテッロの隣町、ボルゴ・パーチェの山の中に風力発電の風車が数基、目立たない場所に建てられた。日本では目立つところに立てて観光資源にしようとするのとは大違いだ。どんな風景を美しいと思うのか、それとも目障りと思うのか、イタリアと日本では景観評価の基準が違うようだ。

■自分たちの生活を誇りに思う生活

メルカテッロのような小さな町にはマクドナルドやスターバックスは進出していないが、大きな町には見られるようになっている。しかし、マクドナルドはイタリアのバールに必ず並べてある手作りのパニーニ（イタリア式サンドイッチ）に味も信頼感も太刀打ちできないし、スターバックスはやはりバールの出すカフェ・エスプレッソの味、価格、そして強固な文化の壁を突破できないだろう。アメリカンスタイルの店として一部には受け入れられても、イタリア人の生活を大きく変えるようなことになるとは思えない。

イタリアのスローライフの生活文化は、日本やアメリカで注目されるような商業主義の「ファッション」ではなく、彼らの豊かな生活の自然な実態だ。

お昼休みが短くなった分仕事の終わりが早くなる。男たちは仕事が終わるとバールに立ち寄って食前酒を一、二杯ゆっくりと楽しむ余裕が出来た。形を変えてスローライフが生きていると言うべきかもしれない。

フェイスブックやチャットの普及が、広場を中心にした町の人たちの親密な交わりを失わせるのではないかと考えたが、今のところそれはないようだ。

彼らは生まれながらにおしゃべりで、相変わらず広場にたむろして賑やかにおしゃべりしている。フェイスブックなどは話題提供を盛んにして、むしろ親密なおしゃべりを加速しているようにも見られる。メルカテッロのユーチューバー、ＩＣＯＦＬＡＳＨは月二本のペースで新作を出す。舞台は勿論メルカテッロで、出演者も視聴者も町の住人だ。

効率的、合理的であることを社会の最終目標にすることはメルカテッロでは考えられない。みんなでハッピーに生きていくことで生きる力をもらう、だから家族やコミュニティが一番大事、ひとりひとりが自分の生き方を選び、お互いに他人の生き方を尊重する。そんな人生哲学が彼らの社会と文化をこれからも支えていくだろう。

二〇二〇年のコロナウイルスはイタリアに甚大な災禍をもたらした。イタリアがヨーロッパで最初に大感染を引き起こした要因は、この書で紹介しているような彼らの親密なコミュニティと日々のライフスタイルだと言われる。皮肉なことにコロナウイルスによって、彼らのライフスタイルが世界で特筆すべきものであることが改めて明らかになった。災禍の渦中にあって彼らはむしろその親密なコミュニティで連帯し、それによって災禍を乗り切ろうとしている。そしてさらに逞しく元気を回復するに違いない。彼らの社会を支えるライフスタイルが歴史の経験を経て獲得された逞しく、崇高なものであることを、コロナウイルスが証明した。
グローバル化が進行し、ＥＵの理想と矛盾が交錯するなかで地域のアイデンティティはより強く自覚される。その矛盾の自覚こそがイタリアの、メルカテッロの強さの源泉でもある。

インタビュー⑨

リッカルド・ジョルジョーネ

Riccardo Giorgione（ファレニャーメ・家具、建具職人）

「川沿いの小屋の中で、家具修繕を手伝った。それが忘れられなかった」

記録はリッカルドと交わした会話に筆者の想いと解説を加えて聞き取り記録として編集した。内容に誤り、誤解があればそれはすべて筆者の責任に帰する。

〈私たちとリッカルドとエリザベータとは町の山歩きの会で知り合った。彼らはその時まだ結婚していなかった。私たちの家の窓と建具を改修してくれたのはリッカルドと義父のアルチェーオだ。彼がファレニャーメ（家具、建具職人）になったのはエリザベータと結婚したのがきっかけで、その前にもそこに至る縁があった。インタビューは小さな町で織りなされる人々の運命の神秘さを思わせる〉

社会的に意義のある、やりがいのある仕事だったよ。時代の先端を歩いてるという思いがあった。いつも仕事のことを考えていた。重要なプロジェクトだったし、将来性のある仕事だった。会社は現場の仕事を僕にまかせていた。何の不満もなかった。そのままあの仕事を続けていたら、今頃は高給取りの技術系経営者といったところだったね。でもメルカテッロに帰ってきた。忘れられなかったんだ、あの家具修理の爺さんの手伝いをした頃のことが。

工業高校に通ってたときにピエトロ爺さんに出会ったんだ。週末になると爺さんのところへ行って、家具修理の手伝いをした。何も先のことは考えてなかった。そこで手伝うのが好きだったんだ。勉強はあまり好きじゃなかった。頭よりも手や足を動かすほうが性に合ってた。だから工業高校に行ったんだ。ウルビーノの町の五年制の工業高校を出たのが一九八八年だ。卒業して二年ほどはたいした目標もなく、町はずれの会社で働いていた。高校では、化学工業を専攻したんだけど、特にこれといったやりたいことを見つけたわけじゃあない。若いときはそんなもんだろう。エネルギーは溜まってるけど、吐き出し口が分からない。無意味に時間が過ぎていく。そんな時期があるだろう。

卒業したとき、親しかった先輩のファウスト・ボネッリに「うちで働けよ」と誘われて、そこで働いてたんだ。今の仕事場の前にある、道を挟んで向かい側の会社だ。

その頃は両親と一緒に、メルカート・ノルド（北市場）通りに住んでいた。今住んでるこの家から五〇〇メートルくらいしか離れてないけどね、メタウロ川に近い、古い市壁沿いのところだよ。

僕はひとりっ子だったけど、町なかだから遊び仲間はたくさんいた。大きい子から小さい子まで、みんな一緒になって子供の社会が出来てるんだ。先輩のファウストのところはその延長で働き始めたようなもので、電気や電子器具の部品を組み立てる仕事だった。その仕事を二年間やっているうちに、兵役の年になった。

この辺りは海沿いの町ペーザロの基地に行くのが普通なんだけど、僕もそうだった。そこで行軍やら、射撃やら、銃の解体、組み立てなんかの基礎訓練をやらされるんだ。後でひとりっ子は兵役を免除されることになったけど、その頃はまだそうはなってなかった。今じゃあ兵役そのものがなくなったけどね。

基礎訓練が終わると部隊に配属されるんだけど、僕は「ここに残れ」ということになって、基礎訓練の指導官になった。いきなり偉そうな立場にはなったけど、それが良かったかどうかは分からない。みんなの手本にならなくちゃならないからきついんだ。

朝はみんなより早く起きて「起床！」の合図のときにはもうすっかり、準備ができてなくちゃあならない。へまするとまずいんだ。僕は背は高くないけど一見怖そうな、睨みの利く顔をしてるから指導官に向いてると思われたんだろうな。

一年間の兵役が終わったとき二十一歳だった。ペーザロの隣町ファーノに本社がある化学工業のプラント会社、ＲＰＡに誘われてそこで働くことにした。

環境の保護や水の浄化を専門にしている会社だ。ファーノの町はメルカテッロから六〇キロ余りのところだから家から通ってた。学校で勉強したことが役に立つし、環境問題に関わる仕事でやりがいもある。将来性も見込める会社だった。いい仕事に就けたと思ったよ。ようやく本気で働く気になった。五年ほど働いて自信もついてきた頃、アッシジの仕事をまかされた。広域のト水処理プラントを建設する仕事だ。


〈アッシジの町は美しい、その周りの田園地帯も美しい。畑の中に立って遠くにアッシジの町を眺めると、この町生まれの聖人フランチェスコが私たちを呼んでるんじゃないかと思うくらい神々しい。アッシジの町の中から周りを見下ろすと、地平線まで続く田園地帯は神様の庭そのものだ。田園を包む空気がやっぱり神々しい。

アッシジはメルカテッロで感じる神々しい景色とは少し違う。メルカテッロでは神様をすぐ近くに感じるけど、アッシジではどこかに神様の気配を感じる景色だ。

下水処理はその風景を守るためにも必要な仕事だ。アッシジの町はイタリアで最も進んだ景観行政を実施していることで知られているが、景観行政は当然環境保全の行政でもある。だからバイオテクノロジーを使った下水処理のプロジェクトが他に先駆けてアッシシで始められた。リッカルドの仕事にはそんな背景があった〉

下水処理で発生するバイオガスを利用してガスエンジンを回す。そこで発電すると同時に排熱を浄化槽に回してバイオガスの利用効率を高める。今は蒸気釜なしにバイオガスを発生させられるようにさらに進歩してるようだけど、当時としては最先端のプロジェクトだった。時代の先端を歩いてるという思いがあったね、あのときは。

多くの会社と共同してやる仕事だったし、多くの技術者や行政の担当者と一緒に働いたよ。プロジェクトの主任だったから、連中の話をよく聞いて、それぞれがどうやりたがってるか、どうするのが一番いいのか判断して方針を立てて進める。自分の力も発揮できたけど、勉強にもなった。自分が成長していくのが実感できたね。

土曜、日曜にはメルカテッロに帰ってきた。一四〇キロくらいの道のりを車で帰ってくるんだ。山岳都市ペルージアの裾を通って松明祭りで良く知られているグッビオの町をかすめて帰ってくる。小さな丘が続いてくねくねと曲がる田舎道を帰ってくるんだ。景色はいいけど、のんびり景色を楽しむドライブというわけにはいかない。見通しの悪い道が続くからね。小さな丘をいくつも越えて帰るんだ。

それでも毎週家に帰ったよ。離れて暮らしてるとね、ママがつくる手打ち麺が食べたくなるんだ。メルカテッロにはいつ帰っても相手をしてくれる友達がいる。独身の若者だけじゃなくて若夫婦だったり、年金生活の年寄りだったり、世代を超えた付き合いになってる。

郵便配達夫のマリオがリーダーをしていた山歩きのクラブがあの頃は元気だったな。やっぱり郵便局に勤めてるもう一人のマリオがペーザロから帰ってきて参加してた。山のことなら何でも知ってるミンモも常連だった。三〇人くらいはいつも集まっていた。広場に集まってそこからかなり遠いところまでワゴン車に分乗して運んでもらうんだ。車はそこから町に帰してしまって、みんなは山に入っていく。朝早く出て午後遅くまで八時間くらい歩くから二〇キロ以上は歩くね。もちろん弁当を持っていくんだ。山男のミンモはみんなのために大きなエスプレッソの沸かし機をリュックに入れて持っていくんだから偉いよ。お昼の休憩のときにみんなにふるまってくれる。山の上で熱いエスプレッソを飲むんだ。すごいだろう。

僕はマウンテンバイクもやった。この辺りの山はマウンテンバイクには最適なんだ。ヨーロッパの各地からここを目指してやって来るくらいだ。だから町にはマウンテンバイクをやる仲間が多い。そこで初めてエリザベータと仲良くなったんだよ。エリザベータは僕のひとつ年下だ。僕が高校を出て兵役に着くまで働いていた先輩のファウストの会社のすぐ前で、彼女の父親のアルチェーオが建具の工場をやっていた。だから彼女とはよく顔を合わせたはずなんだけど、その頃は特別に意識したことはなかった。エリザベータと仲良くなってからは、アッシシから帰る道中がずっと短く感じられたよ。

彼女はそこで経理の仕事を手伝っていた。母親のマリーザが体が弱かったから、父親のアルチェーオは彼女にすっかり頼っていた。彼女も工場の事務を完全に仕切ってたよ。イタリアの中小企業はどこも家族で成り立ってるんだ。奥さんは内助の功というんじゃなくて、実質夫婦で会社を支えてるからどっちが欠けてもそれで会社はおしまいになってしまう。

アルチェーオは一九四〇年にウルビーノで生まれてファレニャーメになった。メルカテッロに来る前はウルビーノの隣町、フェルミニャーノの建具工場で働いていた。職人の仕事がそれまでのやり方じゃやっていけなくなってきた頃だった。

〈一九五〇年代の中頃まではファレニャーメはみんな町なかの工房で仕事していた。小さな工作機械があるばかりで、多くは手仕事に頼っていた。ファレニャーメだけでなく職人はみんな町なかに住んでいて一階が仕事場だった。ずっと昔からそうだった。ミケランジェロもドナテッロもそんなところで働いていた。靴屋も鍛冶屋も革細工師も織物職人もハムつくりの職人も、自動車の修理工場も、みんな町なかにあった。銀行も薬屋も郵便局もみんな町なかにあった。町は市壁の内側だけにまとまっていて、今みたいにその外側には広がっていなかった。一九七〇年代中頃までメルカテッロにはまだその雰囲気が残っていた。

アルチェーオが働き始めた一九五〇年代後半は、町なかの工房で職人の手だけで建具をつくる時代から大きな工作機械を使う工場生産の時代へ変わる過渡期だった。彼らはそれを見込んで町の外に新しい建具工場をつくった。アルチェーオはそんな工場で働き始めた新しい世代のファレニャーメだ。彼が働いていた町フェルミニャーノの郊外には今いろんな建材店やメーカー、石材店、家具店、自動車関係などのショールームや工場が集まって大きなインダストリアルゾーンが出来ている。メタウロ川の中・上流域で一番大きなインダストリアルゾーンだ〉

一九七四年、フェルミニャーノからアルチェーオはメルカテッロに出来た新しい工場の工場長としてやって来た。それが今の工場の始まりだ。オイルショックの翌年だからイタリアの経済がすごく不安定だったときだな。アルチェーオ三十四歳、妻のマリーザ三十三歳、娘のエリザベータは四歳だった。
コムーネは先を見込んで町の東、古いタバコ工場のさらに東に、五ヘクタールの職人工場ゾーンをつくった。アルチェーオの工場はその一画に建てられていた。

〈戦後のメルカテッロにはファレニャーメの親方が何人もいた。ヴァルテル・トゥルキ、フェーボ・トゥルキ、パスクアレ・チェルポリーニ、ヌンツィオ・トマッシーニ、ジョヴァンニ・バッフィオーニなど熟練のファレニャーメが町なかに工房を持っていた。一九五〇年代末にその中の一人ヴァルテル・トゥルキが大きな工場を町の外に建てて共同経営することをみんなに呼びかけたがうまくいかなかった。隣町のボルゴ・パーチェとラーモリのファレニャーメが共同組合を設立してその工場を引き継いだがこれも経営はうまくいかず、最後は破産した。メルカテッロのファレニャーメは新しい時代に対応しなかった〉

その頃のメルカテッロの職人は全部亡くなってしまって仕事は次の世代に引き継がれたけど、彼らも今は全員引退してしまって、それなりに仕事を続けている工場はうちだけになった。ごく限られた人の注文を受けている職人もいるけど、引退して年金をもらっているから看板を出して仕事をするわけにはいかない。それだけの設備も持ってない。彼らは手作業の多い修復の仕事を引き受けることが多いんだ。

あんたたちの家の六〇枚のブラインドを修復した隣町のマルコもその一人だよね。彼の仕事場を見ると昔の職人の工房の様子がよく分かるだろう。薄暗くて、床は土間でちょっと湿っぽい。

アルチェーオがメルカテッロにやって来た一九七四年頃は、町にそれ相応の若いファレニャーメがいなくて困っている状態だった。そのとき建ってた工場は職人工場ゾーンの入口に近い、今食肉加工のＩＣＡＭの工場になってるところだ。

アルチェーオと奥さんのマリーザは二人で頑張って仕事を広げ、独立して今のところに工場を移した。仕事場も二階の自宅も大きく立派なものにした。それからもう一回拡張して今の大きさになったんだ。一〇〇〇平方メートルくらいある。大小の工作機械と塗装室、乾燥室、資材置き場。昔の町なかの工房の十倍以上の広さが今は必要なんだ。

エリザベータと付き合うようになってからはよくアルチェーオの工場を訪ねるようになった。好きだったからね、木工所の雰囲気が。それに木の香りが好きだったんだ。

そんな気配を感じてアルチェーオが、「会社を辞めて、俺と一緒に工場をやらないか」と言い始めたんだ。その頃奥さんのマリーザが病気がちだったこともあってせっかく広げた仕事に手が回らなくなっていた。顧客とも疎遠になり従業員も減って仕事場の雰囲気が勢いをなくしつつあった。そんなこともあってアルチェーオは、「娘婿と一緒にやれたら……」と考えたんだろう。

エリザベータとはいずれ結婚するつもりだった。でもプラント会社のRPAの仕事は充実していた。会社も僕も将来性は十分にあった。僕はそこに勤め、エリザベータは父親の工場を手伝う、そんな生活は可能だった。

でも、高校時代に出会った家具職人のピエトロ爺さんの想いが甦ってきたんだ。

あの頃は学校から帰ると自転車をこいで、町なかの自分の家から一目散にグインツァの山のほうへ坂道を登って行った。時折行き交う自動車を避けながら、木立の中を抜けて走った。サン・タントニオ川に沿って走るけど、その川は見えない。左手の山の裾を流れているんだ。やがてそっちのほうに行く細い分かれ道が見えてくる。その道のほうへ入って坂を下ると川だ、サン・タントニオの上流だ。細くて、浅く、澄みきった水が流れている。歩いてでも渡れる川に木の橋が架かっている。そこに自転車を残して、細い板の橋を歩いて渡る。

高い木立から陽が漏れてくる。川床を流れるやわらかい水音。静かな、小鳥の鳴き声。橋を渡って木立を抜けると、その先にピエトロ爺さんの家が見える。山裾の畑の、端のほうに爺さんの家がある。その一階が家具修繕の仕事場だ。

そこまで一気に駆けていくと、爺さんはいつもしっかりと仕事をしていた。獣足の椅子の脚を丁寧になぞって修復するのに見とれてしまったことがある。

鑿(のみ)を使って家具の修繕をするようなことはなかなかやらせてもらえなかった。道具を取ってきたり、その辺りを掃除したり、そんな手伝いが主だった。そして飽きずに爺さんが仕事をする手元を眺めていた。

木の橋を渡ってサン・タントニオ川の向こう側へ抜けるとき、僕は全く別の世界へ抜けていたんだと思う。あそこで時間と空間を超えてしまうんだ。まだ何も知らない、高校生の僕は、あの橋を渡る度に別の世界にワープしていたんだな。

今どっちの世界で生きているのかは分からない。会社を辞めてアルチェーオと働くことにした僕は、自分の工場の中で木の肌に触れ、木の香りを嗅ぐときにピエトロ爺さんの頑丈な手を思い出すことがある。七年一緒にやって来て、このところ義父のアルチェーオとも息が合ってきた。自分のことを、「ファレニャーメだ」と思えるようになった。

会社の経験は今の仕事に役に立っていると思う。ただの職人としてでなくいろんな人の考えを取り入れてやっていこうと思ってるんだ。コンピューター制御の工作機械も積極的に取り入れている。集成材を使って表面をラミネート加工したような材料も最近は出てきたな。好きとは言わないけど、それも取り入れて建具をつくっている。

従業員七人と家族三人だ。大事なことは妻のエリザベータと相談して決める。エリザベータの笑顔が僕は好きだ。そして木に囲まれているのが好きなんだ。工場で働いてると何だか神様がこっちを見ているような気がすることがあるよ。

第2章　眠りを覚ましたメルカテッロ

1 戦後の復興、奇跡の経済成長を果たしたイタリアと日本

イギリスに遅れること百年以上、ヨーロッパ諸国に遅れること数十年で日本の産業革命は始まった。イタリアもほぼ同じだ。産業革命を経て社会は、農業が主産業であった農村社会から工業、商業を主とする都市社会に転換した。その傾向は第二次世界大戦後に世界中で急速に勢いを早めた。イタリアと日本における都市化のプロセスには多くの共通するものがあり、違いもある。

■基礎自治体の人口規模

イタリアの国土の面積は日本のほぼ八〇％、人口は日本のほぼ半分、年齢別人口構成はほぼ同じ、国内総生産も一人当たりに換算するとほぼ同じだ。

イタリアの行政は国、二〇の州、約一〇〇の県、約八〇〇〇の基礎自治体（イタリアではコムーネ、日本では市町村）で構成されている。ただし県は、「なくても良い」という話が出てくるぐらい今のところ存在感がない。人口規模では日本の県にあたるものが州に相当する。国は地方自治を最大限に尊重し、その範囲内において州が立法権を、コムーネが行政権を持っている。

日本の明治維新にあたるイタリア統一は一八六一年で、コムーネの数は現在もその当時からほとんど変わっていない。

日本では江戸時代末期二七六の藩の下に七万余りの町村があったものが明治維新に引き継がれ、明治二二年の近代的地方自治制度である「市制町村制」の施行で一万五八五九の市町村に、それが昭和三一年の大合併で四六六八に、その後も合併を繰り返して、平成の行財政効率化で二〇二〇年一〇月一日現在一七二四である。

一基礎自治体当たりの人口がイタリアは約七三〇〇人、日本は七万三〇〇〇人だ。民主主義の要と言われる基礎自治体の在り方に、イタリアと日本では大きな違いがある。

■イタリアは小都市分散の国

十年ほど前のデータになるが、日本とイタリアの主な都市（基礎自治体としての都市）の人口規模を比較すると、イタリアは小都市の国だということが分かる【表2・1・1】。人口規模の大きい都市がイタリアは日本に比べるとはるかに少ない（日本の人口はイタリアの二倍であることを勘案して比較する必要はある）。それでは日本の大都市の暮らしがイタリアの小さな都市に比べてずっと「都会的」かというと、そんなことはない。都市の人口規模とそれに相当する存在感がイタリアと日本では大きく異なっている。

人口一〇〇万人以上の都市は日本には一二あるが、イタリアではローマとミラノの二つだけだ。ローマが政治首都、ミラノが経済首都と言われる。

五〇〜一〇〇万人の都市が日本には一二あるが、イタリアはナポリ、トリノ、パレルモ、ジェノヴァの四つだ。

【図2-1-1】自治体の人口規模別、国の総人口に占める自治体人口の割合、日伊比較。日本は2009年総務省統計局の市町村統計、イタリアは2 011年のイタリア政府統計局の国勢調査資料をもとに筆者が作成した。イタリアでは1～5万人規模の町に人口割合のピークがあり、日本では10万～50万人規模の町にピークがある。

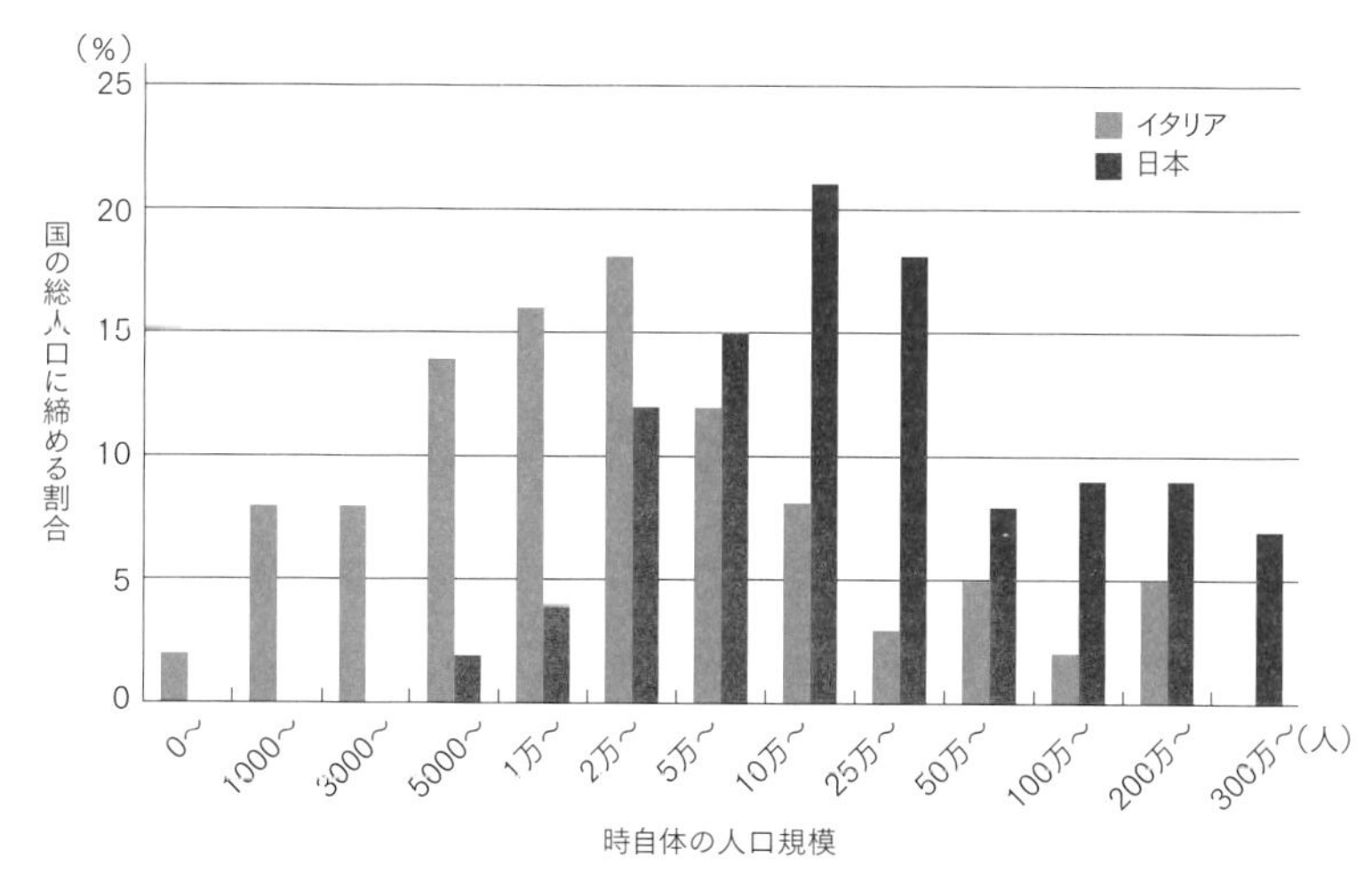

図版提供：京都芸術大学 東北芸術工科大学 出版局 藝術学舎

これらの四都市はイタリアではいずれも日本の大阪、名古屋ぐらいの存在感があると考えて良い。

三〇万人以上の都市は日本には五二都市あるが、イタリアはボローニャ、フィレンツェ、バーリ、カターニャの四つだ。これらの四都市はイタリア国内でも国際的にも日本の百万都市以上の存在感がある。

ヴェネツィアは二六万人だが、経済的にも文化的にも、そして知名度からして、世界都市と呼ばれるに相応しい存在感がある。

一〇万人以上の都市に住む人口の総人口に占める割合は、日本が六七％でイタリアは二三％だ。

一方、五万人以下の都市に住む人口の割合は、日本では一八％、イタリアでは六六％だ。

人口五〇〇〇人に満たない自治体に住む住民が日本ではほとんどゼロ（〇・三六％）だが、イタリアでは全体の一八％を占めている【図

【表2-1-1】イタリア・日本 －都市の規模比較（2015年総務省統計局、2011年イタリア政府統計局）

人口	イタリア	（都市数）	日本	（都市数）
100万以上	ローマ（287万人） ミラノ（134）	2	東京23区（927） 横浜（372） 大阪（269） 名古屋（230） 札幌（195） 福岡（154） 神戸（154） 川崎（148） 京都（148） さいたま（126） 広島（119） 仙台（108）	12
100万未満～50万	ナポリ（98） トリノ（90） パレルモ（68） ジェノヴァ（59）	4	千葉（97） 北九州（96） 堺（84） 新潟（81） 浜松（80） 熊本（74） 相模原（72） 岡山（72） 静岡（71） 船橋（62） 鹿児島（60） 川口（58） 八王子（58） 姫路（54） 宇都宮（52） 松山（52） 東大阪（50）	17
50万未満～40万		0	西宮（49） 松戸（48） 市川（48） 他・・・・・・・・・・・・・・・・	19
40万未満～30万	ボローニャ（39） フィレンツェ（38） バーリ（33） カターニャ（32）	4	豊中（39） 岡崎（38） 一宮（38） 他・・・・・・・・・・・・・・・・	24
30万未満～20万	ヴェネツィア（26） 他・・・・・・・・	6	盛岡（29.7） 福島（29） 明石（29） 他・・・・・・・・・・・・・・・・	38
20万未満～10万	ブレーシア（19.6） 他・・・・・・・・	30	西東京（19.9）山口（19.7） 熊谷（19.8） 上越（19.6）他・・・・・・・・・・・・・・	151
計		46		261

2・1・1】。

日本に比べるとイタリアでは大都市に住む人が少なく、全国に分散している多くの小さな都市に住む人が多い。そしてそれぞれの都市が確かな存在感を持っている。

メルカテッロは人口一四〇〇人だがイタリアでは決して特別に小さい町ではなく、よくある小さな町のひとつだ。メルカテッロは日本では町の自治会、町内会の人口規模だが、存在の実態は日本の人口数万人、あるいはそれ以上の規模の地方自治体に相当する。

それらの小さな町は行政的にも経済的にも文化的にも自立している。日本のように小都市は近くの中都市に、中都市はさらにその上の大都市にぶら下がっているという、ピラミッド構造にはなっていない。

一九五〇年代以降の経済復興、工業化、都市化に伴って小さな都市はますます小さく、大きな都市はますます大きくなり、その傾向はイタリアでも日本でも同じように進んだ。

日本はそれに対応して大規模な町村合併を進めたが、イタリアは小都市は小都市のままで自立した別の道を進んでいる。

廃村、限界集落対策、地方創生は日本の大きな課題だが、イタリアのような自立した小都市モデルを真摯に考えない限り、本当の解決の方向は見えてこないように思う。

【図 2-1-2】メルカテッロの人口の推移（ISTAT イタリア国勢調査）。

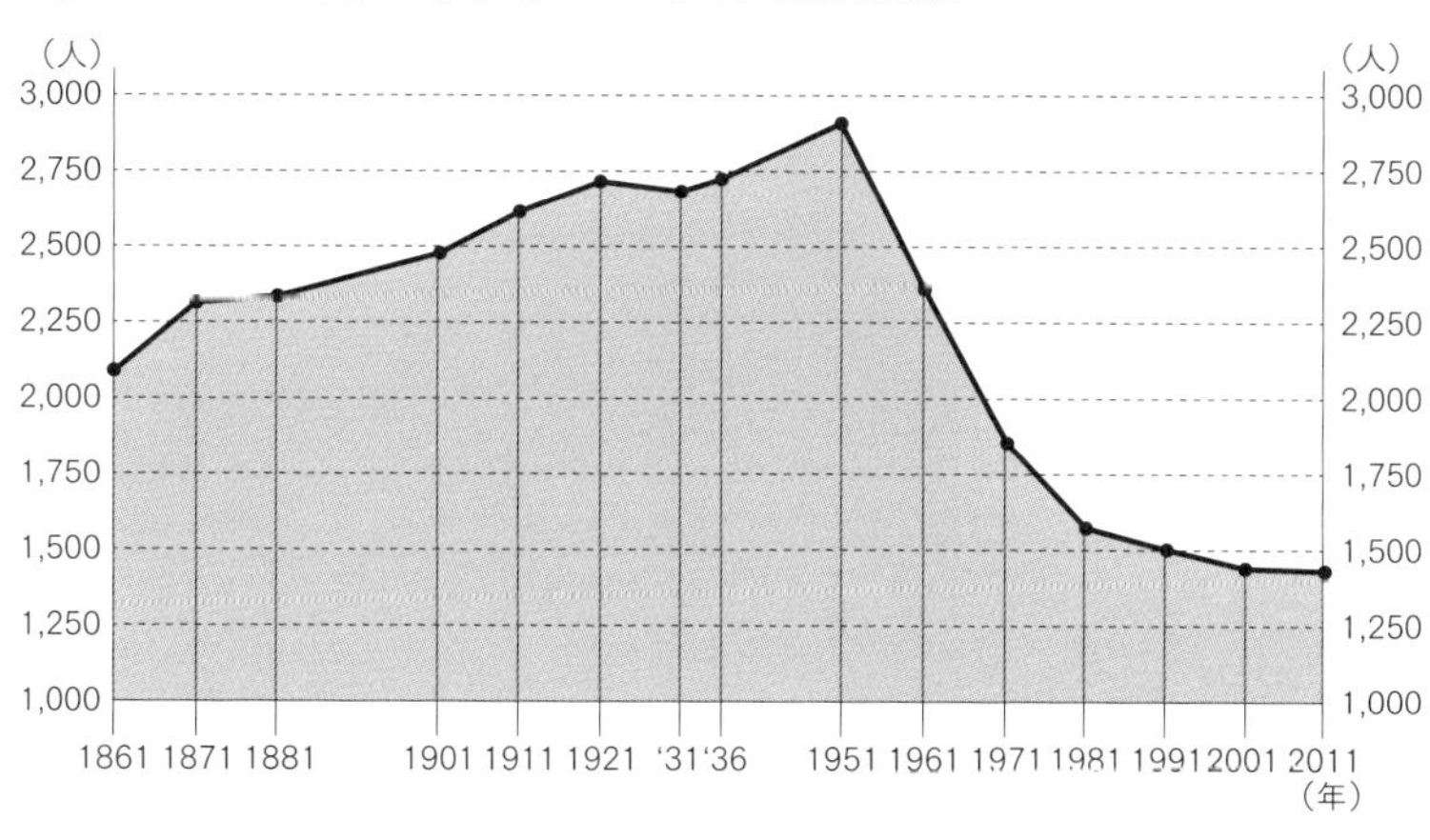

図版提供：京都芸術大学 東北芸術工科大学 出版局 藝術学舎

■イタリアは過疎村、限界集落の先進国

一九五〇年代からの奇跡の経済復興でイタリアと日本の社会は農業国から工業国へ急速に転換、農業人口は急速に減少して都市への人口集中が進んだ。イタリアでは全土で九〇数パーセントの農民がいなくなった。

メルカテッロでは一九五一年の二九一九人をピークにその後人口が急速に減少、三十年後の一九八一年には四五％以上減少して一五八九人になってしまった。その後ほぼ平行に推移しているもののわずかな減少傾向は続いている。減少を食い止めることは町の大きな課題だ【図・2・1・2】。

メルカテッロは人口減少の課題に現実的に対処してきた。一九五一年からの三十年間にメルカテッロで何が起こり、何が変わったか、それを知ることは過疎村、限界集落、地方の衰退が進む日本の現状に対処するヒントになるはずだ。

ローマ以北の中部、北部イタリアでは中世以来、市壁で囲まれたチェントロ（中心市街地）とその周辺のカンパーニャ（田園地帯）で政治的にほぼ独立したコムーネ（都市国家）を形成していた。

チェントロには有力な土地所有者や多くの聖職者、商人、様々な職種の職人、使用人、無職の人々が住んでいた。そして行政の館と

【図2-1-3】メルカテッロの人口移動に伴う廃村廃集落化の推移。Alfiero Marchetti著“*il girotondo dei ricordi*”記載のデータをもとに筆者が作成した。

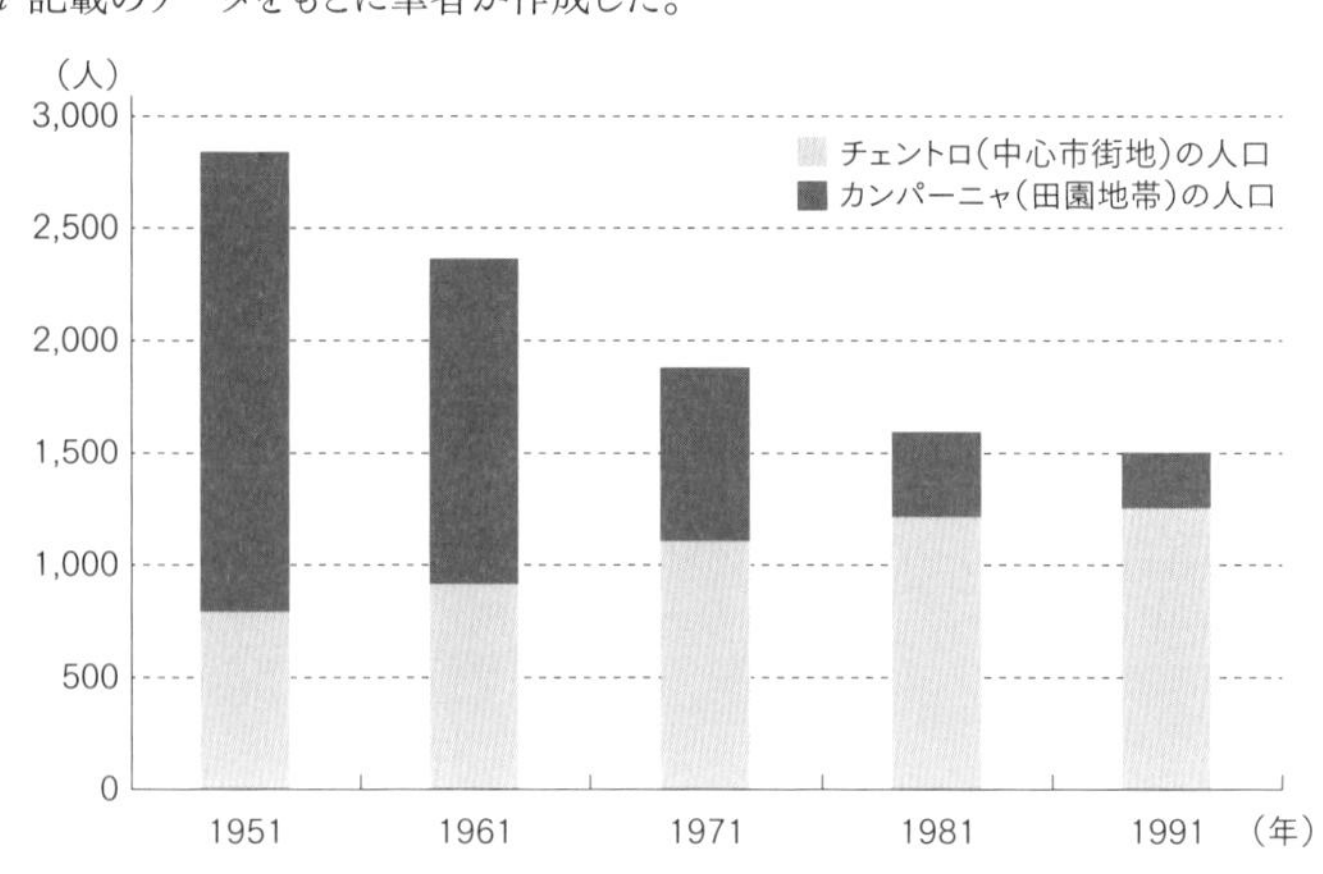

図版提供：京都芸術大学 東北芸術工科大学 出版局 藝術学舎

裁判所と教区教会の所在地であり、定期的に大きな市が開かれて農産物の取引が行われた。そしてコムーネの人口の半分以上を占める小作農民は市壁の外に広がる田園地帯の農家に住んでいた。

　農家は日本のように集合してひとつの集落（村）を形成するのではなく各地の小高い丘の上に農地に囲まれて散在していたので、遠く離れていても農民の生活は政治的にも経済的にもそして宗教的にもチェントロと固く結ばれていた。その伝統が現在のコムーネ（基礎自治体）につながっている。

　そのような歴史を持つイタリアの集落とそうでない日本との違いが、一九五〇年代以降の急速な人口移動への対処の仕方の違いをもたらしている。

　中世以来のコムーネの伝統は一九五〇年代の急速な工業化、経済成長が始まるまで基本的に変わらなかった「註・2・1・1」。一九五〇年代に農村地帯から遠く離れた大都市に多くの人口が集中したが、イタリアではそれと同時に多くの農民が、自分の属するコムーネのチェントロへ移住した。チェントロでは小規模ながら地場産業の工

【図 2-1-4】メルカテッロの中心市街地の拡大図（作成はコムーネの技官ダニエル・ルイス・バルトルッチDaniele Luis Bartolucci）

〈1918～1955〉

〈1972〉

〈1973～1995〉

業化が進んでいて彼らはそこで働いた。メルカテッロの場合、戦前からあったたばこ工場、大きな家具工場、ジーンズの繊維工場がそうだ。

したがって田園地帯の農業人口が急減したのに、チェントロの人口はむしろ増加している【図2・1・3】。現在メルカテッロの人口は約一四〇〇人だが、そのうちの一二〇〇人はチェントロに住んでいる。二〇〇〇人近く住んでいた田園地帯の人口は一〇%の二〇〇人に減った。

イタリアのコムーネは廃村、廃集落を急速に進めて、チェントロに人と資本を集中するコンパクト化を実行した。そうすることで日本人から見ると信じられないような小さな町の豊かな生活を実現したのだ。

チェントロがあってそれを中心にしてコミュニティを形成するという中世以来の伝統が、比較的ためらいなく田園地帯から中心市街地への移住を促し、地域構造のコンパクト化を進めたと考えられる。

一方、構造的に明確な中心を持たなかった村社会の日本では、既に半世紀以上その問題に直面している。抜け殻になってしまった中心市街地と広く分散した集落を抱え続けて、未だにどうしたらよいのか決めかねている。

当然イタリアの田園地帯には廃屋、廃集落が残された。見捨てられた家畜小屋や戸建ての農家、大家族の集合農家、数家族が集まった大規模な集合農家がしばしば見られる。近年はそれを修復活用する田園地帯の新しい魅力も徐々に生まれている。そのことは後に詳述する。

一九五〇年代以降の地方から都市への人口移動、イタリアと日本とのもうひとつの違いに国外移民がある。イタリアでは多くの人が外国に移民、または出稼ぎに行った。メルカテッロでは近くのスイス、ベルギー、フランス、そして南米のアルゼンチンへの移民が多かった。彼らはメルカテッロに残した家族に送金し、彼らの多くが七〇年代、八〇年代に帰国すると古い家に手を入れたり、郊外に庭付きの大きな家を建てたりして、故郷の経済の活性化に大きく貢献した。山奥の小さな町に住みながら合理的で偏狭に安住しない、町にそんなおおらかな空気があるのも彼らの異国体験がもたらしたもうひとつの産物だろう。

■チェントロ（中心市街地）の拡大と人口の推移

農業をやめてチェントロに移る人の中には市壁で囲まれた旧市街（チェントロ・ストーリコ）に入ってくる人もいれば、旧市街の外に新しい家を建てる人もいた。

生活が豊かになるにつれて旧市街の住民の中にも新市街に移り住む人が出てきた。旧市街の周りに新しい市街地が広がり始める。

移民した人たちが一九七〇年代の終わり頃から帰国し始めて、多くは新市街に新しい家を建てて住んだ。

旧市街の中の職人はそれまでの手仕事では成り立たず、旧市街の外に用意された手工業者ゾーンに大きな工場を建てて移り住んだ。いくつかの店舗や事務所も旧市街のすぐ外側の新しい建物に移った。

こうして旧市街とその周りに広がった新市街の範囲が、メルカテッロの新しいチェントロになった。大きく広がったチェントロはそれまでの農村集落の中心都市から第

【図2-1-5】メルカテッロの年齢別人口構成（2009年 Comune di Mercatello）

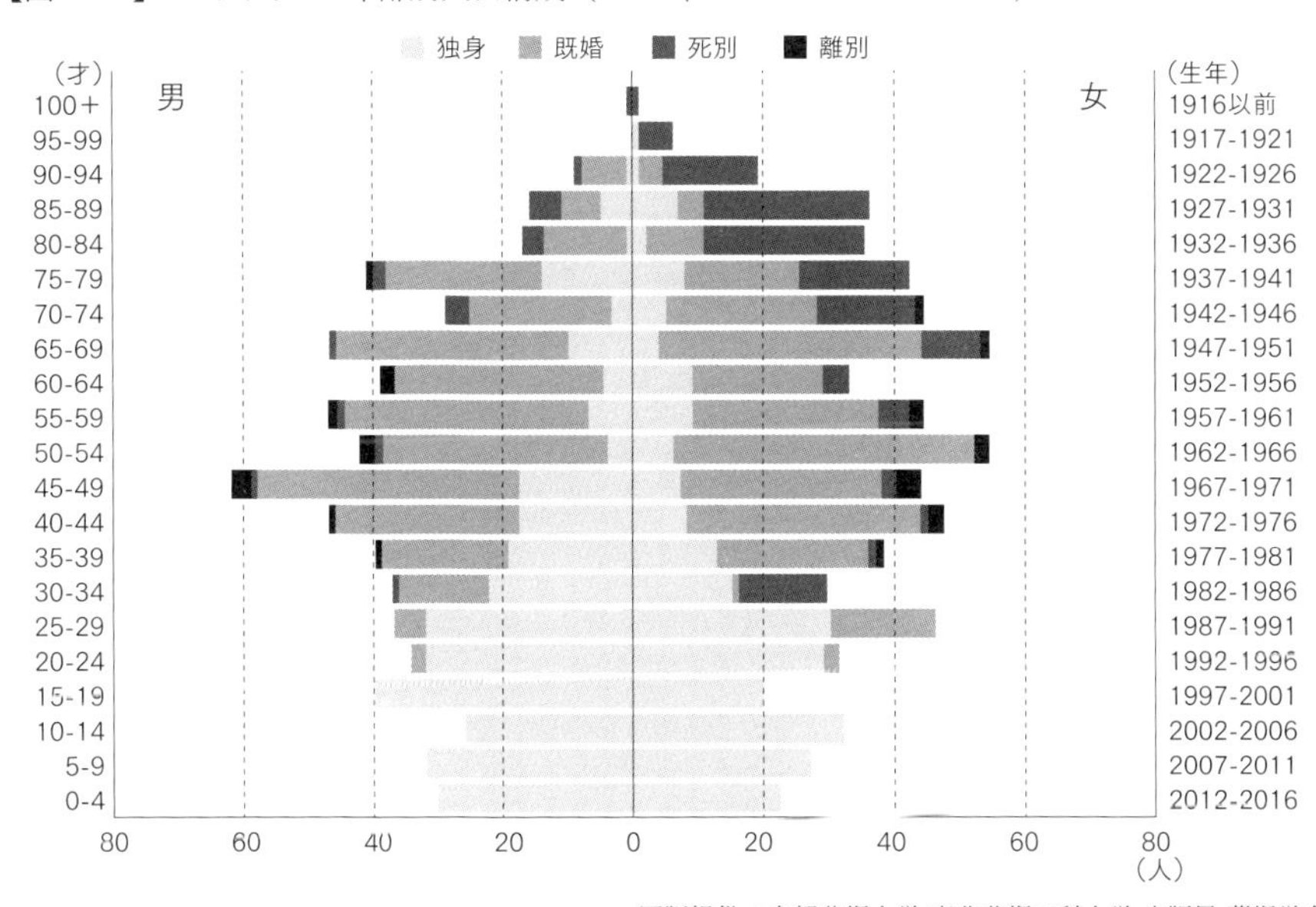

図版提供：京都芸術大学 東北芸術工科大学 出版局 藝術学舎

二次、第三次産業化した近代都市としての存在感を高めた〔図2・1・4〕。

メルカテッロ全体の人口が減る一方でチェントロの人口は増え、核家族化も進んで世帯数と家屋数が増えている。

メルカテッロでは現在約一四〇〇人の住民のうち就労人口が四〇%近くいる。その内訳を見ると（入手できるコムーネの統計資料は一九九一年と古いが）、農業一三%、工業四八%、残りの三九%は第三次産業だ。年金受給者は人口の約半分（一九九九年コムーネ統計資料）を占めている。

年齢別人口構成は全国平均のそれに近い。若年層に比べて高齢層が多く、しばらくは人口の自然減が続くと見られるが、日本の過疎村のように年寄りばかりで若い人がほとんどいないという偏った構成ではない【図2・1・5】。

■戦後の経済成長と都市化の歩み

一八六〇年代の統一国家成立後、イタリアも日本も中央集権国家を目指し、イタリアでは一九二六年にムッソリーニがファシスト党一党独裁の中央集権国家体制を確

【2・1・1】メルカテッロのカンパーニャに残る廃屋農家群のひとつ。石の壁は残っているが木造の床や屋根は無残に崩れ落ちている。

【2・1・2】トラクターがない頃の農作業風景。急斜面の農地を耕すのは今もかなり危ない作業である。毎年トラクターが何台か転倒している、というけれど私は見たことはない。写真は「IERI A MERCATELLO」より。

立した。日本も戦時国家体制を目指して全く同じ道のりを歩んだ。

戦後に、イタリアは共和国憲法を制定、新たに州（Regione）の制度を導入して中央集権から地方自治の国家体制へ移ることを決めた。しかし戦後の政治的混乱が続いて国の権限を委譲する州の制度が一九七〇年まで導入されず、地方自治の強化は進まなかった。

日本では新憲法に地方自治の項目が入っているが明確な位置づけはなく、その後の対応もあいまいなまま今に至っている。

地方自治制度と関係の深い都市計画制度はどうであったか。

イタリアでは国家統一後の一八六五年に制定された「強制土地収用法」Legge 25 giugno 1865. n. 2359, Espropriazioni forzate per causa di uniti pubblica がいわゆる都市計画法とされてきたが、一九四二年、それを廃止して近代都市計画の内容を持った「都市計画基本法」Legge 17 agosto 1942.n.1150, Legge urbanistica nazionale が定められ、それが現在に引き継がれている。

【2・1・3】メルカテッロで一番大きな農家集落はカステッロ・デッラ・ピエヴェだった。1950年代初めの祭日の集合写真には100人近くの住民と訪ねてきた親戚たちが写っている。そこにはカンパーニャに住む農民の貧しいながらも親密なコミュニティの存在が感じられる。80年代にはそれが無人の集落となってしまった。現在は国鉄を退職して彫刻家になったグラウコ夫婦と、建築家の奥さんと一緒にカントリーハウスを経営するベルナルド夫婦、他1家族が住んでいるだけだ。写真は「IERI A MERCATELLO」より。

【2・1・4】1900年代初頭、旧市街にあった頃の靴屋。靴の新調、修理の工房。夏になると職人の仕事場はしばしば路上にはみ出していた。写真は「IERI A MERCATELLO」より。

戦中と戦後の復興期にコムーネの都市政策に目立った動きは見られなかった。多くのコムーネは自らの都市政策を持たず、都市計画のないままで、建築基準法に合致するだけの建物が建てられていた。一方で経済成長は続いて、一九六〇年にはローマオリンピックを開催、急速な経済成長に伴う都市の拡大、都市への人口集中が進んだ。

日本は、明治維新以後、東京の都市建設の経緯を踏まえて一九一九（大正八）年に「都市計画法」を制定、戦後は時代に沿った都市計画の基本法の制定が検討されたが実現に至らず、高度経済成長が進む一九六八（昭和四十三）年に新たに都市計画法を制定、一九七〇（昭和四十五）年に建築基準法を改正してようやく、都市政策の基本法の体形が全面的に改定された。その間一九六四年に東京オリンピックを開催し、急速な経済成長と都市の拡大、人口集中という、イタリアと全く同じようなプロセスを辿った。

一九五〇年代は近代都市計画の理念〈モダニズム〉全盛の時代だ。日本でもイタリアでも都市の中心部、旧市街の伝統的町並みを破壊して新しい事務所や商業建築物が増えてきた（日本はその前に空襲で大部分を失っていた）。そして郊外への市街地の無秩序な拡大がこの時期ダイナミックに進んだ。都市に人口が集中する一方で都市中心部の居住人口はどんどん減っていき、都市の郊外化が進む。日本ではそのことを「都市のドーナツ化現象」と呼んで危機感を持ったが、イタリアでも同じような現象が進んでいた。

ここまでの流れはイタリアも日本も全く同じだが、このあとの対処が日本とイタリアでは大きく異なった。

■旧市街（チェントロ・ストーリコ）の衰退と新市街の拡大

イタリアは一九六七年に「橋渡し法」を制定する。すべてのコムーネにそれぞれの都市計画を策定することを義務づけて、計画がない限りすべての建築行為を認めないという法律だ。「計画なくして開発なし」というイタリアの都市政策、厳しい規制のスタートになった。都市計画で旧市街の範囲（Aゾーンと呼ばれる）を定めて伝統的町並みを守る地区詳細計画を策定しない限り、その中での建築行為を凍結した。一方その外のカンパーニャにおける建築行為は建築基準法に従えばほぼ自由であった。

橋渡し法で旧市街での開発が規制された分、郊外での市街地の開発が進み旧市街からの人口流出が続いた。一九六〇年代後半から一九七〇年代初頭にかけて旧市街の衰退と郊外の開発が目に見えて進行した。私がイタリアに留学したのは一九七〇年だから、まさにイタリアの都市の状況が最悪の時期に、そういう現実を見ていた。

一九七〇年頃の旧市街では外壁は汚れて剥落し、住む人もどんどんいなくなっていた。社会と文化のアイデンティティであるはずの旧市街が衰退していった時期だ。一方で比較的開発の自由があった郊外で、住宅や商業の新しい市街地がどんどん建設されていた。私はこうしたイタリアの現実を「この先どうなるのだろう」と心配しながら見た記憶がある。しかしその背後でこの流れを変える新しい都市政策が徐々に形を取ろうとしていた。

一九六〇年代に始まっていた都市政策の転換がオイルショックで大きく弾みがついた。ヨーロッパでは一九七三年、一九八〇年のオイルショックを深刻な環境問題として対処した。その結果自動車に頼らない街をつくることが都市計画の基本的な課題として認識された。郊外の開発を抑制し、旧市街とその周りの中心市街地で歩行者優先のコンパクトな都市を形成することが都市計画の基本的な方向になった。

郊外の市街地開発とモータリゼーションの進行をそのまま続けた日本とは全く逆方向の都市政策に、ヨーロッパはこのとき大きく舵を切った。イタリアはその先頭に立っていた。中心市街地の保存と再生が目に見えて進み始めるのが一九八〇年代だ。

■ モダニズムの路線を変えなかった日本の都市政策

日本では一九六〇年代後半から一九七〇年代前半は革新首長の時代と呼ばれ、都市政策に大きな転換の可能性

をもたらした。しかし都市の基本的な在り方の転換をもたらすまでには至らなかった。今やそのような時代があったことを記憶している人も少ない。

この時期、横浜（飛鳥田一雄市長、一九六三年〜）、東京都（美濃部亮吉知事、一九六七年〜）、大阪（大島靖市長、一九七一年〜）、京都（舩橋求己市長、一九七一年〜）、神戸（宮崎辰雄市長、一九六九年〜）、名古屋（本山政雄市長、一九七三年〜）の六大都市をはじめとして、多くの都市、府県で革新系政党の推薦する首長が誕生している。オイルショックでエネルギーと資源の限界が強く意識されたこともあって、都市の無制限な拡大に歯止めをかけることが都市政策の課題として強く意識された。旭川の買い物公園、東京銀座の歩行者天国、そして横浜、神戸、福岡などの歩行者優先道路の整備が進んで全国の中心市街地整備と都市デザインへの関心を先導した［註2・1・2］。

伝統的街並み保存が日本の都市の課題になってきたのもこの頃だ。それに呼応するように一九七六年、陣内秀信はイタリアで進行している脱近代（ポストモダン）、「都市の思想の転換点としての保存」を紹介した［註2・1・3］。

【2・1・5】1970年頃のトスカーナの小都市、ポッピの町並み。人通りは少なく、空き家が目立っていた。路上駐車の風情も寂しかった。

当時我々もヨーロッパと同じ方向を目指している、目指すべきだとの意識があった。この時代日本もまた都市のパラダイムを転換するチャンスがあったのだ。しかしそうはならなかった。日本のポストモダンは都市においては脇役にとどまり、建築においてはその本質から外れて、形ばかりのファッションで終わった。

日本ではオイルショックを乗り越えて経済成長にいっそう弾みがついた。世界一厳しい排気ガス基準や省資源、省エネルギーの技術開発が日本を世界有数のハイテク工業先進国にした。急速な経済成長とモータリゼーションの進行にますます拍車がかかって都心の拡大、郊外の住宅地とショッピングセンターの開発がなし崩しに進行する。一九八〇年代後半になると、後にバブルと呼ばれる際限のない都市開発が日本の都市のパラダイムとなった。大都市に投資が集中する一方で地方の町や村、中心市街地が衰退した。二十一世紀に入ってからの規制緩和と都市再生特別措置法の制定がさらにその傾向を加速して現在に至っている。

【2・1・6】1971年のトスカーナの小都市、コッレ・ディ・ヴァル・デルサ。丘の上の旧市街を捨てて、丘のふもとに新しい市街地が広がり続けていた。今行って見ると、丘の上の旧市街地の修復事業は完了し、写真に見る新市街地の新たな整備が進んでいる。両市街地を結ぶエレベーターのルートも出来ている。

インタビュー⑩

ロレンツォ・パチーフィコ・ヴィニーチォ・グエッラ

Lorenzo Pacifico Vinicio Guerra（呼び名はパッチョ、バリスタ、バールの主人）

「パオロがいなかったら、今のメルカテッロはなかったね」

記録はロレンツォ・パチーフィコ・ヴィニーチォ・グエッラと交わした会話に筆者の想いと解説を加えて聞き取り記録として編集した。内容に誤り、誤解があればそれはすべて筆者の責任に帰する。

僕は一度言ったことは変えない。「昨日は失敗したな、あんな返事しなきゃあよかった」と思うことがあっても、一度言ったことは変えない。その通りに約束を守る。

僕は商売人だからもう少し融通を利かせたほうがいいに決まってるんだけど、性格だね、変えないよ。二人の息子たちにもそう言って教育した。

「それがあんたのただひとつの失敗だった。世の中はそんなもんじゃない」彼らはそう言うよ。

僕の体には料理人の血が流れているんだ。だから息子たちにも流れている。息子たちはパステッチェリア（製菓業）をやってるからね。

父方のひい爺さんはこの地方の田舎で食堂をやっていた。母方の先祖も代々、田舎で食堂をやっていた。でも父方のロレンツォ爺さんだけは毛色が違ってた。

ロレンツォ爺さんは若いときにアメリカへ渡ったんだ。その頃大勢のヨーロッパ人がアメリカへ出稼ぎに行った。十九世紀末のことだ。

アメリカも労働力が欲しかった。産業革命で増えた人口が大量にヨーロッパからアメリカへ移住した、特に食いはぐれた農民の移民が多かった、そんな時代だ。ロレンツォ爺さんもアメリカへ行って一稼ぎしてこようと考えたんだな。そしてその通りになった。

彼みたいなのがたくさんいたんだ。ここメルカテッロからもたくさんアメリカに出稼ぎに行ってる。みんな貧しかったんだよ。農業じゃあ食っていけないから都会へ出る。「そんならいっそアメリカまで行ってしまおうか」というノリだな。

ロレンツォ爺さんはアメリカで貯めたお金を持って帰って来てモンテダーレ村の農地を買った。食っていくのに十分の農地を買って、自作農家になったんだ。

モンテダーレ村はメルカテッロの南西の端っこになる。町から八キロほど山の中に入ったところだ。親父のガスパーレはそこで十八歳までロレンツォ爺さんを手伝って農業をやったと話してたよ。料理人になったのは人生も後半になってからだ。

料理人になる前に親父は十年間ほど、三十三歳までファーノの町の伯爵家にお勤めしている。そこで働いたからだと思うよ、田舎育ちの割には親父はえらく身だしなみが良かった。環境が人をつくるからねえ、血筋と環境だね、人は。

給仕長をしていたからそこで料理の基本を学んだんだ。母のドメニカとはこの頃に結婚している。親父は住み込みで働いていたから、二人の生活はファーノの伯爵家のお屋敷から始まったんだな。

戦争が始まる頃親父は故郷のメルカテッロに帰って来て修道院の料理人になった。修道院があったから修道院通りというんだ、修道院は今はなくなってるけど通りの名前は残っている。そこで一九五二年まで働いて、それからようやく自分の店を持った。四十七歳のときだ。

店は広場に面したお屋敷パラッツォ・ガスパリーニの隣だったから店の名前は「ガスパリーノ」だった。いい名前だったけど長続きしなかった。親父の人生も試行錯誤だったんだな、僕もそれに似たところがあるんだ。

店をたたんで二年間、港町ジェノヴァで姉がやっているバールを手伝いに行って、そこはえらく調子が良かったらしい。「いっそ家族を呼んでジェノヴァで暮らしたらどう」って姉には言われたらしいけど、やっぱりメルカテッロを離れるのは嫌だったんだろう、帰って来て、サンタキアラ通りに食堂を開いたんだけど今度はうまくいった。

店の名前は付けてなかったと思うよ。みんな「グエッラの店」と名字で呼んでいたんだ。安くて美味しい大衆食堂だったよ。大繁盛もいいところだった。

僕がちょうど小学校を出て、ファレニャーメ（家具職人）のチェルポリーニ親方のところで働き始めたばかりだった。教区教会のすぐ近くに工房があった。その頃はファレニャーメはみんな町なかの一階に小さな自分の工房を構えて仕事をしていたんだ。朝自分の家を出て、ガリバルディ広場を横切って親方の工房へ行くんだ。家から一〇〇メートルも離れてない。お昼休みになると走って家に戻って、食堂の給仕の手伝いをしたよ。店はお客さんでいっぱいなんだ。家族みんなで働いた。

みんな活き活きしていたなあ、家が一番充実してたときだなあ、今思うと。

三時間の昼休みが終わる頃、今度は工房に走って帰ったんだ。自分のお昼を食べる暇はなかったから、パニーニ（イタリア式サンドイッチ）を手に持って、かじりながら走って帰るんだ。そうやって毎日暮らしていた。

このときお客さんと話すのがすごく楽しかった。客の注文を聞いたり、料理を運んだり、それだけじゃない、声をかけ合ったり軽口たたいたりして、そこにはまた別の世界があるんだ。客と給仕人の間に出来る独特の世界があるんだよ。それをそのとき僕は知ったんだと思うよ。

親父の料理はすごく美味しかったから評判が良かった。パスタやポレンタ（トウモロコシの粉の料理）や煮込み料理、どれもただの家庭料理だけど丁寧に手間をかけてつくるんだ。前の日から仕込んで、手を抜くことがなかった。それを見ていて思ったんだ、料理はただの「労働」ではないんだとね。

自分が納得するものをつくる、だから料理は芸術と同じだと子供ながらに分かったね。今でもそう思ってるよ。息子たちは菓子屋になってるけど、彼らを見ているとやっぱりそんな仕事をしてるから、どこかでその思いがつながってるんだろうねえ。

小学校を出てから十年間、二十二歳までファレニャーメの仕事をした。左手の中指と薬指をなくしているのはそのときの勲章だ。でもファレニャーメの仕事は性格的に僕に合っていないことがやっているうちに分かった。自分一人で仕事をするよりは、人と話しながら賑やかにしているのが好きなんだ。ファレニャーメや料理人のように仕事場に閉じこもって、自分の手元を見て、じっくりと仕事を仕上げていく。そんな職人の仕事よりも、みんなでわいわい言いながら働くのが好きなんだ。お客さんと声をかけ合って働くほうが性に合ってる。

親父もそう思ったんだろう、海辺の町ペーザロの国鉄の駅の近くで売りに出たバールを買って、「お前バリスタになれ」って言ってくれた。

ペーザロのバールをやってどうやら自信もついてきた頃にガブリエッラと結婚した。それからはバールの経営も二人で頑張ったからやりがいもあった。繁盛したよ。

彼女とは三つ違いの幼馴染だ。彼女はこの町で一番古い家で生まれたんだよ。カーサ・ディ・モルト(死者の家)と呼ばれている家だ。昔は葬式のときにだけ開ける特別の出入口があったんだけど、それが彼女の家には残っている。だからそんな風に呼ばれている。

六十歳で年金生活に入るまでバリスタをやった。天職だったね、僕にとってはバリスタが。実に楽しく働いたよ。

バールは町なかのもうひとつの町議会だ。役場の町議会が父親だとしたら、バールは母親だな。両親がそろって家族が出来る、そんな関係だ。バールがなかったらイタリアの社会は成立しないよ。

　バールは町のロビーなんだ。朝は仕事に出る前に立ち寄って濃いエスプレッソを飲む。それで、「さあ、やるぞ！」という気になって仕事に行くんだ。そこで落ち合ってその日一日の仕事の段取りを決めてしまったりする。ブリオシとカップチーノで軽い朝食を済ませて仕事に行く者もいる。

　十時頃になるとまたやって来て、エスプレッソを飲んで一休み。最近はお昼の食事をバールのパニーニで済ますってこともやるようになったから、イタリアの生活もずいぶん忙しくなったもんだ。

　夕方仕事が終わるとバールに寄って軽く食前酒を飲みながらおしゃべりをする。これで仕事に区切りを付けて、ほっとした気分で家に帰る。家で家族が待っている。幸せな一日が今日も過ぎていったな、ということになる。

　休みの日になると町に出てくる人が多いから、バールは一日中忙しい。

　外のテラスの椅子に座ってゆっくりくつろぐお客さんも多いから、そこまで飲み物を運んだり、注文を聞いたり、賑やかで楽しいんだ。バリスタはそうやって町のみんなと一緒に生きてるんだ。

　イタリア人は政治が大好きだからバールではよく政治談議に花が咲く。だからもうひとつの町議会だというのはただの例えではないんだ、実質なんだよ。バールで世論が形成されるんだ。それがここにいると分かるよ。利害関係の微妙な調整も何となくできてくることがある。まさにロビー活動だな、コミュニティのロビーだよ。

　ヨーロッパの町にはどこにもバールがあるよね。呼び名は違うけど似たようなもんだ。フランスではカフェ、イギリスではパブ、ドイツではビアホール。案外これが民主主義社会の土壌になっているのかもしれないね。

　僕はペーザロの町のバールを二十年間経営した。たくさんのお客さんと仲良しになったよ。今でもずっと付き合ってる。ペーザロにはそんな友達がたくさんいるんだ。僕は友達はとても大切だと考えている。人と付き合うのが好きだし、声をかけ合うのが好きだ。そんな生活を大事にしているんだ。それが僕の生き方なんだよ。

メルカテッロにはしょっちゅう帰って来てたよ。ペーザロの町にも親しい友達はたくさんいるけど、それとメルカテッロの付き合いとは違うんだ。二十年間バールを経営して親しい仲間も出来たけど、僕にとってはやっぱり外の社会なんだな。メルカテッロの仲間は身内なんだよ。分かるかなあ、この感じが。だからどうしてもメルカテッロに帰って来てしまうんだ。

そうしてるうちにメルカテッロで土地を買って家を建てた。両親には何も相談しなかった。二軒続きのテラスハウスを建てて、サン・ジュスティーノの町で弁護士をやっている兄のラニエーロに「隣に住まないか」と誘ったら、「そうする」と言って買ったよ。

そしてまた両親には何も相談せずに、メルカテッロでバールの営業権を買ってしまった。ペーザロの町のバールを引き払ってメルカテッロに帰って来たんだ。四十二歳だった。親父は呆れてたよ。「お金はどうするんだ」と言ってたけど、全部銀行から借りたんだ。八年で返してしまった。

メルカテッロで開くバールではやりたいことがあった。女の人も楽しめる、そんなバールにしたかったんだ。それまでのメルカテッロのバールは、男が主体の店だった。女が来ることは考えてなかった。ここでは女の人も楽しめるように考えたんだ。僕は何にしても最初にやるのが好きなんだ。人がやってることを後追いするのには情熱を持てないんだ。

大きなガラスの窓を付けて明るくした。ヴァンヌッチ通りと七月二十八日通りの角地いっぱいを使って、思い切り明るいサロン風のテーブル席がつくれたんだ。アイスクリームを出して、ケーキもいろんなのを並べて、女の人も来たくなるような店にしたんだ。アイスクリームもケーキも自家製だ。これも先を見込んで始めたんだよ。

みんなが僕のことを「パッチョ」と呼ぶから、バールの名前は最初「パッチョ」にしたんだけど、その後この地方の一番古い地名を取って「ピエヴェ・ディーコ(ディーコ村)」に変えたんだ。今は営業権を若いメルカテッロの住人、ステファーノに譲ってるけど彼もずっとその名前でやっている。始めたとき営業権だけでなく、建物も買って手直しした。上の階も買ってもっと大きなバールにしたかったが、このとき町長をやっていたのがパオロ・チンチッラだ、彼が「そこは低所得者の公共アパートにすることにしているから駄目だ」と言うのでそれは諦めた。そのとき僕は思ったんだ。「パオロ・チンチッラは本当に真面目に町のことを考えている」ってね。それ以来僕はパオロの仕事振りを注意して見てきた。彼は本当にいい仕事をした。心から尊敬している。

彼はそのとき僕の仕事の邪魔をしたんだけど、そのことでむしろ彼の真摯な生き方が分かって尊敬するようになった。彼はある意味僕と共通する価値観があるんだな。こうと言ったら変えない。妥協しないんだ。そして彼には、今何が必要かを的確に読む知性と良識と、それを実行する勇気があった。彼がそれまで眠っていたメルカテッロを目覚めさせたんだ。

彼はそのために町長になったんだ。サン・セポールクロの町で高校の歴史の先生をやりながら、一九八五年から十年間、二期、町長を務めた。メルカテッロがやらなくちゃならないのにやってこなかったことをその間に全部やった。僕の兄のラニエーロもメルカテッロの町長をやっていた時期があるんだけど、彼はそれまでと同じように何もやらなかった。今のメルカテッロはパオロなしではあり得なかったと僕は言うね。

パオロは町の下水道を整備し、街灯を整え、介護老人施設を改修し、スポーツ公園を整備し、町役場にコンピューターを導入した。住む人がいなくなっていたお屋敷パラッツォ・ガスパリーニを町で買い取って修復したのも彼だ。

コンピューター導入に際しては、彼の弟でコンピューターの専門家であるジュセッペの知恵を借りたに違いない。しかし彼の会社には仕事を発注しなかった。よからぬ憶測をされる種は一切つくらなかった。

コムーネの小さな車を使って何度もローマに行ってはかけ合って、補助金を取ってきた。公費で宿泊費と食事代は出るんだけど、日帰りで、食事はパニーニだった。「我々のコムーネは貧しいんだ」と言って自ら改革の手本を示し続けたんだ。その頃はみんなが彼と一緒に歩いたんだ。十年以上も前のことだから、みんな忘れかけているかもしれないけど、僕は忘れない。

パオロほどじゃあないけど僕もその頃新しいことを始めていた。メルカテッロの町なかで仕事場を借りて、菓子づくりを始めたんだ。息子のアントニオとマルコも一緒にやってくれてうまくいっている。

バールに出してお客さんに喜んでもらうんだけど、最初からメルカテッロの中だけで商売するなんて考えてなかったよ。ここを中心に半径三五キロから五〇キロをマーケットと考えたんだ。西はトスカーナ州のサン・セポールクロやウンブリア州のチッタ・ディ・カステッロ、東はウルビーノやその先の町までここから運んでいけると考えた。親父が料理屋をやってたときのように丁寧な仕事をしたんだ。材料は地元で採れる新鮮な卵や乳製品を使った。工場製品を仕入れてきて使うようなことはしなかった。だから評判が良くて、方々のバールやレストランから引き合いがあった。

長男のアントニオはウルビーノの芸術アカデミーを中退して菓子屋になったんだ。天職だと自覚してからはフランスまで勉強に行った。パリとリヨンの菓子屋で修行して、メルカテッロで独自のアイスクリームをつくり始めた。これが評判になってアメリカやロシアから引き合いがあって技術指導に行ってるよ。中国には今までに三回行ってる。日本からも来たよ。名古屋のお菓子屋さんに技術指導している。そこの親父さんははるばるメルカテッロまでやって来て、うちの工場を見学して帰ったよ。

五年前に仕事場を町の外の職人工場ゾーンに移してそこでやっている。夜の十時に焼きあがる菓子パンがあって、それを目当てに町の人たちが工場まで買いに来てくれたりする。

僕は働いてるときが一番幸せだ。それもみんなとわいわい言いながら働くのが大好きだ。だから年金生活になった今も、毎日忙しく働いてるんだ。

パオロ・チンチッラも高校教師を退職して今はコンピューターのＳＮＳ（ソーシャル・ネットワーク・サービス）を楽しんでいる。やっぱり生真面目な顔して、奥さんのヴェーラと一緒に山越えのサイクリングをやってるよ。

2　戦後システムの再構築に舵を切ったイタリア

一九七〇年代初めに歩いたイタリアの中心市街地（チェントロ）の様子は今様変わりしている。廃屋、売り家の貼り紙が目立っていたかつての旧市街（チェントロ・ストーリコ）に人が戻っている。自動車を締め出した街は楽しい歩行者優先の街になり、観光客も増えた。そして何よりも、町の住民がのびのびと誇らしげに街にたむろしている。子供たちが街を駆け回って遊んでいる。

■イタリアにおける新しい都市政策の始まり

イタリアでは一九六〇年のグッビオ会議、「歴史的・文化的都市保存全国会議」が旧市街の保全を提案、イタリアの各地で先進的な都市計画が提案され、策定されていく。そのなかで一九六〇年のジャンカルロ・デ・カルロによる「ウルビーノ再生計画」は旧市街の保全と地域の発展の枠組みを提案した時代を先取りする画期的なものだった。デ・カルロはそれ以前、一九五三年に近代建築、都市計画の理念〈モダニズム〉に初めて「ＮＯ」を表明したチーム・テンを結成している。建築と都市の脱近代〈ポストモダン〉はここから始まっている。

一九六九年にボローニャで都市基本計画が制定された。旧市街と郊外の開発をセットで考えるという今に通じる全く新しい提案だった。旧市街の範囲を定めて開発を厳しく規制すること、さらにその周辺に範囲を定めて新市街地を計画的に建設すること、この二つがその後すべてのコムーネの都市計画の定番になった。

一九六七年の「橋渡し法」、それに続く一九七七年の「ブカロッシ法」によって州とコムーネはそれぞれの都市計画を持たない限り厳しく建築行為が制限されることになった。すべての州とコムーネは自らの責任で自らの都市計画を考えねばならない状況がつくられた。

それに対応すべく国から州への権限委譲が進み、憲法第五条に定められている地方自治が強化された。一九七〇年に二〇の州制度が整い、新しい権限配分に従って地方自治に関わる立法権が州に、行政権がコムーネに移譲された。自分の町のことは自分で考えて自分で責任を持つという、地方分権の都市政策がこの頃から本格的に始まった。

州への権限移譲は国土整備の分野で特に進んでおり、州の都市計画、景観計画の立法に関してはほぼ完全に権

【2・2・1】2009年。「トスカーナ・ワイン祭り」でにぎわうポッピ。イタリアの旧市街は甦った。 1970年頃のポッピ写真【2-1-5】と同じ場所だ。その違いは明瞭だ。

限移譲されている。地方の特性が尊重される農業、手工業、商業、環境に関する立法の権限も州に移譲されている。地方自治体の財政自治も認められている。

コムーネは州の広域都市計画、景観計画に沿って自らの都市計画を策定し州の承認を得る。計画を策定する責任と権限はコムーネにある。コムーネは自らの責任において計画に基づく行政権を行使する。

一方、社会福祉、教育、経済、国の財政、外交、国防は国が対応する。警察権力は、一部の交通警察を除いて、国が持っている。

一九八〇年代からはイタリアの各地で旧市街の整備と商業の活性化が顕著に見られるようになった。旧市街の再生が進み始めたのだ。

中心市街地、特に旧市街の自動車交通を規制して歩行者優先の都市整備が進んだ。下水道を整備し、同時に道路の舗装を整備した。

旧市街の外に大規模な公共の駐車場を整備した。しばしばそれは目立たないように地下に設けられて、丘の上の旧市街とはエスカレーターやエレベーターで結ばれた。それに伴って旧市街の建物の修復が進み、外壁が見違えるように綺麗になってきた。八〇年代後半には旧市街の住宅の価格が上がって収入の低い人が住みにくくなるという逆転現象、ジェントリフィケーションまで起きてきた。

中心市街地の商業立地は都市計画の重要なテーマである。

モータリーゼーションの進行に伴う大型小売店の進出を規制して小型店舗の立地を守ることはイタリアでも重要な課題で、一九七一年に定められた国内法「小売店舗立地法」によって中心市街地の小売店舗が保護されてきた。

メルカテッロでも一九八九年に商業計画を策定している。その後一九九八年「ベルサーニ法」によって商業施設立地の規制は量的規制から質的規制へと変わり、許認可の権限は州にゆだねられている。メルカテッロの属するマルケ州は大型小売店の立地規制が比較的緩い州だと言われる。メルカテッロは山奥の小さな町だから、もともと大型店やチェーン店が進出してくる心配はない。しかし共同購買グループや小売店協同組合による新業態の小規模店舗が現れており、従来旧市街に並んでいた家族経営の小売店舗の立地は次第に難しくなっている。

中心市街地の活性化、景観整備が進む一方で農業人口の減少に伴う廃屋、廃集落化、田園地帯の生活と風景の荒廃が問題の焦点になってきた。郊外の建築行為は規制されていたが、農地や山林、河川などの歴史的な自然景観の荒廃はこの頃までほとんど放置されていたのだ。

■景観計画と地方分権

こうした流れを受けて、一九八五年に「ガラッソ法」が定められた。これは州による景観計画を義務づけたもので、景観計画が出来ない限り一切の開発をしてはいけないという法律だった。一九六七年の橋渡し法に続いて、「計画なくして開発なし」という法律が再度つくられたのだ。

州はその全域をカバーする景観計画をつくり、それを受けてコムーネは市街地と山や田園地帯の全域をカバーする総合的な「都市基本計画」をつくらねばならない、そうしない限り一切の開発行為が認められない。ガラッソ法がそういう状況をつくった。

こうしてイタリアは旧市街～中心市街地～田園地帯のすべてにわたる都市基本計画を景観計画として策定するシステムを整えた。

イタリアの都市政策の流れを見ていくと、都市計画の目指すところが市民の豊かな生活を守ることであり、その中で景観計画を基本に据えていることが分かる。

道路を通したり、新市街地を建設したり、旧市街地を整備したりするには都市計画が必要だが、その計画の最も重要な価値基準は都市とそれを囲む田園の景観をいかに美しく守り育てるかというところにある。

イタリアに限らず今やヨーロッパの主要国は景観の〈保存〉、〈管理〉、〈計画〉を国土計画の最優先課題にしている。景観問題に関して協力することを目的に二〇〇〇年に欧州評議会（Council of Europe）で採択された「欧州景観条約」には「地域計画、都市計画、文化・環境・農業・社会・経済政策、その他直接・間接に景観に影響を与える可能性のある政策に景観配慮を組み込むことにより、総合的な景観政策を実現しなければならない」とする原則が盛り込まれている。日本の景観法では景観への「考慮を促し」ているのに対してここでは、景観への「配慮を義務付け」ているところに根本的な違いがある［註2・2・1］。

ガラッソ法以降にイタリアが強力に進めてきた景観政策は欧州景観条約の原則を先取りしたものであった。イタリアはその後二〇〇四年「ウルバーニ法典」、二〇一八年「イタリア景観憲章」を制定、国と州、コムーネの分担をより明確に定め、景観アセスメントの許可手続きを明確にするなど、景観政策を一層強力に推進している。

一九七〇年代から始まった地方分権の動きは、九〇年代にＥＵ統合の影響を受けて加速された。一九九〇年の「新地方自治法」が行政の分権化と税財政の分権化を強く推進する端緒となった。地方分権が進むにつれてコムーネは自らの都市政策を持たねばならないことを自覚する。

【2・2・2】トスカーナ州アレッツォは旧市街のすぐ外に大規模な駐車場を整備した。駐車場と旧市街はエスカレーターで結ばれている。イタリアの歴史的中心市街地は歩行者優先の街として甦っている。

■眠りを覚ましたメルカテッロ

メルカテッロは一九六七年制定の橋渡し法を受けて、一九七二年最初の都市計画である都市建設計画を策定する。その後一九八五年から一九九五年までがパオロ・チンチッラの町長在任期間だ。パオロが今のメルカテッロの基本的な社会の仕組みをつくった人で、「眠っていたメルカテッロを目覚めさせた人物」だとかっての支持者は言う。

メルカテッロでは新都市建設計画改定（一九八五年）、旧市街の地区詳細計画（一九八八年）、商業計画（一九八九年）、メルカテッロ憲章（一九九一年）、カステッロ・デッラ・ピエヴェの地区詳細計画（一九九二年）、都市基本計画（一九九五年策定、一九九六年発効）を十年で一気につくり上げた。これらは地方分権、景観計画の強化というイタリア全土に課せられた重要な課題に対応するものだった。メルカテッロは小さな町だが、都市基本計画を県で二番目につくった自治体だ。先鞭をつけたと言って良い。

メルカテッロは経済的に弱い地方都市で、目立つような開発もないし何もする必要がないという、眠ったような町だった。それは今にしてみれば幸いだったとパオロは言う。比較的裕福なトスカーナ州の都市では、橋渡し法制定以前に歴史的な街並みが破壊された例が多くある。しかしメルカテッロの旧市街は歴史的町並みがほとんど手つかずで残っている。

パオロは新しい貯水場を造って、朝、昼、夕に二時間ずつしか給水できなかった公共水道に二十四時間いつでも水が出る十分な水量を確保した。着任して二年目に既に着工していた公共下水道、浄化槽が完成し、都市の生命線が整った。それに加えてスポーツ公園の整備、町営住宅の建設、戦争犠牲者記念碑のある公園の整備、サン・フランチェスコ修道院の跡を使っていた当時の介護老人施設にはエレベーターを付けてそれに相応しい環境を整えるなど、矢継ぎ早に遅れていた都市整備に着手した。

年代	■イタリアの歩み　★メルカテッロの歩み　●日本の歩み
1972	■大統領令：国から州への権限移譲を指示　★都市建設計画を策定：Aゾーンを指定
1973	■●第1次オイルショック：省資源、省エネルギーの課題が顕在化
1974	●大規模小売店舗法:大規模店舗の出店を規制
1975	■地方自治法 Legge n.382：地方分権の具体化
1970年代後半	■Centro Storico(旧市街)の再生、活性化が進む　★農業地帯の過疎化、廃集落化、中心市街地の拡大が進む　●経済成長、東京一極集中、経済大国へと加速
1977	■ブカロッシ法 Legge n.328：建築許可制の強化
1980	■●第2次オイルショック：省資源、省エネルギーの課題がさらに顕在化　★Centro Storico (旧市街) の地区詳細計画を策定
1985	■ガラッソ法Legge n.431：州による風景計画、それに基づくコムーネの都市基本計画策定を義務化　★都市建設計画を改定
1988	★Centro Storico (旧市街) の地区詳細計画を改定
1989	★商業計画を策定
1990	■新地方自治法 Legge n.142：税財政分権の実施　●バブル崩壊
1992	★小集落Castello della Pieveの地区詳細計画を策定
1995	★都市基本計画を策定(‘96発効)　●阪神・淡路大震災
1997	■ベルサーニ令D.Lgs. n.114/98：商業店舗規制の裁量権を州へ委譲
2000	■ヨーロッパ景観条約　★都市憲章を制定　●大規模小売店舗立地法：大規模店舗の規模規制を撤廃
2001	■憲法改正：地方分権の完成
2002	●都市再生特別措置法：都市再生特別地区の大規模都市開発が始まる
2004	●景観法：我が国初の景観に関する根拠法の制定
2004～2008	■ウルバーニ法：景観政策における国と地方の役割規定と景観アセスメントの許認可規定
2006	★都市基本計画を改訂
2008	★Castello della Pieveの地区詳細計画を改訂
2011	●東日本大震災　●市町村合併を促進 (平成の大合併、3234→1718市町村)
2012	★Centro Storico (旧市街) の地区詳細計画を改訂
2015	■EXPO di Milano
2018	■イタリア景観憲章
2020	●東京オリンピック (本書発行時では2021年に延期になった)
2025	●大阪万国博覧会

【表2-2-1】イタリア、メルカテッロ、日本の地方分権、都市政策の歩み

年代	■イタリアの歩み　★メルカテッロの歩み　●日本の歩み
国家統一以前	■約8000の自治体（現在のコムーネ、数もほぼ同じ）　●約70000の村
1861	■イタリア統一国家・イタリア王国が成立
1868	●明治維新、中央集権国家を目指す
1889	●市町村制、市町村数15,859に
1909	■文化財保護法 Legge n.364
1927,1934	■人口2000人以下のコムーネの統廃合の動き r.d.l.n.383/1927 , r.d.l.n.383/1934
1938	●国家総動員法による中央集権国家体制の確立
1939	■文化財保護法 Legge n.1089　■自然美保護法 Legge n.1497
1940～	■第2次世界大戦
1941～	●第2次世界大戦(太平洋戦争)
1942	■都市計画法
1945	■●終戦
1946	●新憲法発布
1948	■新憲法発布
1950	●文化財保護法
1950～'60年代	■●戦後復興、急速な経済発展、工業化、都市化の進行　■コムーネの自治を議論　■Centro Storico（旧市街）の破壊と新開発の進行　★急速な人口移動―大都市への人口流出、国外への出稼ぎ移民、農業人口の減少、Centroの工業化、Centroへの人口流入
1953	■王政時代に統廃合されたコムーネの復建 Legge n.71
1960	■ローマオリンピック　■グッビオ会議：歴史的・文化的都市保存会議
1961	●昭和の大合併、市町村数3,472に
1964	●東京オリンピック　■G.C.De Carloによるウルビーノ都市計画 1967
1967	■橋渡し法:Centro Storico（旧市街）の保護（Aゾーンの設定）
1968	●都市計画法
1960年代後半～'70年代前半	■●さらなる経済成長、都市化の進行　■Centro Storico（旧市街）の衰退と郊外開発の進行
1969	■ボローニャの都市基本計画:旧市街の保護と郊外開発の並立、都市類型学の手法による都市計画の嚆矢
1970	●大阪万国博覧会　■州制度の実行Legge n.281：国から州へ権限移譲を志向／立法権は州へ、行政権はコムーネへ
1970～	●都心部と郊外の急速な都市化：モータリゼーション、商店街の衰退が進行

さらにコムーネの事務にはコンピューターを導入した。

彼は住む人がいなくなったお屋敷パラッツォ・ガスパリーニを県の助成を引き出して町で買い取って改修した。パラッツォ・ガスパリーニは広場の正面に建っていて、町の重要なシンボルだ。ガスパリーニの館は町の中心広場と旧市街の重要性を誰の目にも明確に印象づけている。その活用はまだ十分ではないが、コムーネがそれを所有していることは将来の都市計画に対する重要な布石だ。

その他にも彼は中心市街地の外周道路の完成、閉鎖している町営劇場の再生、旧修道院の整備と活用など、メルカテッロの町を生き返らせるに十分な都市整備の構想を持っていたが、彼の在任期間中には目途が立たなかった。

パオロはこの時代に共に働いた仲間と役所の人材に恵まれたと言う。みんなで力を合わせてメルカテッロを生き返らせた。市民もそれを支持した。

地方分権への転換のタイミングがパオロ・チンチッラに活躍の場を与えたのか、パオロ・チンチッラが地方分権に光を当てたのか、いずれにしてもメルカテッロにとってこの時期にパオロがいたことは幸運だった。パオロ

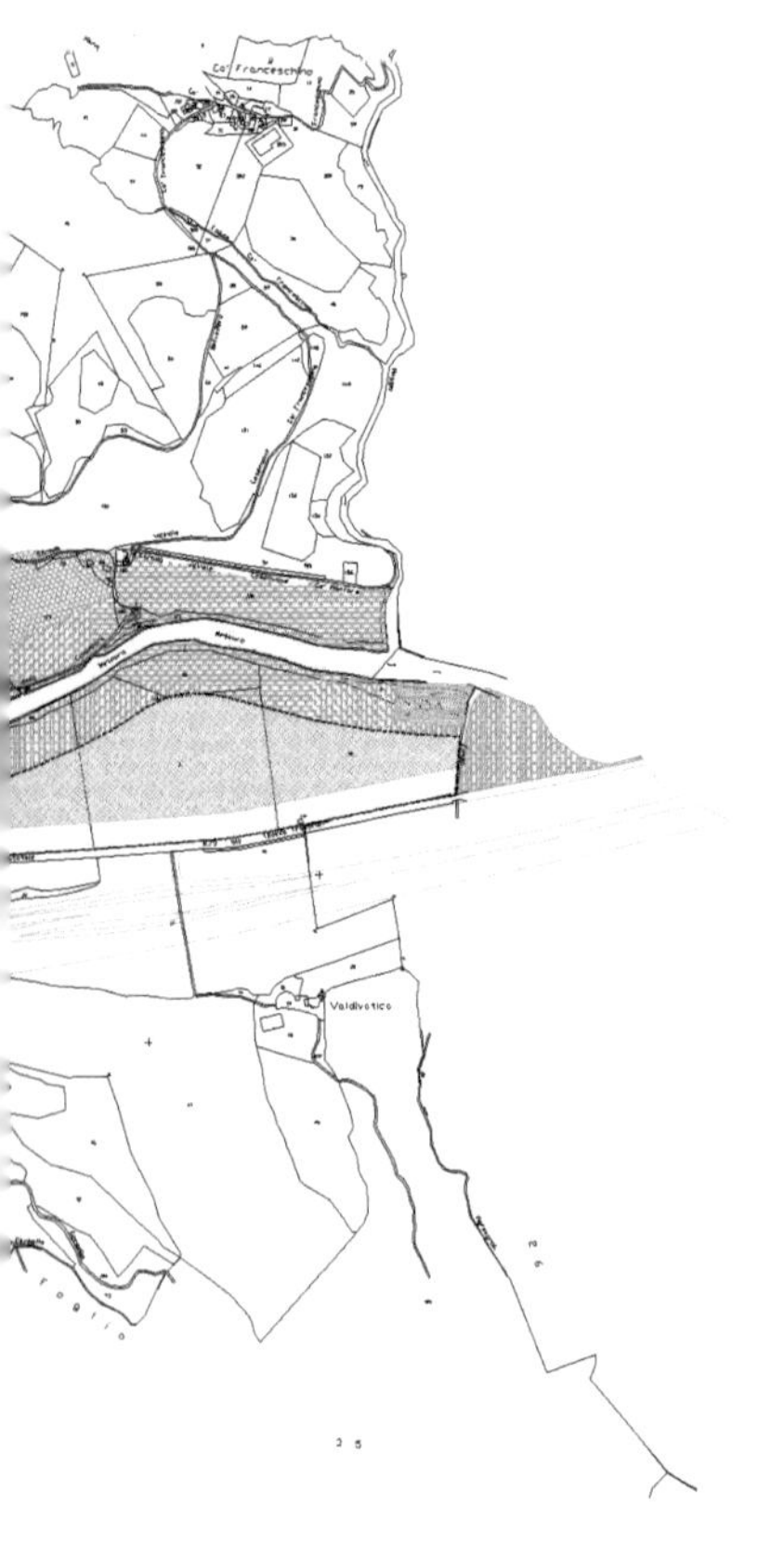

【図 2-2-1】
メルカテッロの市街化区域
2006 年都市基本計画図

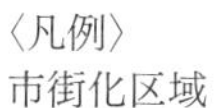

〈凡例〉
市街化区域

保存地区 保存建物

 A1　 A3　 A4

新市街用地

B1*　B1'　B1.a　B2

新市街予備地

C1　C4　C5　C6　C7

再整備対象市街地

1　2　3　4　5

Zona B1 destinata esclusivamente alla costruzione di locali per mostre ed esposizioni (Hmax = ml. 4,50)

Zona B1 con aumento di volume non superiore a mc. 100

産業用地

D1　D2　D3　D4　D6

D7

公共用地 公有地

ZONE DESTINATE ALLA VIABILITA' E RELATIVE AREE DI RISPETTO

ZONE DESTINATE A PARCHEGGIO

ZONE DESTINATE AD ATTREZZATURE DI USO PUBBLICO

ZONE DESTINATE A VERDE PUBBLICO ATTREZZATO

ZONE DESTINATE AD ATTREZZATURE SPORTIVE

ZONE DI RISPETTO FLUVIALE

ZONE DESTINATE A VERDE PRIVATO

VIVAIO PROVINCIALE"

ZONE DESTINATE AD ATTREZZATURE DI INTERESSE GENERALE

VINCOLO CIMITERIALE

ZONE CON P.P.E. IN FASE DI COMPLETAMENTO

ZONE DA ASSOGGETTARE A P.E.E. UNITARIO

ZONE DI TUTELA COSI' COME DA ADEGUAMENTO AL P.P.A.R.

INIZIO E/O FINE DEL CENTRO ABITATO

PERCORSI PEDONALI E CICLABILI

都市施設予備地

は今は一切政治とは関係のない生活をしているが、当時の彼のサポーターたちは今でもそのときの働きを誇りにしている。自分たちの町は自分たちでつくり、自分たちで守る。そのような強い意識が町に生まれたのだ。そのような意識を生んだのは地方分権と切り離して考えられない。民主主義の基礎は地方自治にあると言われるが、パオロの時代のメルカテッロにそれを見る思いだ。

パオロの後を継いで町長になったマルケッティ、その後のピストーラは実行力のある町長だった。マルケッティはパラッツォ・ガスパリーニの修復をやり遂げ、サン・フランチェスコ修道院を改修して歴史美術館をつくり、大きなピクニック公園をつくり、その一角に介護老人施設「休息の家」を建て、旧市街地の建物のファサードの修復事業を進めた。

ピストーラはガリバルディ広場の舗装を改修し、街の夜間照明を改良、歴史美術館を拡張、パラッツォ・ガスパリーニに現代美術館を新設し、郊外に緊急用のヘリポートを建設した。

二〇一五年に選ばれた初めての女性町長フェルナンダは町の入口の公園に新しいバールを誘致するなど若い住民を意識したきめ細かな都市政策を進めている。長年使われていなかったベンチベンニ劇場を再利用する資金の目途もつけた。

パオロの跡を継いだ彼らは目覚めたメルカテッロを引っ張って、多くの事業を推進した。その成果が二〇〇二年、イタリア観光協会の「オレンジ・フラッグ」指定、二〇一八年の「イタリアで一番美しい町協会」参加認定に結びついた。これらが町の観光客誘致に徐々に効果を上げ始めて、観光が町の主要な産業になりつつある。

二〇〇〇年には地方自治法が集大成され、二〇〇一年に憲法が改定されてイタリアの地方分権が完成したと言われる。改定された憲法第一一四条は以下のように変わった。

旧憲法「共和国は、州、県、およびコムーネに区分される」

新憲法「共和国は、コムーネ、県、大都市、州および国から成り立つ」旧憲法ではまず国（共和国）があって、その構成単位のひとつとしてコムーネが位置づけられている。新憲法ではコムーネ、県、州、国が並列だ。この四つの機関で共和国を構成するとされている。地方分権とはそういうものなのだと分からせてくれる。

メルカテッロは一九九一年に町の憲法ともいえる「メルカテッロ憲章」を制定し一九九五年に改定している。国の地方自治法の集大成に合わせて、二〇〇〇年にさらに改定して一〇二条からなる現行の「メルカテッロ憲章」を制定した。自分の町のことは国やほかの誰かがやってくれるのではなく自分たちでやるものだ。イタリアの都市政策が地方分権の推進と不可分の関係にあったことが分かる［表2・2・1］。

■メルカテッロの都市基本計画

イタリアのすべてのコムーネは都市基本計画（Piano Regolatore Generale）を持っている。州の景観計画、都市計画に従ってそれぞれのコムーネが自らの都市基本計画を策定する。最後に州の承認を経て発効する。

日本の都市計画の及ぶ区域は全国土の二五％ぐらいしかカバーしていないが、イタリアの都市基本計画は一〇〇％カバーしている。市街地だけでなく、山林や田園地帯のすべてを含む国土の総合的な利用、整備、景観計画だ。

メルカテッロの一九九六年の都市基本計画の前文には「メルカテッロ全域を対象にした計画であり、したがって一五〇〇人すべての町民に関わる計画である」と念を押すように書かれている。

都市基本計画では市街化すべき範囲、すなわち中心市街地（チェントロ）の範囲を定めている。手工業者ゾーン一六・八ヘクタールを含む三三・一ヘクタールの範囲が中心市街地に定められている。新規の建築行為が認められるゾーンだ。

【2・2・3】街のすぐ外、メタウロ川に沿ってサッカー場のあるスポーツ公園、参道のある墓地、そしてピクニック公園が整えられている。

その周囲を公園や河川緑地などの公共・公的施設地区四九・九ヘクタールが囲み、その外側は原則として新しい建築行為が許されない田園地帯だ。そこでは河川沿いの緑地や田園地帯の灌木林の保護、重要な建造物や歴史的な地形、自然環境の保全が計られている【図2・2・1】。

中心市街地の中に、旧市街（Aゾーン）六ヘクタールが規定されている。ここでは都市基本計画とは別に「地区詳細計画」を定めて街並みを保存している（後に詳述する）。

郊外の大きな廃棄された農家集落であるカステッロ・デッラ・ピエヴェ三ヘクタールにも「地区詳細計画」を定めて保存している。

二〇〇〇年代になって都市基本計画、旧市街（Aゾーン）とカステッロ・デッラ・ピエヴェの地区詳細計画はいずれも改定されているが、より詳細、緻密に、運用に主眼を置いて改定されただけで基本的方針と内容は変わっていない。

■メルカテッロの財政

人口一四〇〇人の一般財政の規模は単年度概ね二二〇〜二三〇万ユーロ（二億六〇〇〇万円〜二億八〇〇〇万円）だ。一人当たり二〇万円ほどになる［註2・2・2］。一般歳入は町の財源による収入が約三〇%、その他が国と州からの交付金だ。

コムーネの支出の主なものは道路、公園、公共下水道、公共建物の清掃、維持管理費、光熱費、通信費、コムーネ職員の人件費、スクールバスの運行費など住民の日常生活に直結した費用だ。コムーネの議員はほとんど無給で、シンダコ（町長）もそれに近いことは前に述べた。地方警察、消防、救急活動などは他の複数のコムーネと連携して共同で負担する。ごみ収集、分別作業も民間業者に共同で委託している。教育費、年金、医療費など国民の生活を保障する基本的な費用は全額、国または州の負担だ。

お屋敷パラッツォ・ガスパリーニの買収、修復、スポーツ公園設置や歴史美術館拡充、中央広場の舗装改修、中心市街地の街灯整備事業、ベンチベンニ劇場修復のように、比較的大きな都市計画事業があるときには財政規模がそれに応じて大きくなる。そのような事業は州や国やＥＵに提案して、それが認められたら別会計で入ってくる仕組みになっている。時期を得たプロジェクトの策定と補助金の獲得は町長を頭にする理事会とコムーネ職員の腕の見せどころになる。

町の生活を豊かにするのもありきたりの生活で行くのも、すべて市民の自覚とやる気にかかっている。そのことをみんなが知っている。

■メルカテッロに学ぶものがあるか、改めて考える

彼らの生活の背景にある考えは、「大きいよりも小さいほうが良い」という価値観だ。共通化や統合よりも、個別化、分立を目指す精神だ。

国はその考え方で地方分権を選んだ。日本が戦後に一万余りあった市町村をどんどん統合して一七〇〇余にしたのと正反対だ。イタリアはまとめて統合するのが非常に嫌いだし苦手だ。だから国の治め方も地方分権を選んだ。企業も、大企業ではなく家族経営や協同組合で働くことを選んでいる。農業は効率的な大規模農業ではなく地域特性に合った個性化を志向している。

そしてそれを支える背景にカンパニリズモ（郷土愛）がある。グローバリズムよりも郷土愛を選んだ。マンミズモ（母親主義）という言葉もある。イタリア人の根はそこにあるとメルカテッロのご婦人に説明されたことがある。広場に人々が集まるのは胎内回帰、町は母親そのものだという。それが郷土愛であり、現れてくるのが地産地消

のスローフードであり、地域経済や美しい風景ということだ。

日本の中央集権に対してイタリアは地方分権。

公共の責任重視の管理社会に対して自分の生き方は自分で決める自己責任社会。

グローバルビジネス・市場経済に対してコミュニティビジネス・地域経済。

スクラップ・アンド・ビルドのフロー社会に対してモノを資産として蓄えて行くストック社会。

経済成長促進最優先に対して生活優先の成長管理。

拡大する一方のスプロールシティ・大都市指向に対して拡大を抑制するコンパクトシティ・小都市指向。

空調の効いた人工環境志向に対して屋外のオープンカフェでくつろぐ自然環境志向。

日本とは全く別の世界、それがイタリアだ。

我々はどんな生き方をしたいのか、どんな豊かさを求めているのか、その違いが都市の形、社会の仕組みの違いに現れる。

他所の世界から学ぶことは大切だが、そのときに表層だけを見て良さそうなところをつまみ食いするのは虚しい。私たちにとって豊かさとは何か、今こそ立ち止まって考える時だ。背景にある人生の価値観を抜きにして形や仕組みだけを学ぶのは虚しい。「和魂洋才」は、言うは易く行うは難い。別世界から何かを学ぼうとすればそれだけの覚悟が要る。メルカテッロでイタリアを知れば知るほどそう思わされる。そして日本の豊かさを考える一助にしている。

インタビュー⑪

ヴィレルマ・パッリアルディーニ・イン・チンチッラ

Vilelma Pagliardini in Cincilla（独りで二人の男の子を育てたお母さん）

「母親がしっかりしていたら、子供はほっといても育つのよ」

記録はヴィレルマと筆者が交わした会話に補足資料を加えて、それをすべて彼女の言葉として編集した。したがってヴィレルマの名前を借りた筆者の作文である。内容に誤りがあればそれはすべて筆者の責任に帰する。

嬉しいことに、私は二人の息子が自慢ですよ。

二人ともまっとうな生き方をしてるし、自分の家族と仕事を誇りにしている。

母親が自分たちを育てるために一生懸命働いてるのを見てたから、彼らも一生懸命勉強したのね。自分たちで食べていけるようになるにはそれしかないと、分かっていたのね。

長男のパオロ・チンチッラはウルビーノ大学を最短コースで卒業して、高校の歴史の先生になった。一九八五年から十年間、メルカテッロの町長をやって素晴らしい実績を残したわ。

私はそのことを話し出すと今でも興奮してしまうのよ。毎回同じ話で興奮するから周りのひんしゅくをかうんだけど、こればっかりはどうしようもないのよ。だって私の一番の自慢ですから。父親も戦後すぐに副町長をやって立派な仕事をしたから、その血を引いたんだねえ。パオロはその父親以上のことをやりましたよ。

次男のジュセッペ・チンチッラはこの地方で、最初のコンピューターのシステムエンジニアの仕事を始めて成功したんですよ。今は二人の従業員を使って仕事は順調よ。

電子工学を勉強したんだけどミラノ大学からローマ大学に移って一九七三年にこれも最短コースで卒業したの。イタリアで最短コースってのは留年なしでってことなんですけど、日本と違って留年なしで卒業する子なんてほとんどいなかったわよ。しかも大学紛争で、革命だ何だと騒いでた時代ですからね。まだコンピューターの草分けの時期でしたから、ローマやミラノで働かないかって大きな会社からいくつも声がかかったと言ってたわ。でも彼は「僕の人生は僕一人、一度きりのものだから好きなところで働く」と言って、メルカテッロに戻って工業高校の教師になったけど、間もなく自分で会社を始めたの。

幼馴染のマルゲリータとは学生のときに既に結婚してたから、二人で故郷で暮らそうってことだったんでしょう。イタリアの男は女の言いなりだからね、可愛いものよ。マルゲリータはそれ以来ずっと、メルカテッロの小学校の先生をしてるわ。その彼女もあと三年で定年、年金生活に入るんだから月日のたつのは本当に早いわ。

夫のニーノ（本名はジョヴァンニだがヴィレルマはこう呼ぶ）が死んだときは頭の中が真っ白になってしまったわ。真空状態というのかしら。「事故」と聞いて病院に駆けつけたときは、もう絶望だった。

スクーターで三〇キロ先のウルビーノに向かっていて、隣町のサン・タンジェロの手前で事故をやってしまったのよ。どこでどんな事故だったのか、聞いてません。そんなこと聞きたくもなかったわ。死んでしまったのよ。夫は三十六歳でした。パオロが九歳、ジュセッペがまだ七歳。二人の子供を残して逝ってしまったのよ。あんなに愛し合っていたのに、ニーノとの生活はたったの十年で終わってしまったの。

新婚旅行のときに初めて外の世界を見たの。戦争が終わってまだ三年しかたってなかったから、その当時としてはずいぶん長い新婚旅行だったのね、北イタリアのドロミテまで行ってぐるっと周ってきたんですから。

ニーノもメルカテッロ生まれのメルカテッロ育ちだけど、ボローニャ大学の哲学科で勉強したから狭い世界しか知らない私に外の世界を見せておこうと考えたんでしょうね。素晴らしい旅行だったわ。

初めてアペニン山脈を越えてトスカーナ州のアレッツォまでタクシーで行ったの。ボッカ・トラバーリアの峠を越えると、いきなり目の前に、広い明るい空が広がってるのよ。その下にはるか地平線まで広がってるオリーブ色の平野を見下ろしながら、くねくねと曲がる道を下りていくの。

アレッツォで汽車に乗り換えて最初の目的地、ルネッサンスの町フィレンツェに着いたのね。ニーノは美術がとても好きでしたから、何を見るかは十分勉強してて二人でそれを見て回ったの。駅の近くのサンタ・マリア・ノヴェッラ教会の印象がなぜか最初に浮かんでくるわ。

ニーノは自分が大学生活を送ったボローニャの町を私に案内して、それからドロミテへ行って、ヴェネツィアを回って帰ってきたの。初めて見るヴェネツィアの町は本当に美しいと思ったわ。あれは特別な町ね。

ニーノが大学生だった一九四三年はイタリアが停戦した時期で、ドイツ軍に加担したファシストの軍隊に若い男は徴用される時代だったのよ。ニーノは大学からは雲隠れして抵抗組織のパルチザンに加わってたの。そんな危ない目にあってたから、戦争が終わって安心して旅行できる幸せをかみしめてたんでしょうね。

第二次大戦の末期、一九四四年にはメルカテッロの人たちはみんな山の中に避難して暮らしてました。町にいるドイツ軍を狙ってイギリス軍の空爆やアメリカ軍の砲撃があるから、市民は町から逃げ出してたのよ。私たち一家は、町から南へ二キロほど行った丘の中腹にあるビアンカ・ラーナ村の小さな教会に避難して住んでました。裏山に防空壕を掘って爆撃にも備えてたの。ニーノがどうしているかとても心配だった。私たちはずっと恋人同士だったからいつも彼のことを考えて暮らしてたのよ。彼はその頃ボローニャ大学の学生、私はメルカテッロにいて両親と暮らしてたの。

戦争が終わったとき私は二十歳でした。ニーノも大学の勉強に戻れたし、私はメルカテッロで町の演劇のスターになって楽しんでました。町にひとつだけ残ってる古い門の脇に劇場、テアトロ・ベンチヴェンニがあるでしょう、今は閉まってるけど。あそこがかつては町の娯楽センターだったのよ。演劇、映画、ダンスパーティ、あの中は大賑わいだったわ。そこの芝居やオペラで私は花形スターだったのよ。親友のアメーリアの演技力には及ばなかったけどね。

脚本と演出は年配のマルフォーリア、舞台装置はジャン・バッティスタ・バスターリが頑張ってた。音楽も何もかも町のみんなでやって楽しんだのよ。何でも町でできたのよ。

映画はその頃大流行でいつも満員。ことという場面になると口笛吹いたり、叫んだり、拍手したりで人変よ。今から見ると貧しかったけど、その頃は貧しいとは思わなかった。良い時代でしたよ。

劇場でやるダンスパーティへもよく行ったわ。

もちろんニーノに連れられて行ったのよ。このときからずっと、私にとって男は生涯ニーノ一人だけよ。この頃が私の青春ね。戦争が終わって三年後、二十四歳で結婚したの。

ニーノは結婚してから改めてウルビーノ大学の法学部を卒業して裁判所の判事になったの。最初はドイツの国境に近いボルサーノの町の判事に赴任して、そこで二年過ごして、それからウルビーノの裁判所に移ったの。だからその当時私たちは子供も一緒にウルビーノに住んでいました。ニーノは隣町のサン・タンジェロの裁判所の公判に出向いて、その晩はメルカテッロの実家に泊まったの。翌日の朝実家からスクーターでウルビーノに帰る時事故にあったの。それが命取りになったのよ。一九五九年の四月九日でした。

裁判所で務める前にメルカテッロの副町長もしたの。小学校をコムーネの建物の三階から今の場所に移したのは彼の仕事よ。町のすぐ外の広い土地に、ゆったりと明るくのびのびとした近代建築の小学校と、中学校、そして幼稚園もそこにつくったの。町の各戸に初めて公共水道を通したのも彼のときですよ。それまでは街の各所に掘られてる井戸で水を汲んでたの。今も残ってるでしょう、その井戸が。ベンチヴェンニ通りに残ってるのは梃子で回してくみ上げる楽な井戸だからみんながよく使ったわね。つるべ式のもあったけど、これはよっぽど力が要るから人気がなかったわ。

夫が死んでしまってからは、自分で生きていくしかなくなったの。男の子二人を育てながらね。

イタリアはその頃奇跡の戦後復興と呼ばれる経済復興の最中だったわ。夫が死んだ翌年の一九六〇年がローマオリンピック、その四年後が日本の東京オリンピックだから、厳しい戦後を乗り越えて敗戦国が必死で立ち直ろうとしてた時代ですよ。

幸い私の実家はメルカテッロでかなり大きな商家でしたから、母が店を一軒持たせてくれて、それで暮らしなさいと言ってくれたの。父も近くにいたから心強かったわ。

父のアドルフォ・パッリアルディーニは第一次大戦に従軍してずっと最前線にいて生き延びたの。よくそのときの話を聴かされたわ。勲章ももらってたわね。第二次大戦ではもう兵隊に行ける歳ではなかったの、幸いなことに。私は七人姉弟の次女。女六人、男一人の姉弟よ。末の妹のナディアとは二十歳も歳が離れてるの。今もみんな近くに住んでて、毎日のように顔をあわせて暮らしてますよ。結婚して親戚が広がるし、その甥や孫がいるから町を歩くと、そこらじゅうで親戚に出会うことになるわね。

男の子は弟のアントニオ一人でしたけど、そのアントニオが両親の血を引いたんでしょうね、今はこの地方でかなり大きな事業をやってるわ。メルカテッロのブティックもそうだけど、ウルバーニアの町の入口に大きな商業センターを建てたのは彼ですよ。あなたたちの友達の建築家、ワタナベが設計したんでしょ。

父のアドルフォは狩猟の許可書を持ってて、山で鳥や猪、鹿などを撃って猟師もやってたの。その季節になると彼が捕ってきた鳥やけものの肉ばっかり食べさせられたものよ。この近くの男たちは今でもよくやってるわ。秋になると山に入って行って、木の上や藪の陰にじっと隠れて獲物が来るのを待ってるでしょう。私たちが近づいて隠れてるのを見つけると、間が悪そうにしながら黙って挨拶するわね。

毎朝友達のエウロージアと二人で散歩するけど、ほかにも朝早く起きて山を散歩する人たちがたくさんいるでしょう。みんな女たちですよ。まだ暗いうちに起きて、新鮮な空気を吸って、夜が明けてくる神々しい山の中を歩いてるのは女ばっかり。男の人たちの山歩きは女とは違うの。男は鉄砲を持って狩りに行くのよ。

戦争中に鉄砲を持って山にこもってたから、父はドイツ軍から抵抗組織のパルチザンじゃないかと疑われて銃殺されそうになったことがあるわ。理性的なドイツの将校がいて助かったけど、危ないところだった。戦争中だからドイツ軍はずいぶんひどいことをしたけど、みんながみんな悪い人ばっかりじゃなかったってことね。

戦前に父は食品店を始めたんで、私はまだ十三歳だったけど手伝ったりした。戦後は繁盛してさらに店を大きくしたの。衣料品の店にも手を広げて、それが今弟のアントニオが経営してるブティックにつながってるのよ。

私は夫が死んだ後、広場の北西の角にあった食料品の店を譲ってもらってそこで商売を始めたの。そりゃあ頑張りましたよ、小さい子供二人を抱えてるんですからね。

それでも実家がしっかりしてたから心強かったし、母が店を手伝ってくれたからずいぶん助かったわ。店は大繁盛でやりがいもあったわ。忙しかったから子供の面倒を見てる暇なんかなかったわね。でも子供たちは分かってましたよ。

父はいない。母は自分たちが一人前になるまでと思って頑張ってくれてる。自分が一人前になるには自分で頑張るしかない。

だから彼らはよく勉強したの。中学校を終えると二人とも六〇キロ離れたファーノの町の修道院の高校の寄宿舎に入れて勉強させたわ。二人に商売させる気にはならなかったのよ。二人は父親のニーノのほうの血を引いていると思ったの。

ニーノの実家チンチッラ家はメルカテッロでも有力な地主の家なの。ニーノの父のジュセッペ・チンチッラはコムーネのセグレターリオ（助役）をやったことがあるし、その子のニーノが副町長、孫のパオロが町長と三代続いて町のお世話をしました。そういう血筋なのよ。

チンチッラ家が持ってた農地はその後親族でそれぞれ相続したけど、私の息子たちが相続した分は分けたりしないで二人で仲良く共有して使ってるわね。サン・タンジェロの町を見下ろす丘の上に、土地と農家の建物が残ってるの。五家族くらいの小作人が暮らしていた農家だからかなり大きいんですけど、水が遠いのよ。だからその家を使うときは水をタンクに入れて持っていくの。親しい仲間が集まってそこの窯でピッツァを焼いて食べるの。こんな贅沢なパーティはほかでは味わえないでしょう。丘の上から見える景色は美しい山並みとなだらかな丘、畑。素晴らしい眺めですよ。

「これでサン・タンジェロの町が見えなかったら完璧だけどな」と、メルカテッロの仲間は言うわね。イタリア人はどこに行っても隣町の悪口を言いたがるのよ。

夫の実家は今私たちが住んでるこの家なの。町のメインストリートで広場に面する一等地の屋根裏付きの三階建ての家。一階では季節になると小作人たちが葡萄を運んできて、ヴィーノをつくったりしていたわ。夫が死んでから私たちはウルビーノから戻ってここに住むことにしたの。私の実家はここから五〇メートルも離れてなかったけどね。

私は息子たちを育てるために十五年間、やみくもに働いたわ。下のジュセッペがローマ大学を卒業して、メルカテッロで仕事を始めたときにやっと安心できたから、すぐに仕事を辞めたのよ。その後は年金暮らしで、夏に二週間、スイスの葡萄の収穫を手伝いに行ってお小遣いを稼いだりもしました。

店は売ってお金に換えてしまったわ。綺麗さっぱりと。私は貯金はしなかったの。店を売ったお金でこの家を下から上まですっかり自分のものにしてしまって、中も住みやすいようにモダンに改装したの。

屋根裏の四階に長男のパオロ一家が住んでるけど、見たでしょう、モダンなインテリアで、小粋な暖炉があって、広い中庭に面してテラスがある。私はその下に住んでるけど、一人住まいには十分すぎる広さで、居間から広場を見下ろせるのが気に入ってるの。広場でみんなが夜中に大騒ぎするときは、うるさくて閉口しますけどね。

ニーノと二人の生活で使ってた家具や調度品、小物を今も大切に使ってます。彼は育ちが良かったからアールデコの品の良い物が残ってるでしょ。都会風の洒落たセンスだったのが分かるでしょう。

パオロは卒業すると、私の店で働いてたヴェローニカといつの間にか良い仲になってて結婚したから、私は二人の息子からようやく解放されました。ヴェローニカもメルカテッロの出身だから、やっぱり狭い世界で一族が暮らしてるって言われても仕方がないわね。

でもパオロの息子のジョヴァンニはペルージア大学で化学科を卒業した後スペインのバルセローナで博士号を取って仕事に就いたけど、ロンドンに移って、今はまたバルセローナに戻って働いてるの。最近気立てのいいドイツの娘さんと良い仲になって、メルカテッロに連れてきたわね。あの娘はいいわ、一緒になってくれればいいけど。そうすると世界が一気に広がるでしょ。

でもパオロは外国は面倒だ、メルカテッロが一番いいと言うし、私もパリが大嫌い。

フランス人って何であんなに威張りくさるのかしらね、分からないわね。人を見下したようで本当に感じが悪い。そのくせ水っぽいコーヒーをもったいぶって飲んでるし、パンといえばバケットしかない。イタリアに来ればいろんなパンがあって町ごとに風味が違うから、料理に合わせて数えきれないくらい多くの種類のパンがあるわよ。

その点バルセローナはいいわ。親切だし、エレガントだし、食べ物だって十分美味しいし、私はスペインは好きですよ。

スイスもなかなかいいところよ。

二人の息子から解放されてからは、七月初めの二週間、毎年スイスのローザンヌに葡萄摘みの手伝いに行ったのよ。山歩き仲間のエウロージアが誘ってくれたの。十年ほど毎年行ったわね。

彼女があちらで暮らしてたときの知り合いで、今も親しくしてる農家があるのよ。そこに二週間泊まり込んで葡萄摘みの仕事を手伝うの。いろんなところからやって来て、みんなでしっかり働くのよ。朝六時に起きて夕方の六時まで。そりゃあ楽しいったらないわよ。食べ物が美味しいから。

休憩のおやつもたっぷりで美味しいし、お昼も夕方もおなかをすかしたところにたっぷりのご馳走が出るの。チーズもパンもヴィーノも野菜もスイスは美味しいわ。フォンジュやラクレット、簡単な料理が美味しいのよ。でも二週間で十分。それ以上は遠慮するわ。お給料ももらうけど、それでお土産を買っておしまい。

二人の息子は今も仲良しで、どちらも一家を構えて近くに住んでます。夫婦仲も良いし、孫たち四人も申し分なく育って、よく私に顔を見せてくれるの。家の前のバールのテラスに座ってると、身内も、親戚も、友達も、みんなの顔が行き交ってうるさいくらいですよ。だから用があるときには中庭を通って、裏口から出入りすることもあるわよ。

孫娘のアリーチェは今おなかが大きいから、間もなく私にひ孫が生まれるってことね。アリーチェはまだ結婚してないんだけどね、私たちの時代では考えられないことだわ。思いがけずひ孫が抱けることになって、本当に待ち遠しいわ。とても楽しみにしてるのよ。

夏になると海が恋しくなって、毎年十日間アドリア海沿いのリッチョーネの町のホテルに泊まって潮風を吸ってくるの。肌も焼いて、体が少しだけ若返るの。

関節が少し弱ってるから、エウロージアに歩調を合わせて一緒に山歩きするのは少し苦しくなってるの。エウロージアが加減してくれるから続いてるけど。そのエウロージアもこの間は家の階段でこけて肋骨をひどく打ったのよ。

骨折もなくひびも入ってなかったからよかったけど、一か月ほど山歩きをやめてたわ。その間も毎日のお墓参りは欠かさなかったわ。二人で誘い合って街外れの墓地まで歩くのよ。メタウロ川に沿って、お墓に通じる散歩道を歩くの。

墓地にはいつ行っても誰かがお参りしてるわね。新しいお花がたくさん飾られてて、古くなった花が見苦しくなってるってことはまずないわ。みんなが気をつけて綺麗にしてるから、いつ行っても気持ちいいでしょう。教会の鐘の音も十五分ごとに聞こえてくる。

そこで懐かしい人たちを思い出すのよ。みんなメルカテッロの人たちよ。山に囲まれたメルカテッロで満足して死んでいった人たちよ。

私は夫のチンチッラ家と私の実家のパッリアルディーニ家をまとめて同じところに墓をつくったの。メタウロ川を背にして南向きに屋根のついた石造りの墓廟が並んでるでしょ。その一角に一族の墓所をもらって、みんなそこに納めてます。だからニーノはそこにいるわ。私もそこに納まるのよ。

〈二〇二〇年六月十四日午後、ヴィレルマは穏やかにメルカテッロを去った。何時ものように浴室をきれいに拭いて、ベッドに横になって、そのまま眠ってしまった。九十五歳だった〉

3 メルカテッロの町家再生

イタリアの旧市街（チェントロ・ストーリコ）の街並みの大部分を占める一般の町家の修復、再生がどのように進められているのか、地元の建設業者の手で日常的に行われている修復工事の現場を報告する。イタリアの街並み保存の実態を理解する手掛かりにしていただきたい。そしてイタリアの街並み保存が彼らの生活の豊かさ、コミュニティの誇りを保障していることを分かっていただきたい。

■旧市街は地区詳細計画で守られている

旧市街では隣り合った家屋が互いに境の壁（戸境壁という）を共有してつながっており、街区が殆どひとつの建築物になっている。その一部分が私の家屋だ。そこを今回修復しようとしている。

イタリアの旧市街（チェントロ・ストーリコ、都市計画で指定されAゾーンと呼ばれる区域【図2・3・1】）はコムーネが策定する地区詳細計画によって保存され、そのルールに従って修復、再生されている。私の家屋の修復工事にもこれが適用される。

メルカテッロのAゾーンは一九七二年の都市建設計画で区域指定され、最初の地区詳細計画は一九八〇年に策定された。その後一九八八年、二〇一二年に改定されている。後になるほどより緻密で具体的になり、三次では緻密で膨大な現況資料が加えられて建築行為などの技術指針はいっそう網羅的で具体的に記されている。

一九八八年の地区詳細計画に書かれた「旧市街を再生する目的」等を以下に紹介する［註2・3・1］。

〈旧市街再生の目的〉

（1）文化的効果：共同体が継承してきた生活や文化の歴史的、芸術的証言を保持すること。
（2）社会的効果：現代においても学ぶべき価値のある旧市街（チェントロ・ストーリコ）の共同体（コミュニティ）を生かし続けること。
（3）経済的効果：技術的、経済的な秩序によって伝統的に支えられてきた現在の豊かさを破壊しないこと。
（4）生態的効果：生産農地を侵食する徒な市街地の拡大を抑制すること。

そして旧市街で行われる建設工事などは以下の五種に分けて管理される［註2・3・2］。私の家屋の修復工事は一期工事と二期工事が工事種別の（2）、三期工事が（3）に該当する。

〈旧市街における建築工事の種別〉
（1）通常の保守工事：現存する建造物の状態を変更しない軽微な保守工事。
（2）特別の保守工事：建造物の床面積、階高、用途、現在の外観を変えない範囲で行う大規模な改修工事。
（3）改修工事：衛生的環境の改善や建造物の構造を健全なものとするための改修工事。改良のために外観に手を加える工事もこれに合まれる。
（4）改築工事：現存の建造物に新しい要素を付加したり、復元したりすることによって建造物全体または一部の構成を大きく変更する工事。
（5）新築工事：空き地に新しい建物を建てる工事。現存の建造物を解体してそこに新しい建物を建てる工事。いずれの工事を行うにしても建造物の外観が街並みの連続性を保つことが前提である。

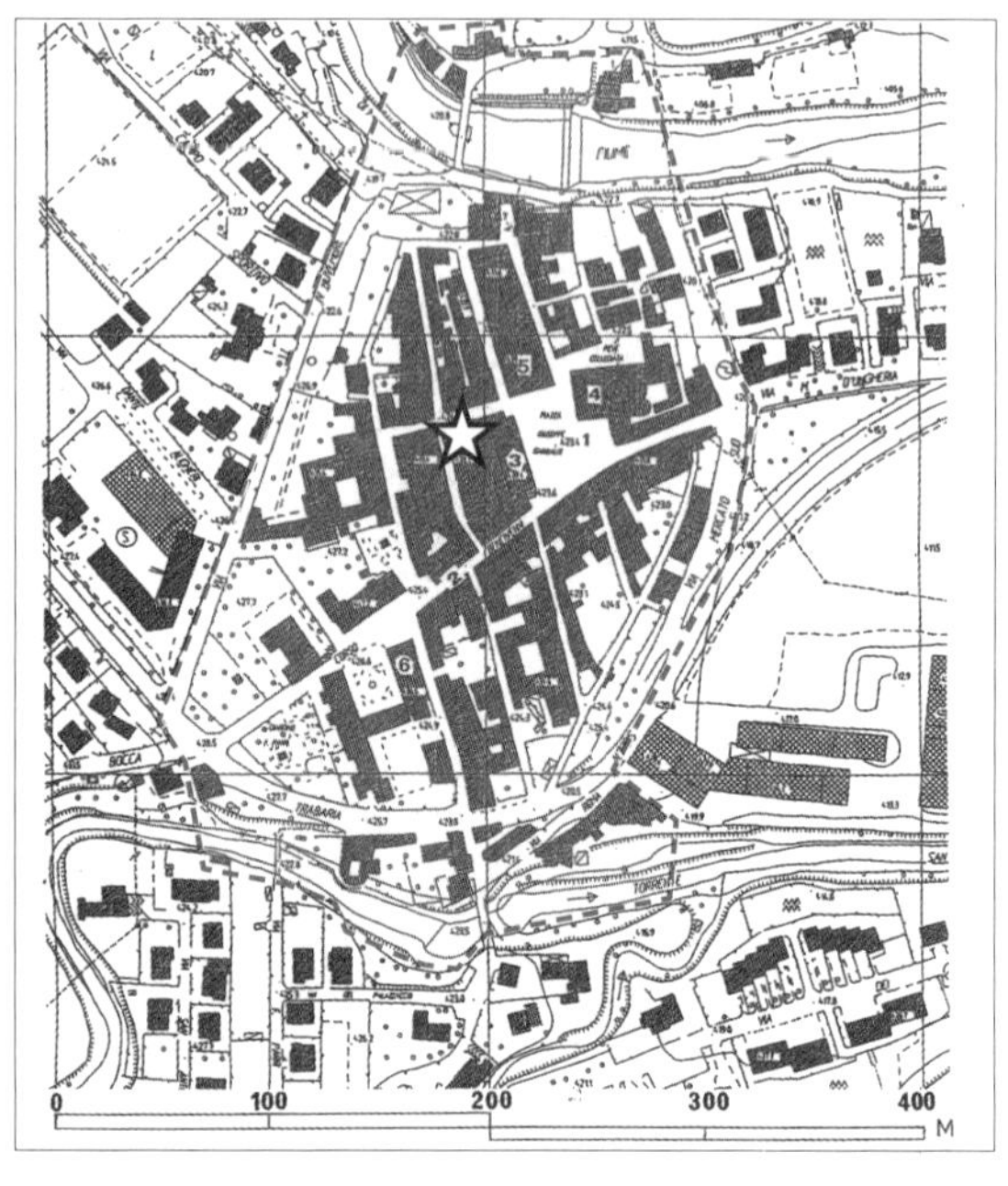

【図2・3・1】メルカテッロの旧市街（Aゾーン）。☆印は私の家の所在地。ガリバルディ広場の裏、7月28日通りとサンタ・ヴェローニカ通りの角地にある。図のグリットは200m × 200m

【2・3・1】修復以前（1993年9月）の建物全景。外壁に塗られていた漆喰は殆んど剥げ落ちている。建具の傷みも激しい。

【2・3・2】スタッコが落ちて石積みが顕わになっている外壁。ガラス窓の枠と桟は華奢なつくりでガラスも薄く、再利用は無理と判断した。ベネシアンブラインドの傷みは激しかったが再利用した。

【2・3・3】玄関の前で記念写真におさまるスミコと前の持ち主、フラービオ・ムッチョーリ。扉の足元は傷んでいる。扉の上の明かり取りのガラスも半分以上が壊れている。

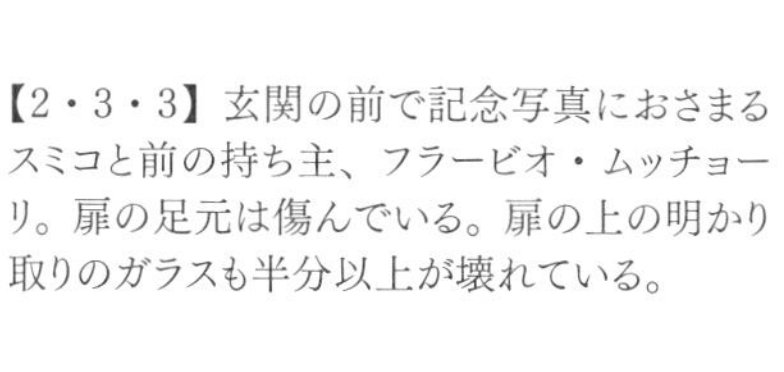

【2・3・4】角の部屋の天井は1700年代の絵と模様で飾られていたが、床梁を全面的にかけ直す必要からすべて撤去した。ほかにやりようがあったはずだと、今は後悔している。

【2・3・5】室内の木製建具は塗料と汚れと垢にまみれていた。

【2・3・6】1階階段の踊り場。汚れた壁と細い桟が入っていた窓。

街並みの連続性を保つための技術指針がやはり地区詳細計画に提示されており、前記の五種の工事に応じて適用される。

五一項目から成っており、建造物の外観のみならず、舗装材や植栽、街路照明や架空線、交通標識、店の看板、郵便受け、ごみ置き場に至るまで、考えられるすべてのことがらについて細かく定められている。外壁に使用する石材はこの地域で産する石材であること、そしてその積み方はこの地方の伝統的手法に従うことなども書かれている。地区詳細計画が、旧市街を単にその外観だけではなく経済的、文化的、社会的な生活の基盤とともに継承しようとするものであることが行間に読み取れる。目的が観光客誘致になりがちな日本の街並み保存とは大きな隔たりがある。指針がどのように運用されるかは後述する。

一般の建物とは別に、歴史的文化的に特に重要とみなされる建築物がある。これらの保存修復に際しては、国の文化財監督局の指示に従うこととされている。第二次の地区詳細計画では一一の歴史的建造物がその対象に特定されていたが、現行の地区詳細計画では特定されていない。それに代わって現況調査ですべての建物について九段階の重要度のランキングが示されている［註2・3・3］。上位三段階までは国の文化財監督局の指示を受けることになる。私たちの家は四番目にランクされている。無価値、あるいはマイナス評価（ないほうが良い）とされてしまった建物も結構ある。

■メルカテッロで手に入れた家はいつ頃のものか？

現存する最古のメルカテッロの都市地図はローマの国立文書館に所蔵されているもので、一六五五年から一六五九年の間に制作されたと言われている。その地図に見る当時の街並みはほぼそのまま、現在の旧市街の形に一致している。私の家屋は当時の有力者の家屋のひとつであったらしく、地図上にその家の名前が記されている。

煉瓦を組んだ玄関のまぐさにローマ数字でＭＤＣＣＸＸＸⅡ（一七三二のローマ数字）、台所の壁に埋め込まれた大きな陶器の水瓶には１７５０と刻まれているので、最近の建築年代はこれに従って良いだろう。概ね二百七十年前に大規模に手を加えている建物だ。室内に一七〇〇年代グロテスク様式の壁画と天井画が残っていたこともそのことの裏付けになる。

三階の壁の最上部に置かれた小屋梁を受ける礎石に、１４８６と刻まれている。一六〇〇年代の都市地図に載っているのはその時の家だと考える。その家を改築・改装したのが前記の年代だろう。したがってこの家は築五百三十年余ということになる。

家は旧市街の中心部、広場のすぐ裏手にあるから、十三世紀半ばに市壁が建設されてメルカテッロの街の建設が始まった最初の段階からこの家は何らかの形でここに存在していたと思われる。それが少しずつ形を変えて今に至ったものだろう。当初の石や煉瓦も使われて残っている筈だ。すると今回、私は七百五十年の時を経た建物に修復の手を加えたことになる。

■類型学のデザイン―歴史と対話する悦び

建築の設計は、新築の場合は敷地の形や方位、風向き、そこから見える風景、お隣や向かいの家との関係など、その「土地」の成り立ちや性格を慎重に探りながらそこに建てる建築のイメージを膨らませていく（周りのことは一切気にしない、剛腕の建築家もいるけど）。

修復の場合は既にそこに建物があるから、「土地」ではなく、「建物」の成り立ちや性格を知ることからイメージを膨らませる。建物の構造、仕上げの材料、窓や扉などの建具、職人の鑿の跡、そして長年使ってきた様々な生活の痕跡。それらの存在の意味を慎重に知る必要がある。気を抜いたり、鈍感な感性でそれを探っていると、

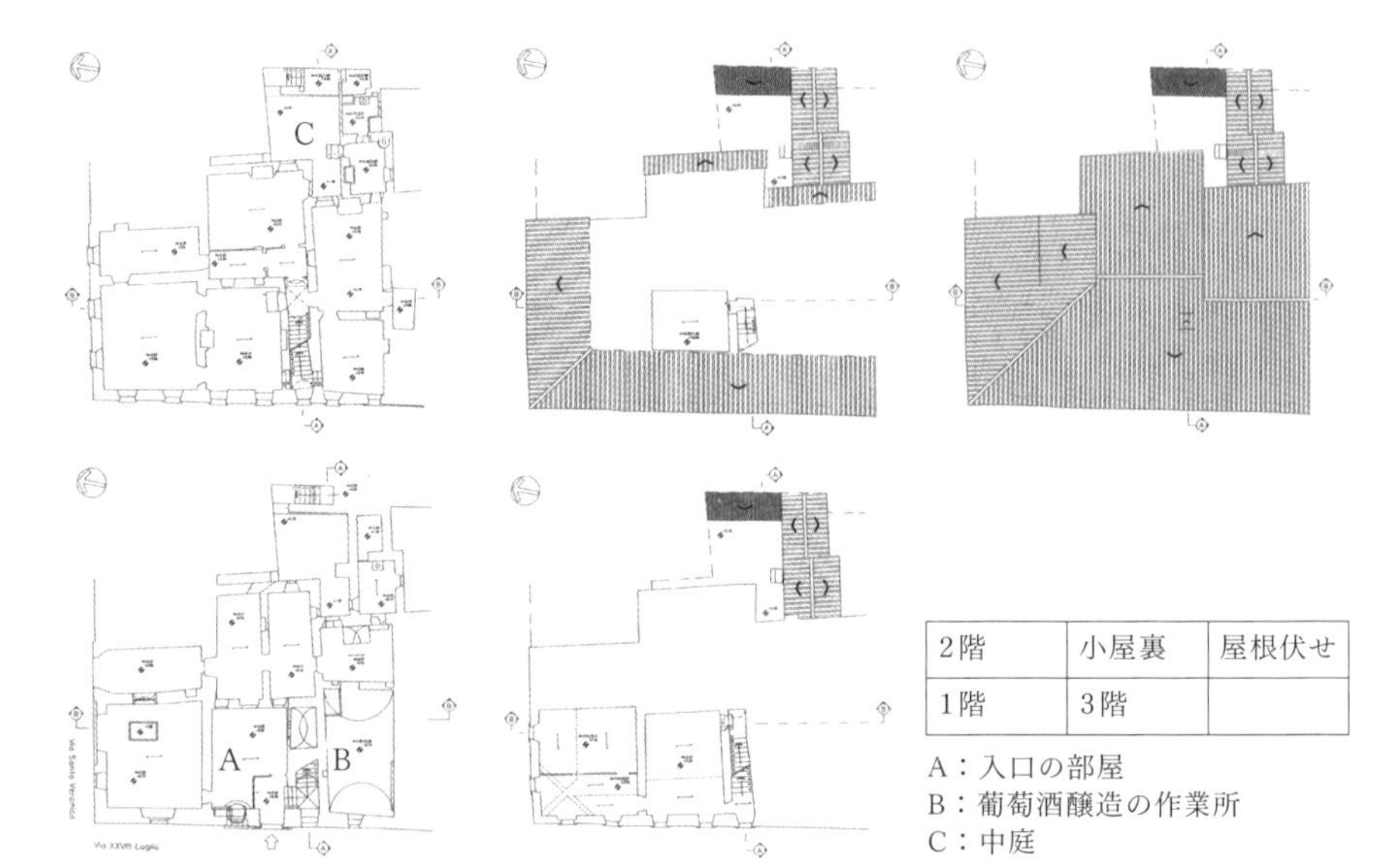

2階	小屋裏	屋根伏せ
1階	3階	

A：入口の部屋
B：葡萄酒醸造の作業所
C：中庭

【図2・3・2】メルカテッロの町家（修復前）各階平面図

【図2・3・3】立面図、断面図

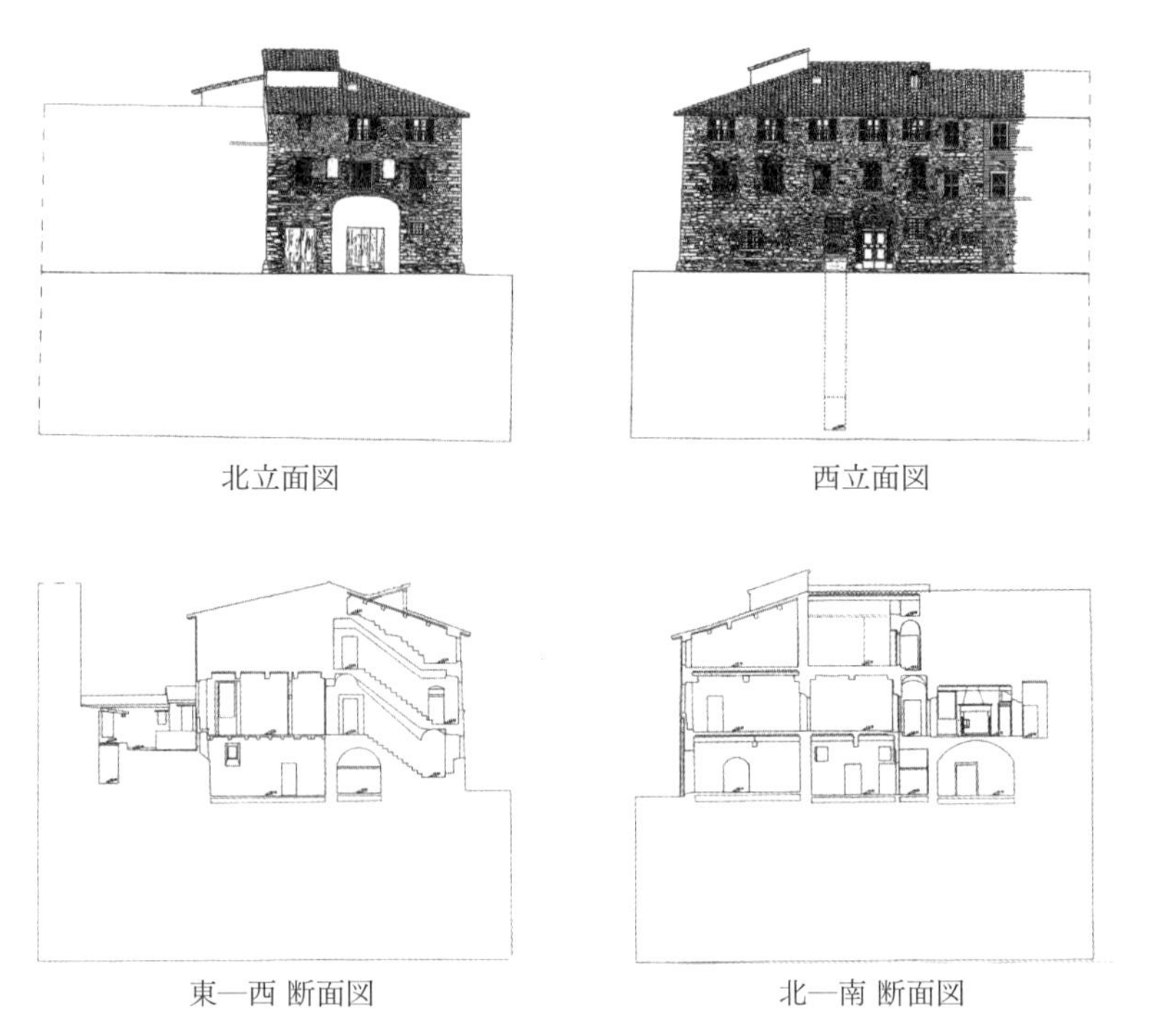

北立面図　西立面図

東―西 断面図　北―南 断面図

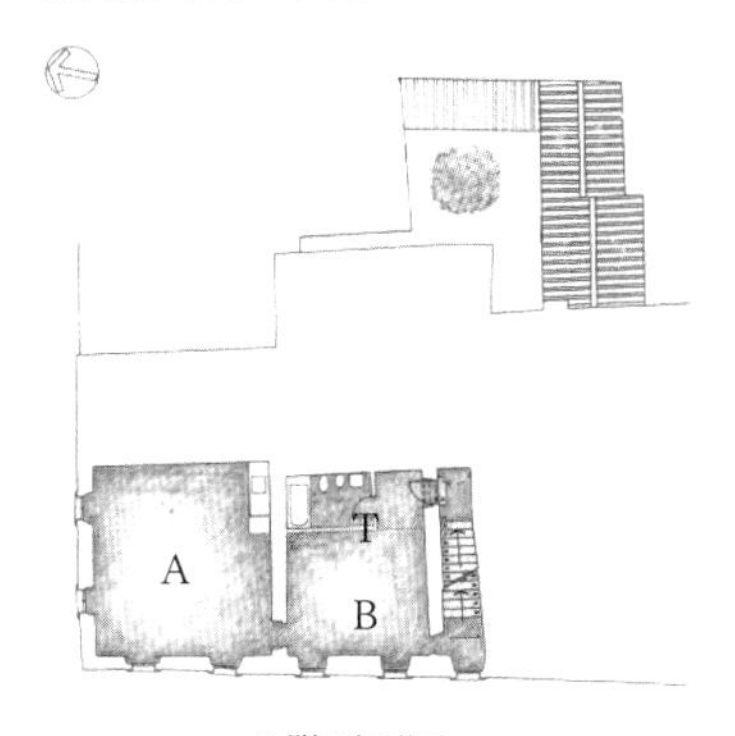

3階平面図

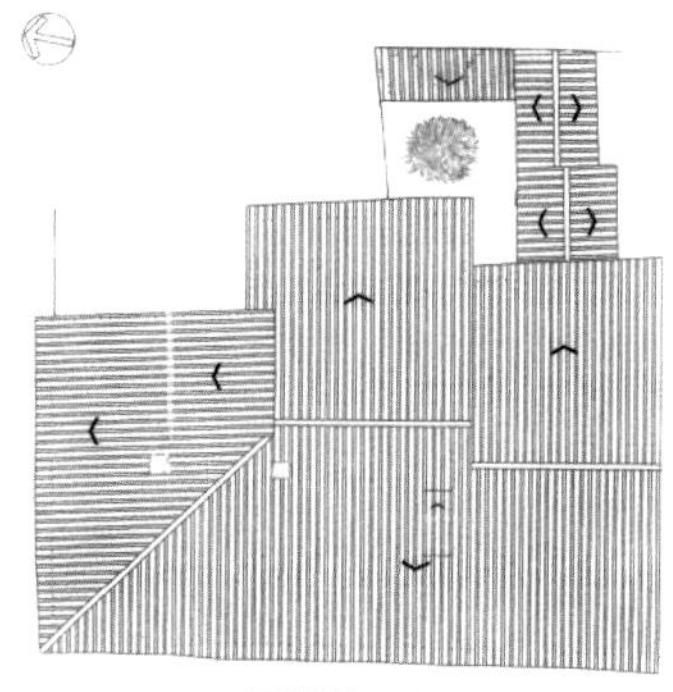

屋根伏せ図

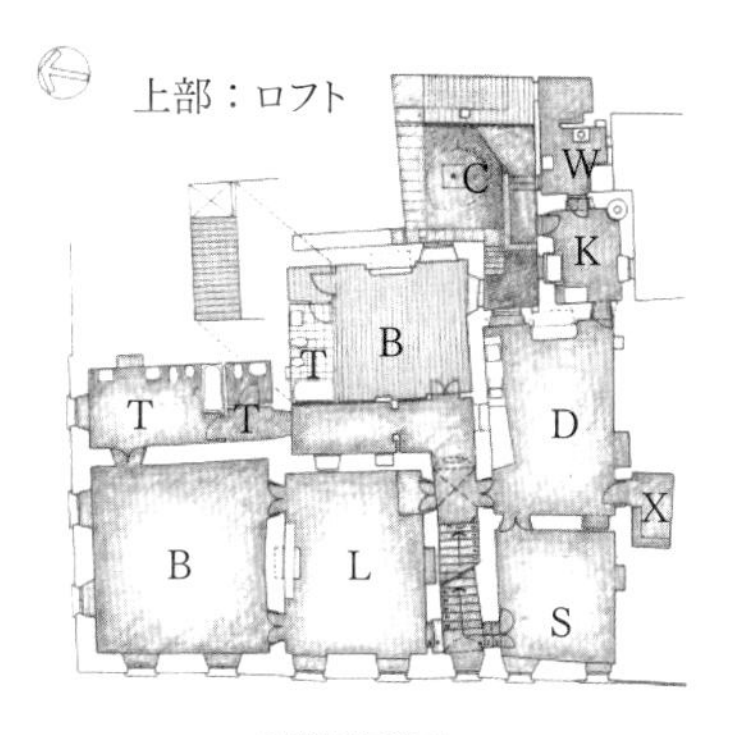

2階平面図

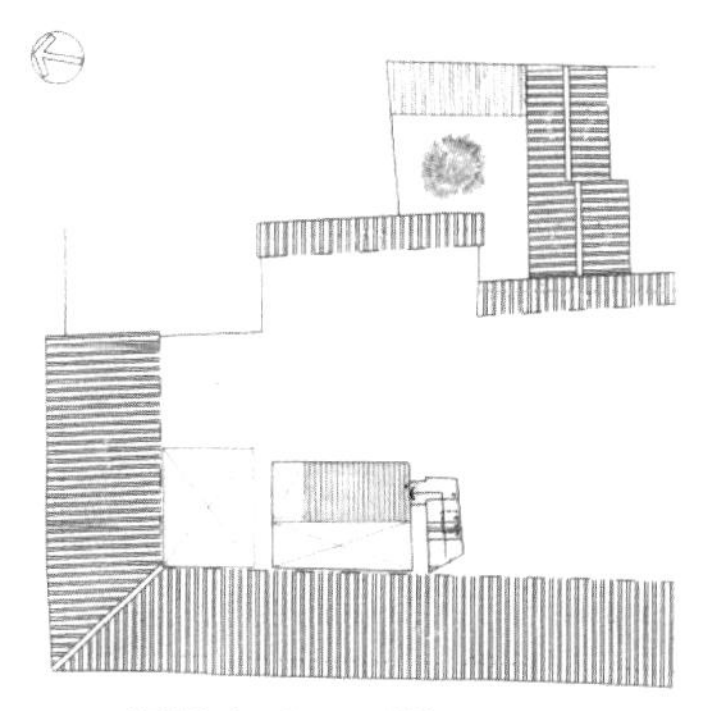

屋根裏（ロフト階）平面図

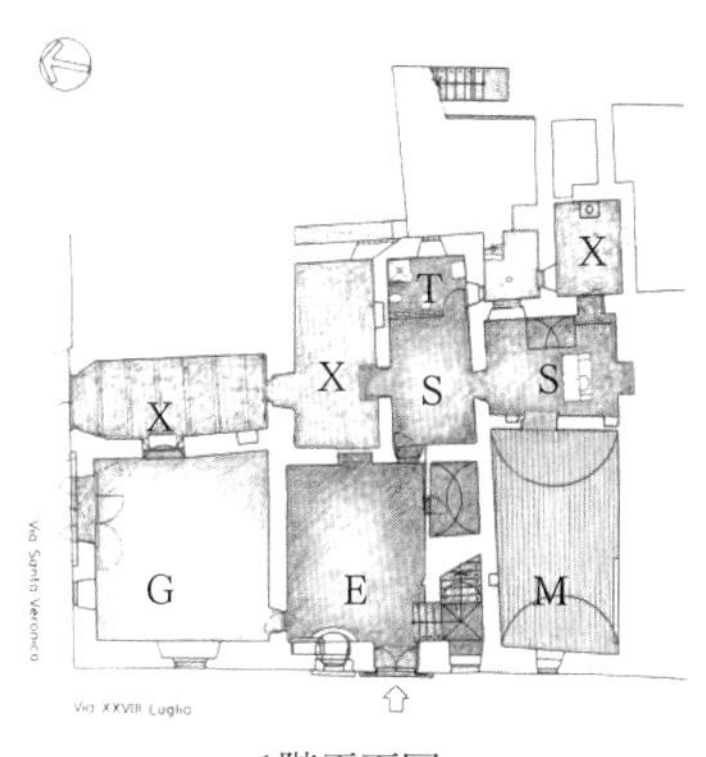

1階平面図

【図2・3・4】修復後の各階平面図

〈3階〉
A：アトリエ
B：ベットルーム
T：洗面所

〈2階〉
L：居間
D：食堂、台所
K：台所
S：書斎
W：作業室、ボイラールーム
B：ベットルーム
T：洗面所
C：中庭
X：倉庫

〈1階〉
E：エントランスギャラリー
G：ギャラリー
S：サロン（会議室前室）
M：会議室
T：洗面所
X：倉庫

取り返しのつかない見逃しをしかねない。設計者はそこに込められた歴史を読み取り評価しなければならない。積み重ねられた人間の歴史に対面させられている、と言えば大袈裟なようだが、イタリアの旧市街の廃屋同然の町家は私たちにそのような思いを持たせる。一度失った歴史の痕跡は二度と取り返せない。「さあ、どうしてくれる?」とばかりにメルカテッロの町家は私の前に建っていた。

ここでは一九六〇年代後半にイタリアで興った類型学［註2・3・4］的デザインの手法が有効だった。私は一九七〇年に留学したフィレンツェ大学でそのことを学んだ。

まずは建物の全体を図面にして確認する。百分の一の実測図(平面図、断面図、立面図)を作成した【図2・3・2】、【図2・3・3】、【図2・3・4】。

フィレンツェ大学を出て建築家になったばかりのガブリエーレ・ムッチョーリにその実測を依頼した。大学で彼は建築の歴史に興味を持って勉強した。だから気合いを入れて図面をつくってくれた。その後今に至るまで私に貴重なアドバイスをしてくれる。

その後は自分で実測して二〇分の一の図面(平面図、断面図、展開図、天井伏せ図)を作成した。ここはと思う箇所は一〇分の一、二分の一、原寸図を作成した。家の隅々まで、なめるように手で触って実測した。実測して図面にすると、自分がその建物の一部になっていくような気がする。建物の吐く息が聞こえるような気がする。建物の気持ちが伝わってくる。

定規で引いたような単純な直線や角度はない。フリーハンドで引いた複雑で柔らかい線が随所に見られる。塗り重ねられた漆喰。五百三十年前に付けられたであろう頑丈で素朴な扉。その後に付けられたであろう華奢な扉。防火漆喰で覆われた木の梁。いつ付けられたか分からないような木製の仕切り壁。漆喰の下に隠れている古いフレスコ画。小さなガラス片を鉛でつないでつくっている明かり取りの窓。

壁の緩い凹凸、古い手すりの瓢箪型の断面、いかにも頼りなげに付いている窓の錆びた鉄の手すり、風化して固い木の繊維が顕わになっている窓枠。

摩耗した階段、床石。床は埃に覆われているけれど、埃を取るとその下には厚い煉瓦のタイルが敷かれている。平坦な箇所は少なく、緩く凹凸があってうねっている。

大部分の壁や天井は煤にまみれた汚れで覆われている。滑らかな光沢をもった質感にまでなってしまった手垢も在る。

様々な時代に様々に塗り付けられ、くっつけられて今の姿がある。それはそのままでは決して美しいとは言えない。ここに確かな秩序をもたらし、現代の快適な生活の場であり、もちろん美しい、そんな家にすること、それが設計者の仕事だ。

仕事を始めた頃の私は、こうしたいという自分のデザインを意識していた。私自身の美意識、私のデザインとスタイルを持ってこの家に入った。一言でいえば、

「古い革袋に新しい酒を入れる」

数百年を経た石と煉瓦の構造体の中に、工場製品の鋭利な素材、平滑な平面、そして明快な直線と曲線を組み込む。古い構造体に新しい仕上げと装置を組み入れることで生まれる現代の空間。私が意図している修復のデザインはそういうことだった。

比較的後の時代に付けたと思われる薄い壁や戸棚、建具を取り払う。塗り重ねられた漆喰をはぎ取ってオリジナルの石積みが現れてくると、建物の吐く息が、体温が、そしてうめき声、ささやきが聞こえてくるように感じられた。今まで思い込んでいた自分のデザインが、少しずつ軽薄な思い込みに過ぎないように感じられてきた。

「新しい酒のほうがいつも美味しいとは、限らない……」

【2・3・7】修復が終わったメルカテッロの家全景。外観を変えてはならない、素材、形、色、すべて従前と同じ姿に戻すこと、それが修復のルールの原則だ。壊れかけの木製の窓を同じく木製の丈夫な窓に変えることは許される。ただし枠の塗装色を変えてはならない。窓の枠が太くて中桟がなく、大型の複層ガラスが入っているので窓を見るだけで修復された建物であることが分かる。通行人の目に触れやすい1階の窓とベネシアンブラインドは古いのを再利用した。右が「7月28日通り」。左が「サンタ・ヴェローニカ通り」。この町生まれの町の守護聖人の名前が付けられている。中央広場と教区教会の正面に通じている。

フィレンツェ大学で修復学を学んだガブリエーレはある日、この廃屋は「古い型を伝える貴重な建物だ」とつぶやいた。

古い建物では扉を止める蝶番が石の構造体に直接埋め込まれている。比較的新しい時代になると、石の壁に付けた木製の枠があって扉の蝶番はその枠に付けられている。だから古い扉は分厚くて素朴な質感があり、比較的新しい扉は繊細で優雅な仕上げになる。

この建物はどうなりたがっているのか。どの時代に戻りたがっているのか。

「あんたはどうなりたいんだ？」

そう問いかけながら実測を続け、工事を進めた。自分が建物の一部になってしまったかのように建物に寄り添って、建物の声を聴き取りながらデザインする。まず自分のデザインがあって、それをどう組み込むかではなく、建物と対話する中からデザインが生まれてきた。

彫刻家ミケランジェロが語ったと言われる言葉を思い出した。

「私が彫刻を彫っているのではない。私は大理石の中にあるものを探り出して、それを彫り出すのだ」

ミケランジェロは大理石と対話しているのだ。イタリアにいると私なんかでもミケランジェロになれるのだろうか。

■石積みであってもメンテナンスは欠かせない

壁は大小の石や煉瓦の間にモルタルを詰めて固め、室内ではその上にモルタル［註2・3・5］とスタッコ（漆喰）を塗って仕上げている。二百八十年の間漆喰は何重にも塗り重ねられている。たいていは白い漆喰だが、たまには好みの色漆喰を塗ったり、幅木や腰壁とその上の壁を塗り分けたり、廻縁に模様を付けたり、壁一面にフレスコ画を描いたりしている。私の家ではその色の区別もつかないくらいに、長年の暖炉の煙で煤けていた。防火を兼ねて木の梁も天井も一面に漆喰で覆われていた。

まず古い煤けた漆喰を除去する。はげ落ちたり浮き上がったりしたところがあり、昔はそれを金槌で叩いて落としていたのだろうが、今はサンドブラストで下のモルタルもろとも吹き飛ばす。防塵マスクと防御服に身を固めたまるで潜水夫みたいな男が現れて、高圧銃から小さな砂粒を壁に向けて噴き出すと古い漆喰をみるみるうちにはぎ取り、吹き飛ばしていく。漆喰と一緒に下のモルタルが崩れ落ちてくる。閉めきった部屋の中は舞い上がった埃と、銃から吐き出された砂で火事場の煙にまかれたように何も見えないし、息もできない。そうやって天井や梁に塗られた漆喰と一緒に、部屋中の漆喰を吹き飛ばしていく。

部屋にたちこめた埃と砂が収まると、石積みの壁、天井を支える梁や根太の木肌、天井（上階の床）の煉瓦の肌が現れる。二百七十年

【表2・3・1】工事項目

1.　構造壁の補強工事	13.　床仕上げ研磨工事
2.　木床梁の補強工事（一部）	14.　室内建具工事
3.　屋根改修工事	15.　開口部建具の補修、新設工事
4.　外壁補強、補修工事	16.　天窓新設工事
5.　鉄骨工事（補強梁、新設梁）	17.　開口部窓敷居新設工事
6.　間仕切壁の撤去工事	18.　外壁仕上げ工事
7.　間仕切り壁新設工事	19.　樋工事
8.　内装漆喰の撤去工事	20.　給排水衛生工事
9.　内装漆喰左官工事	21.　給湯、暖房工事
10.　鉄筋コンクリート床工事（1階）	22.　電気、ガスエ事
11.　床仕上げ左官、フローリング工事	23.　外構工事（中庭）

【表2・3・2】メルカテッロの町家　床面積表（㎡）

階	内法面積	壁体面積＊＊	計	中庭面積
屋根裏*	25*	—	25*	
3	81	16	97	—
2	216	43	259	—
1	195	65	260	22
計（修復前） （修復後）	517 492	124 124	641 616	22 22

*屋根裏は修復で撤去した。　**戸境壁の面積は含まない。

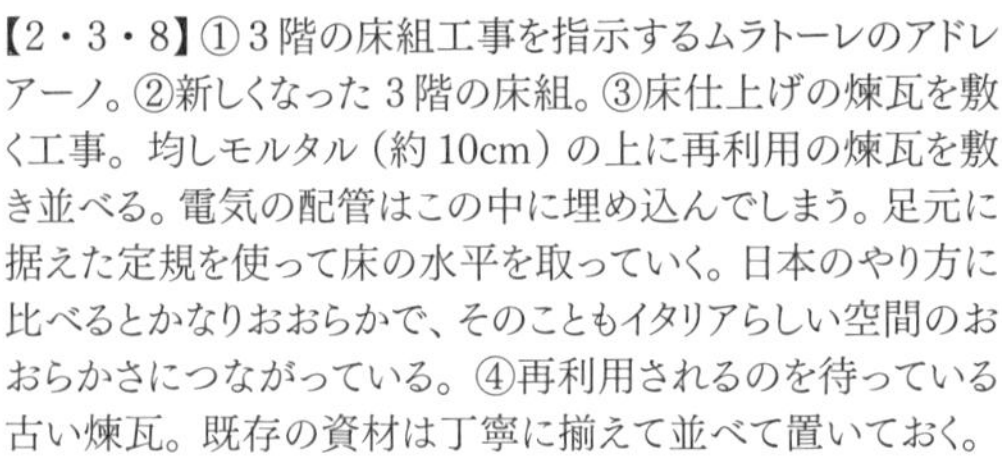

【2・3・8】①3階の床組工事を指示するムラトーレのアドレアーノ。②新しくなった3階の床組。③床仕上げの煉瓦を敷く工事。均しモルタル（約10cm）の上に再利用の煉瓦を敷き並べる。電気の配管はこの中に埋め込んでしまう。足元に据えた定規を使って床の水平を取っていく。日本のやり方に比べるとかなりおおらかで、そのこともイタリアらしい空間のおおらかさにつながっている。④再利用されるのを待っている古い煉瓦。既存の資材は丁寧に揃えて並べて置いておく。

ぶりにシャワーを浴びてさっぱりした、そんな感じだ。

石積の目地に残ったモルタルにバールを当てて金槌で強く打つと、劣化した目地モルタルがはがれ落ちる。積んでいる石が壁から崩れ落ちてくることもある。そんなときには石を積み直して崩れた箇所を補強する。しっかりと中まで固まった石積み壁になったのを確認したら、改めて目地に新しいモルタルを詰めていく。圧搾空気でモルタルをチューブで送って、目地の奥の奥までしっかりと詰まるようにぐいぐいと押し込む。リフォームで組積造の漆喰を塗り直す作業は、その下にある壁を堅固に積み直すことでもある。構造壁の強度を守ることは建物の持ち主の責任であると、法律で定められている。石積みの家は日本で考えられるほど「放っておいても半永久的」な建物ではなく、メンテナンスによって守られている。

【2・3・9】屋根の修復工事。断熱材スタイロフォームを敷いてその上に瓦を敷く。傷んだ瓦を新しい瓦に取り換えて残りの古い瓦と混ぜ合わせて並べる。数百年の時を経た古い瓦を上に、新しい瓦はその下に入れる。新旧の混ぜ合わせであの息を呑むように美しい屋並みが生まれる。

■工事は三回に分けて、十六年。
何とか一応の完成にこぎつけた

一九九三年九月に建物を入手、役所に届け出て第一期工事に着工したのは一九九五年の三月。町の工事を一手に引き受けていたカルロスに発注した。一階のエントランスホール、二階の一部と三階、屋根のすべてを改修した。工事を終えたのが十四か月後の一九九六年の五月初旬。

二〇〇二年七月から第二期の工事にかかった。二階の残りの部分を修復し、中庭を整えた。二〇〇三年九月、十五か月で完工した。このときも工事は迷うことなくカルロスに発注した。

三期工事は同様の手順を経て二〇〇八年三月に着工、一階の残りのすべてと外壁を修復した。一年後の二〇〇九年三月に完工した。まだやり残しているところはあるが、ここまでで十六年間、修復工事は大方終わったということにする。工事は、この頃カルロスは会社をたたんでいたので、地元のムラトーレ四人でやっているメルカテッロ建設協同組合に発注した。四人ともメルカテッロの住人で、一期、二期の工事のときカルロスの会社で働いて

【2・3・10】ベネシアンブラインドがはまって修復は完了した。道路側から見えるところはすべて古いブラインドを手直しして使った。傷んだ部材を丁寧に修復しているファレニャーメのマルコ・チェザーレ（右）と彼を紹介してくれたフランキーノ。この仕事が年老いたマルコの最後の仕事になった。

【2・3・11】1階奥の半地下にあった葡萄酒醸造作業場を会議室に改修。写真は修復前と修復後。ここには収穫した葡萄を道路から直接投げ入れる小窓が付いていて、土間の湿気がワインの貯蔵に最適な環境をつくっていた。会議室正面の石積み壁は漆喰仕上げとし、その他は既存の構造壁と煉瓦ヴォールトの目地を修復してそのまま現（あらわ）しの仕上げとした。床は湿気対策の2重床としてその上にモミ材フローリング。

いた。そこで働いていた若者たちが一人前になって自分たちの協同組合をつくったのだ。

修復工事の概要は［表2・3・1］の通りである。

■修復デザインと建築家のアイデンティティ、豊かな建築

日本では文化財の修復にあたるような作業を、イタリアでは普通の町家でやっている。まだ使えるから「もったいない」というのではなく、「勿体ない（身に過ぎておそれ多い）」の本来的な思いがそこにはある。時代を経たモノが持つ風格、品位を尊ぶ気持ち、それをつくった人、使ってきた人々への「敬いと畏敬の念」がある。

住宅の寿命は三十年、というのが何の根拠もなく日本では広まっている。中古住宅の銀行融資の担保価値は低く、中古住宅の市場はほかの先進工業国と比べると話にならないく

【2・3・12】修復後の室内。①3階アトリエ、②2階居間、③2階書斎、④1階ギャラリー。梁、天井はすべて構造材そのままの現し仕上げ。壁は漆喰、床の煉瓦はすべて再利用。

らい低調だ。この話になると必ず、二十年ごとに建て替える伊勢神宮に代表される日本の「新築文化」根拠論が出てくる。しかし我々日本人は古さを尊ぶ、「侘び寂び」の、世界に誇るべき茶の文化を持っている。そして省資源、省エネルギーの現在の課題に我々は直面している。古さを慈しむ日本の文化を、今一度私たちの生活の中に取り戻したいものだ。

修復を始めたとき私は、前に書いたように、鋭く研ぎ澄まされた金属性の階段手すり、軽快な間仕切壁、フラッシュドア、シャープなドアハンドル、緊張感のある平滑な床、白い壁。そんなデザインを意図していた。工業製品の持つ明快な緊張感をこの年を経た家屋の内に持ち込むことによって、私自身の個性的な空間をそこに創り出せると考えていた。

このような私のデザインの意図はメルカテッロの家に立ち向かったとき、すべてがもろくも崩れ去ってしまった。手すりもドアハンドルもフラッシュドアの設計図も、すべて無用になってしまった。「ここにはもっと美しいものがある」と家は私に語りかけてきた。私は私の家が持つそれ自身の美しさと力を発見した。私が当初意図したデザインはついにそれを超えることができなかった。そうして仕上がった家の内に立ったとき、この空間はやはり私自身の空間だと今は思う。家が私の体内で眠っていた私の感性を呼び起こし、目覚めた私の感性が家の隠された美しさと力を引き出したのだ。その美しさは今や私自身が生み出した美しさであると言える。時間や場所と対話する中から生まれるデザイン。そのようなデザインと建築の豊かさがあることをメルカテッロで学んだ。

【2・3・13】貧相な鉄の手すりは背景と一緒に眺めるとその貧相さに味があることに気づいた。

【2・3・14】530年前の建具と思われる扉。古い塗装とこびりついた垢をサンドブラストで吹き飛ばした後、サンダーで滑らかにしてクリア塗装の生地仕上げとした。古い蝶番と把手と鍵はそのまま残している。

【2・3・15】1階から2階へ上っていく階段。ここは古いものと新しいものが溶け合うように混ざっている。すり減って滑りそうな石段、取り替えて組み直した新しい石段。グラインダーで磨いた古いレンガ床。古い石組壁と白一色の新しい漆喰壁。ペアガラスの新しい建具。古い素材と新しい素材が現代の感覚で溶けあう、修復でしかできない新旧の「カクテルデザイン」を私はここで会得した。

【2・3・16】2階奥の暖炉の部屋をダイニングキッチンに改修。
木の梁、根太、天井煉瓦はショットブラストで煤と垢を吹き飛ばした後、木部殺虫剤塗布、クリア塗装。壁は白漆喰仕上げ。正面の既存暖炉は地元産の砂岩（ピエトラ・アレティーナ）を積んだもの。
修復前の暖炉部屋。壁も天井も床も建具も長年の煤煙と埃にまみれている。窓枠は貧相で頼りない。
執念で磨いた床の古煉瓦。我が家を訪ねたイタリア人は皆その美しさと磨きの根性を絶賛する。

【2・3・17】外壁の修復工事は古い目地モルタルを掻き出した後に新しいモルタルを圧搾ポンプを使って注入する。さらに鏝（こて）を使って十分に押し込んだ後、半乾きのモルタルをワイヤーブラシで掻き落とし、水洗いして仕上げる。石や煉瓦を積んだ壁をそのまま仕上げとして残すことはどこであっても許される。その上にモルタルを塗る壁仕上げは、従前の色、場所に限って許される。

【2・3・18】ヤンキーどもの密かなたまり場になっていたと思われる部屋が、東南の角から明るい陽が差し込んでくる我が家の取っておきの客間になった。開口を下に30cmほど広げたのは厳密に言うと違反。表の通りからは見えない裏庭に面している窓だからということで見逃してもらっている。

【2・3・19】暖房は各部屋に設置した温水のラジエーターを使うが、暖炉で薪を焚くと身体だけでなく心も温かくなる

インタビュー⑫

アドレアーノ・グエッラ

Adreano Guerra（ムラトーレ・大工、あだ名はヴォルペ＝狐）

「いい家だろう。自分で建てたんだ」

記録はアドレアーノと筆者が交わした会話に補足資料を加えて、それをすべて彼の言葉として編集した。したがってアドレアーノの名前を借りた筆者の作文である。内容に誤りがあればそれはすべて筆者の責任に帰する。

今は妻のルチアーナと二人暮らしだ。ルチアーナは今も美人で優しくてしっかりしてて、俺は幸せ者だよ。静かに暮らしてる。よく働いたからなあ、でも体を動かすのが好きだから、今も働いてるよ。年金生活だから働いちゃいけないんだけどどうしても働いてしまう。

自分たち二人と、息子と娘の家族の役に立つ程度の仕事ならしてもいいんだよ。自給自足程度ならいいけど、稼ぐほど働いちゃいけないってことだな。

息子のファブリーツィオと、娘のミレーナの部屋はそのまま取ってある。帰ってきたらいつでもそこに泊まれるし、二人の孫も泊まれる。余分の部屋がほかに二つあるし、トイレや浴室もそれぞれについているから、みんなが一緒に集まっても少しも困らない。

普段は広めの台所で何でも済んでしまう。ここにも薪の暖炉をつけている、火を見てると落ち着くからね。だから居間は間が抜けたみたいにいつも空いているよ、表の庭が眺められて明るいから気に入ってるんだ。この家は基礎工事から内装まで全部自分でやったんだ。本職だからね。

建ててから三十年以上たつけど新築みたいに見えるのは、ルチアーナがいつも隅から隅まで磨き上げるからだよ。俺も何かと手を入れて直したけどね、タイルを張り替えるとか。

裏庭は果樹園と野菜畑にしてる。そこにも炉をつくってるから肉を焼いたり、料理したりできる。夏はよくルチアーナと二人で外で食べるんだ。彼女は料理がうまいんだよ、今も隣町のサン・タンジェロ・イン・ヴァードのホテル、サンタキアラのキッチンで働いているんだよ。

裏庭からは半地下のガレージと仕事場に入れる。広い仕事場だろう、何でもできる。ここにもちょっとした流しとガスコンロをつけている。仕事の合間にコーヒーを飲んだり、ひと休みするのに要るんだよ。

車は山道に入れるスズキの四輪駆動だ。街に行くより、山に行くほうが多いんだ。三つ子の魂というやつだな。ルチアーナもそうだよ、田舎育ちなんだ。だから街の外に住んでるんだ。

家は自然エネルギーでまかなってるよ。半地下の炉で薪を焚くとその熱が家中を回るようにしたんだ。だから暖房は薪で済んでしまう。ガスボイラーを使うのは結局、給湯だけになるね。

薪がたくさん積んであるさ、すごい量だろう、町の連中にも分けてあげる。それでも余った分は外の庭に積んでる。自分で山を伐って取ってくるんだ。母親から相続した山だよ。

炭も焼くんだよ。ムラトーレをやめてから炭焼きの本職に教えてもらってるんだ。これがまた楽しいんだ。やることはいっぱいあって、毎日忙しいよ。

ここは一九六〇年代に開発した住宅地の東の端だから、周りは空き地ばっかりだ。その向こうの林はいつ着工するか全く見当もつかない町の公園用地。その向こうは山。おまけにお隣の家主は、女一人でスイスに住んでる。彼女の最初の夫がメルカテッロ出身だったから、帰って来るときのために二戸続きの三階建てを一緒に建てたんだけど、その夫は亡くなったし二番目の夫も亡くなった。彼女ははるか南のレッチェの町の出だからもう帰って来ることはないね。だから隣の庭も拝借して余裕の果樹園、農園を維持してるってことだ。俺は生まれが百姓だから畑にいるときが最高にいい気分だよ。

親父のトマーソは小作農で八人の子持ちだったから働き通しだった。俺より背は低かったけど胸周りは俺より大きかったな。一五〇センチ近かったかもしれない。がっしりしてた。その体は俺も受け継いでるし息子のファブリーツィオもそうだ。なのに俺が二十歳のときに親父は死んだよ。もうちょっと生きててほしかったな、働くばっかしだったからね。

俺は八人兄弟の末っ子だ。末っ子だからって甘やかされたわけじゃない。俺もよく家の手伝いをしたよ。あの頃はみんな働いたんだ。日本だってそうだろう。歩けるようになると働くんだ。羊の番をしたり、水を汲んできたり、薪を揃えたり、畑仕事ももちろんやる。家中みんなで働いた。

母親は男の子六人、女の子二人を育てたんだ。優しかったけどよく叱られて怖かった。母はアメリカのシカゴ生まれで小さいときに両親と一緒に帰国したんだ。俺がこの家を建てる一年前にメルカテッロの家で亡くなった。だから墓はメルカテッロにある。

俺は戦争が終わる前の年に生まれたから戦争直後のことはよく憶えてないけど、ひもじい思いをしたことはなかった。貧乏でも百姓だから、何かしら食べるものはあったんだろう。

長男のドメニコは戦争が終わったとき十七歳だったから兵隊にはとられなかった。親父も四十歳を超してたから兵隊に行かずに済んだ。

町はドイツ軍が占領してたけど、町から五キロ以上離れた山の中のカ・メイという、石造りの家が集まってる六家族ほどの小さな農家集落に住んでたから、これも影響なかった。

小学校は集落まで先生がやって来るんだ。農家の納屋を使って、二〇人ばかりの子供たちをまとめて、一年生から五年生まで全部一緒にして教えるんだ。授業は午前中だけ、午後はみんな家に帰って働くのさ。妻のルチアーナも同じようなもんだ。十歳年が離れてるけど、彼女が小学生の頃も先生のほうが集落までやって来て教えてくれた。

子供が大きくなると食べる量も増えてくるから、それまでの小作地では食べていけなくなってきたんだろう、親父はもっと大きな農地を借りられるウルバーニアに引っ越すことにした。メルカテッロの隣の、その隣の町だ。東へ一五キロほど行ったところだ。

兄たちが十分働ける歳になってたから、少しは生活にも余裕があった。小学校の後半はウルバーニアで終わったんだ。その後は家の手伝いをしながら一年間夜間学校に行ったけど、学歴としては小学校卒ということになるね。ずっと家の農作業を親父と一緒にやってた。兄たちは家を出て外で働いたりもしてたけど、俺はまだ小さいから家の仕事を手伝ってた。

夜が明ける前から日が暮れるまで、畑で働くんだ。トラクターはまだないから、牛に鋤をつけて引かせるんだ。日本みたいに水田じゃないから、地面は大きくうねって傾いてる。

荷車を引くときにはひっくり返らないように、丘の斜面の上のほうからみんなでロープで引っ張って、バランスを取りながら牛に引かせるんだ。

十四歳のときに三度目の引っ越しで、隣町のサンタンジェロ・イン・ヴァードに移った。家はやはり小作農だったけど、この頃から多くの農家が農業をやめて町の工場に働きに行くようになってきた。

メッツァドゥリアというイタリア独自の折半小作農業がやっていけなくなってきたのがこの頃からだ。俺が百姓でなくムラトーレになったのも、元はと言えばそのせいだな、でも、ムラトーレになるのはまだまだ先のことだ。この頃から俺の流浪の生活が始まるんだ。

十六歳で家を出てラヴェンナの町の近くのサン・タルベルト村の大きな農家で家畜の世話をした。あの地方は美味しいハムやチーズをつくるんだ。その仕事を手伝った。二年で見切りをつけてスイスに行った。イタリアで働く三倍は稼げると聞いたからね。

スイスのルツェルン湖に近いホッホドルフの町の建設会社で働いた。まだムラトーレというほどの仕事じゃない、雑用係みたいな下働きだったよ。一時間四スイスフラン（二・七ユーロ、三八〇円）だった。チューリッヒの近くの建設会社でも働いた。

九・十・十一の三か月だけ酒造会社で働いたこともある。ヴィーノ（ワイン）のほかにグラッパ（ブランデーの一種）や、リキュールもつくる会社だった。この頃に親父が亡くなったんだ。葬式は隣町のサン・タンジェロの教会でやった。今は母と一緒にメルカテッロの墓に眠ってる。

二十歳で兵役に就くためにイタリアに帰ってきた。

年金支給の計算書を見て分かったんだが、九十三週間スイスで働いたことになってたな。ほぼ二年間スイスにいたことになる。だから今は月に二七スイスフラン（一八ユーロ、二五〇〇円）スイスから俺のところに律儀に年金を送ってくるよ。

ドイツ語圏だったけど、ずっとイタリア人の仲間と一緒に暮らしたから何も不自由しなかったね。少しはドイツ語も話せるようになってたけど、今はすっかり忘れてしまった。

兵役はフィレンツェの西三〇キロのピストイアの町だった。それまでに比べると安定した楽な生活だったな。寝るのも食べるのも着るのも全部保障されて、その上給料ももらえる。

工兵だったからここで少しだけムラトーレに近づいた。兵舎が建てられてて、そこに電気の配管をするんだ。今やってるみたいに壁に埋め込むんじゃなくて、壁に沿って配線する、そのための管を必要なところに付けていくんだ。配線の電気工事は技術が要るけど、配管はそんなに難しい仕事じゃない。

一九六五年、二十一歳で一年間の兵役を終わってメルカテッロに帰ってきた。そして母のセラフィニーダと一緒にメルカテッロの家に移り住んだ。母の実家はいくらか土地や家作を持ってて、母は二人の姉妹でそれを相続したんだ。メルカテッロの家もそのひとつさ、七月二十八日通りのあんたの家の近くで、通りに面して共同井戸のある家だよ。そこに住んだんだ。

帰って来るとすぐにフェルミニャーノの町の電気工事会社、レオ・ルーチェに就職した。そこで軍隊で覚えた電気の配管工事をやったんだ。道路沿いの街灯のための配管工事をやった。これが良かった。そこでルチアーナに出会ったんだ。

彼女の家の前で工事してたんだ。一目惚れだよ。猛烈にアタックしてやっと「うん」と言わせたんだ。結婚したのは二十四歳だった。彼女は十四歳。今だったら法律で許されない歳だね。ルチアーナが住んでた村サン・タンドレア・イン・コロンナは俺の生まれた集落よりは倍くらい大きい集落だったけど、やっぱり同じような山の中の農家集落だ。

今は誰も住まなくなって、家も崩れてしまってる。当時はまだ集落の中にオステリア（酒場）もあったし、神父が住んでる教会もあった。その教会で結婚したんだ。

しっかり稼げる男にならなくちゃならない、と思ってメルカテッロのジーノ・マッツァンティがやっていた建設会社に転職した。だからジーノが俺の仕事の師匠ということになるな。すぐにムラトーレになって猛烈に働いた。母親の家を分けてもらって二人だけの所帯を持った。間もなく長男のファブリーツィオが生まれて、その二年後に長女のミレーナが生まれたんだ。

ルチアーナは十代で二人の子供を生んでしまった。だから今でも若くて綺麗なんだ。

ムラトーレは建築工事の大事なところを全部やるんだ。日本で言えば大工ということになるのかな。大工が主に扱うのは木だそうだけど、こっちはもっぱら石や煉瓦という違いはあるけどね。木製の間仕切壁をつくるんなら、煉瓦を積んだほうがずっと安いし、早い。

最近では鉄筋コンクリートの建築工事が増えてきたけど、それももちろんやる。

鉄筋を組むのも、木でコンクリートの型枠をつくるのもムラトーレだ。大きな工事だと型枠をつくるのはカルペンティーナ（建築の木工事を専門に行う職人）がやるけど、ここでは俺らが全部やったよ。とにかく家の形をつくるのは全部ムラトーレだよ。

こっちの家は壁は石や煉瓦を積むけど床や屋根は基本的に木造だ。教会でも天井を見上げると大きな木の梁が渡されているのが見えるだろう、あれはカルペンティーナの仕事だ。だけど普通の家の梁や屋根はムラトーレがやる。松とか、樫の木、モミの木をよく使う。栗なんかは強いねえ。

壁の中だって、扉や窓などの開口部の上にまぐさと言って、上の壁を支える部材が要る。これにも木を使うことがよくある。木だって何百年ももつから、石と一緒に使って何の問題もない。石積みだってほっとくとつなぎのセメントが弱ってくるから、結構手入れが必要なんだよ。そのときに木が混じってたら一緒に手入れするんだ。木造だろうと石積みだろうと同じさ、手入れさえすれば建物はいつまでも使えるよ。ムラトーレと大工の仕事は決してなくならないよ。

木を使う細かい仕事はこっちではファレニャーメがやるんだ。日本で言うと建具屋、家具屋、指物師それに大工を一緒にしたような職人になるらしいけど、窓や扉は彼らが枠ごとつくってきて壁にはめ込むんだ。

日本では壁を塗るのは左官の仕事で、大工の仕事じゃないそうだけど、ムラトーレは壁を積んだ後の仕上げの壁塗りも床塗りもタイル張りもやる。日本の左官の仕事は全部ムラトーレの仕事だよ。

俺がムラトーレになった一九六〇年代末頃は、イタリア中が建築ブームだった。日本の高度成長と同じだ。奇跡の経済成長と呼ばれた時代だ。メルカテッロでは古い、汚い街の外側にどんどん清潔で明るいモダンな家を建てたんだ。

小学校も街の外に、大きなガラス窓の付いた立派なものを建てた。街が三倍くらいに膨らんで、いくらでも仕事があった。土曜も日曜もなかったね、夜も遅くまで働いたよ。

仕事は親方のジーノのやり方を見ながら覚えていった。今は専門高校で教えるし、そこを出てムラトーレになるんだけど、その当時は何でも自分で経験しながら仕事を覚えていったんだ。

俺はムラトーレの仕事が好きだったから、どんどんいろんな仕事を身につけて、間もなく四、五人の部下を使うカーポムラトーレ（大工頭）になったよ。

一九八四年、俺が四十歳のときにジーノが亡くなって会社も解散したから、メルカテッロのもうひとつの建設会社、バルトルッチのとこで働くことにした。今の社長のカリートの父親がアルゼンチンから戻ってきて始めた会社だ。引退して年金生活に入るまで、そこでカーポムラトーレとして働いたんだ。

バルトルッチのところでは、世の中も落ち着いてきたから建物のレスタウロ（修復）、レクーペロ（再生）の仕事が増えてきた。街中の古い家に手を入れて、新しく住みやすくする仕事が出てきたんだ。どっちかというと、そんな仕事のほうが俺は好きだった。ムラトーレの熟練した技術とセンスが求められるんだ。あんたたちの家の仕事もその頃に始めたんだな。

メルカテッロで一番大事なパラッツォ・ドゥカーレ（公爵邸）、パラッツォ・ガスパリーニ（ガスパリーニ家の館）の仕事ができたのは良かった。自慢の仕事だ。床の煉瓦も正確に、丁寧に敷いた。石の仕上げも綺麗だろう。木の細かい仕上げではファレニャーメにかなわないけど、石でなら同じくらい細かい仕事を俺も仕上げるんだ。

バルトルッチのところは従業員が一八人もいる大きな会社だった。ムラトーレが十人以上いた。ルイージも、シルヴァーノも、ダヴィデも、ジョルジョも、ピエルパオロもそのときの仲間だ。みんな今は一人前になって、建設協同組合をつくって手広く仕事をしている。

息子のファブリーツィオは俺と一緒に働いて一人前のムラトーレになった。近くに新しい家を買ってエンネリーカと一緒に住んでる。内装は自分たちでやって、たいそう気に入ってる。まだ庭までは手が回ってないけど、少しずつやっていくのがいいんだ。あいつもずいぶん大きな家に住んでるんだからいい加減に孫をつくればいいのにと思うよ。

娘のミレーナは隣町のボルゴパーチェに住んでる。こっちは孫が二人できて順調だ。亭主のマウリーツィオはブッチのバスの運転手だ。毎日メルカテッロを通って往復してるバスだよ。

ボルゴ・パーチェは六百人しか住んでない、その名の通り「平和な村」で、実にのどかだ。よくお祭りをやってみんなで楽しんでるいい町だ。近くにゴルフ場をつくる話も進んでる。そのままゴルフ場にしてもいいような、緑が美しい町だ。

この辺りの山や畑はどこへ行っても美しいよ。俺たちが子供の頃とは畑の仕事の様子はずいぶん変わったけど、山の形と空気は変わらない。美しい緑と土や石の匂いも変わらない。俺もルチアーナも山育ちだからそれが嬉しいんだ。

【註】

第1章

[註1・1・1]ムラトーレ muratore
直訳すると石積みの壁職人。日本だと左官職人ということになるが、組積造の建築では設備工事、建具・家具工事、塗装工事以外のほとんどすべての工事がムラトーレの仕事になる。したがって日本の木造建築における大工職に相当する。

[註1・2・1]ウルビーノ大学で教鞭をとっている地理学者のオリヴィア・ロッシと美術史とランドスケープの学者ロゼッタ・ボルキアの共同研究がそのことを明らかにしている。二〇一五年五月に二人の研究の成果をメルカテッロで聴くセミナーが開かれた。四〇人ほどの聴衆が熱心に、嬉しそうに話に聞き入った。板絵は現在フィレンツェのウッフィツィ美術館にある。

[註1・2・2]イタリアでは伝統的に建物は互いに境の壁を共有して連続して建てられる。建物の間に隙間は一切ない。しばしば一つの街区が一つの建物になってしまう。道路に面する限られた空間を有効に使う必要から生まれた合理的な建て方だ。都市文明の国イタリアではこれが建築の原型だ。地中海世界、ヨーロッパなど都市文明をもとにした旧大陸の国々に共通する建築の在り様だ。一方、日本では京都などの町家にこれに似た建て方が見られるが、一般的には隣との間に隙間がある。庭があってその中に家が建つのが日本の建築の在り様だ。空間に余裕がある村落の庭付き一戸建てが日本の建築の原型だ。

[註1・2・3]コムーネ comune
中世の地域共同体が自治都市(コムーネ)を形成し、それが現代の基礎自治体(コムーネ)につながっている。行政の最小単位であり、民主主義社会を構成するうえで市民に最も近い行政組織として重視されている。単純に組織として見れば日本の市、町、村に当たる。

[註1・2・4]メルカテッロは二〇〇七年、コムーネ誕生七百五十年を祝った。このときの市壁で囲まれた市街地がメルカテッロのチェントロ・ストーリコ(歴史的中心市街地)だ。その市域は今もほとんどそのままの形で残っている。詳しくは1-8メルカテッロ・スル・メタウロの歴史を参照。

[註1・2・5]駅や駐車場におけるエレベーターやエスカレーターの設置、交差点の歩道と車道の段差をなくす構造、できるだけ平滑な石の舗装、点字ブロックの設置、などがイタリアの都市でもかなり普及した。しかしいずれも日本ほど行き届いた対応はなされていない。技術的、物理的にバリアフリーにする日本の部分的な対応よりも、街全体を誰もが歩きやすい歩行者優先の街にする、都市計画としての対応が重視されている。自動車の進入を厳しく制限することで、歩道と車道の区別もなく、障害者も子供もお年寄りも歩いて、車椅子で、そして自転車で、安全に楽しくゆっくりと過ごせる町づくりが進んでいる。

[註1・2・6]詳しくは2-1・戦後の復興、奇跡の経済成長を果したイタリアと日本、2・戦後システムの再構築に舵を切ったイタリアを参照。

［註１・３・１］ ビステッカ（ビーフステーキ）祭り
この地方の牛肉の美味さには定評がある。ビステッカ・フィオレンティーナ（フィレンツェのビーフステーキ、超名物料理）で知られるアペニン白毛牛の肉をここでも産していて、白い大きな牛の群れが丘陵地に放牧されているのを見ることがある。毎年八月中旬の土曜日にはその牛肉を炭火で焼いて食べる夕食の宴が広場で開かれる。大きな骨付きの肉を目の前で切り分けてくれる。町おこしＮＰＯの「ＰＲＯＬＯＣＯ（プロ・ローコ）」と畜産組合が主催する。バカンスで帰省した家族や隣町の親戚や知人もやって来て、大賑わいのお祭りになる。
［註１・３・２］ パーリオ・デル・ソマーロPalio del Sornaro（ロバの競馬）
メルカテッロの町を四つの地区に分けて競うソマーロ（ロバ）のパーリオ（競馬）。トスカーナ州、シエナのカンポ広場で年二回開かれるパーリオは本物の馬が走る勇壮な祭りで有名だが、それをロバでやろうという、ミニチュアのパーリオといったところ。それに合わせて、腕自慢の女性による手打ちパスタの競争もある。まだ二十年の歴史しかないが、今や町で一番人気のお祭りとなった。
［註１・３・３］ ブオンアッペティートbuon appetito
直訳すれば「良い食事」。食事を始めるときの「いただきます」、そして食前に別れるときの「さようなら」の挨拶でも使われる。日本の「いただきます」はほぼこれに近い感じで違和感がないが、「さようなら」の代わりに「良い食事でありますように」と言うのは、いかにも食事を大事にするイタリアならではと思わせる。
［注１・５・１］イタリアでは市街地の道路、広場など公共空間の自由な使用が市民の権利として認められており、市長がそれを保証する。日本では道路を所有している国、県、市町村などの役所が道路法に従って維持、管理している。同時に国の警察庁の下、各県の警察署が道路交通法に従って道路の使い方を規制、管理している。いわゆる縦割り行政の管理が主で、市民の道路使用の自由は極めて限られている。
［註１・７・１］ フォリーア・メタウロ・チェザーノ川流域土地改良協同組合 Metauro e Cesano Archivio 2002 Consorzio di Bonifica dei Fiumi Foglia 所収の「記録二〇〇二年」に基づく概算。
［註１・７・２］ メッザドゥーリア Mezzadria（折半小作制度）
農地から得られる収入を地主と小作人で折半する中世以来の制度。一九五〇年代後半からの都市への人口移動に伴って制度は成り立たなくなって、今は少数の農家による近代的な農業経営に変わっている。メルカテッロの教区教会管轄の地主、小作人の数は、一八六〇年の住民台帳によれば大地主の家が一三、小作または日雇労働の農家が四二と記されている（昨日のメルカテッロ 写真で見る一〇〇年"IERI A MERCATELLO-CENTO ANNI DI FOTOGRAFIE" PRO-LOCO DI MERCATELLO SUL METAURO. 1983）。ここでカウントされている農家は親子兄弟が一緒に働く大家族の農家の数である。
［註１・７・３］ アグリトゥリズモ agriturismo
農家が経営する宿泊施設（食事の提供も可）。政府の資金援助や有利な税制度によって農業経営を側面から支援するのが本来の目的でつくられた制度。州ごとに規定は異なるが、一般にはアグリトゥリズモの収入は農業経営を含む全体の収入の半分を超えてはならな

い決まりがある。現在普及しているアグリトゥリズモは、農業経営とはほとんど無関係の快適な田舎のレストラン付き宿泊施設になっている。

［註1・7・4］ファレニャーメ faregname

家具・建具職人。日本ではアルミサッシの建具が多く普及しているが、イタリアでは木製の窓やドアが今も多く使われており、その修理の需要も多い。それらの仕事は大きな会社の工場で大量にまとめて生産するには不適で、各地のファレニャーメが工場を構えてひとつひとつの窓に対応している。多くは家族経営か、それに数人の雇い人を加えた規模で経営されている。建具の建て付けに際しては枠の取り付けなど、日本では大工さんがやるような工事もファレニャーメがやる。家具も、イタリアでは木製のものが多く、その製作や修理の需要がある。ファレニャーメは建具と家具の両方を扱う技術を持っているが、多くはそれぞれ得意とするほうに特化している。

［註1・7・5］アッシジ assisi

聖フランチェスコの生誕地で知られる町。スバシオ山の東斜面、標高四二四メートルにあって、人口は二万五〇〇〇人。町は薄いピンクの礫岩（れきがん）を積んでつくられている。町の起源は紀元前一世紀のローマ時代、またはそれ以前にまでさかのぼることができる。一二五三年に聖フランチェスコの修道院が完成して以来、アッシジはフランチェスコ派修道会の本山の町として発展してきた。町の西の端に建てられた巨大な修道院は、その建設現場に各地から優れた職人が集まってその技を競ったことで、ルネッサンス芸術の揺籃地になったと言われている。世界中から観光客がやって来るし、修学旅行の生徒たちもイタリア各地からやって来る。イタリアの風景計画の最も優れた例として知られており、町の全体が世界遺産に指定されている。

［註1・7・6］Corrado Leonardi, Gabriele Muccioli著「GUIDA PER MERCATELLO SUL METAURO」, Comune di Mercatello sul Metauro 刊、1997

［註1・7・7］この地名は、ローマの多くのバシリカ様式教会の小屋組みの梁材（トラーベ trave）として使われたモミの木がこの地の山から伐り出されたことに由来している。伐り出されたモミの木はテーベレ川を経てローマへ運ばれた。

［註1・7・8］メルカテッロから八キロ北の町、現在のサンタンジェロ・イン・ヴァード。

［註1・7・9］メルカテッロから六〇キロ南、ウンブリア州の町、現在のチッタ・ディ・カステッロ。

第2章

［註2・1・1］元町長のパオロ・チンチッラは崩れていくカンパーニャの農家、集落を惜しんで建築家ジョヴァンニ・ガンドルフィの緻密なスケッチ集「メタウロ地方の家々」"Case dell'alta valle del Metauro" Comune di Mercatello sul Metauro, 1989を残した。文人パオロ・ヴォルポーニの添え書きが寄せられている。

パオロの後を継いだ元町長アルフィエロ・マルケッティは「懐かしい時代の記憶」"il girotondo dei ricordi" 2007を書いて自費出版（コムーネが助成）している。

写真・資料集「みんな汗をかいた」"La civiltà che Sudava", Istituto d'Istruzione Superiore "Montefeltro Sassocorvaro-PU, LiberEta 2007にはたくましく生きる当時のこの地方の人々の生活が詳しく記録されている。

［註2・1・2］JUDI公募型プロジェクト2014−2015報告「歩行者空間による中心市街地の構成」http://www.judi.gr.jp/archives/project/2015-02.pdf を参照。

［註2・1・3］　都市住宅7607 特集−都市の思想の転換点としての保存−イタリア都市・歴史的街区の再生（責任編集＝マルチェッロ＝ヴィットリーニ、編集協力＝陣内秀信）を参照。

［註2・2・1］　大久保規子、「持続可能な発展と欧州景観条約」、公営企業二〇一〇年二月号を参照。

［註2・2・2］日本の場合の国、県、自治体の財政負担の内容と割合がイタリアの場合とは異なるから単純に金額だけを比較するのは無意味だが、平成二十五年版地方財政白書によれば、日本の人口一万人未満の規模の町村の一人当たり財政規模（二〇一一年度歳出）の平均は八四万円。

［註2・3・1］旧市街再生の目的に関しては、再生の意義を明快に的を絞って提示している第二次の地区詳細計画を引用している。

［註2・3・2］　建築工事の種別は、実績を踏まえて簡明に整えられた第三次の地区詳細計画の種別を紹介している。

［註2・3・3］　現行の地区詳細計画で最重要にランク付けされている建物等は以下の一二件。

サン・フランチェスコ教会、教区教会、サンタ・キアラ教会、サンタ・クローチェ教会、モンテ・ディ・ピエタ礼拝堂、公爵邸、ガスパリーニ邸（現文化センター）、ファッブリ家居館、城砦の氷室、メタウロ市門、ローマ橋、一部の市壁

［註2・3・4］現存する都市や建築の構造や形を観察し、古地図や古文書なども手掛かりにして歴史的にその形成過程を把握する手法。ヨーロッパの都市計画、都市デザインでは欠かせない実践的な手法になっている。私はフィレンツェ大学教授Edoardo Dett研究室による「Città murata e sviluppo contemporaneo」（一九六八年）によってそれを学んだ。日本では陣内秀信著『都市を読む＊イタリア』（法政大学出版局、一九八八年）によって視野広くかつ具体的に紹介されたが、残念ながら都市、建築のデザインの現場で生かされるほどには未だ認知されていない。

［註2・3・5］ここではモルタルと言っておくが、現場ではイントーナコintonacoと言う。石積みの間に詰めて壁を固めたり、表面に塗って平らにしたりするときの材料。かつては石灰と砂を混ぜた充填材（スタッコ）だったが、現在はセメントと砂を混ぜたセメントモルタルが使われている。どちらも最終仕上げには石灰を塗ることが多く、下地とも合わせてスタッコ（漆喰）仕上げと呼ぶ。

【参考文献】

第1章

Vero Baldeschi Alfiero Marchetti Flavio Muccioli Alfiero Tomassini Associazione ICO-FLASH Paolo Cincilla Gilberto Grilli, IERI A

MERCATELLO CENTO ANNI DI FOTOGRAFIE, Associazione Pro-Loco Mercatello sul Metauro, 1983
Corrado Leonardi Gabriele Muccioli, GUIDA PER MERCATELLO SUL METAURO, Mercatello sul Metauro Comunità Montana dell'Alto e Medio Metauro Fondazione Casa di Risparmio di Pesaro, 1997
Fabio Bricca, Monica Ugoccioni, Processione, Grafica Vadese
Progetto Servizio Civile Nazionale, IL PAESE DELLA MEMORIA: Tradizioni e Religiosità, Mercatello2007/2008
蔦谷栄一、「オーガニックなイタリア農村見聞録　地域への誇り高き国に学ぶ」、家の光協会、二〇〇六
ジーノ・ジロロモーニ著・目時能理子訳、「イタリアの有機農業の魂は叫ぶ－有機農業協同組合アルチェ・ネーロからのメッセージ」、家の光協会、二〇〇五
関満博、「『農』と『食』のフロンティア－中山間地域から元気を学ぶ」、学芸出版社、二〇一一
宗田好史、「なぜイタリアの村は美しく元気なのか　市民のスロー志向に応えた農村の選択」、学芸出版社、二〇一二
法政大学デザイン工学部建築学科陣内研究室、「オルチア川流域まちと田園の形成に関するフィールド研究」、二〇一二
ジョバンナ・デル・ジュディーチェ著、岡村正幸監訳、小村絹恵訳、「今すぐ彼を解きなさい－イタリアにおける非拘束社会への試み」、ミネルヴァ書房、二〇一〇

第2章

Corrado Leonardi Gabriele Muccioli, GUIDA PER MERCATELLO SUL METAURO, Mercatello sul Metauro Comunità Montana dell'Alto e Medio Metauro Fondazione Casa di Risparmio di Pesaro, 1997
Comune di Mercatello sul Metauro, Case dell'alta valle del Metauro, Tipo-litografia Grafica Vadese, 1989
ISTITUTO DI ISTRUZIONE SUPERIORE "MONTEFELTRO" SASSOCORVARO-PU, La civiltà che Sudava, Libretà SpA 2007
Alfiero Marchetti, il girotondo dei ricordi, Grafica Vadese 2007
Programma di Fabbricazione di Mercatello sul Metauro, 1972
Piano Regolatore Generale di Mercatello sul Metauro, 1996
Piano Regolatore Generale di Mercatello sul Metauro, 2006
Statuto Comunale di Mercatello sul Metauro, 2000
Comune di Mercatello sul Metauro, Piano Particolareggiato del Centro Storico, 1980
Comune di Mercatello sul Metauro, Piano Particolareggiato del Centro Storico, 1988
Comune di Mercatello sul Metauro, Piano Particolareggiato per il Centro Storico, 2012
Comune di Mercatello sul Metauro, Piano Particolareggiato del Castello della Pieve, 1992
Comune di Mercatello sul Metauro, Piano Particolareggiato del Castello della Pieve, 2008

宮脇勝、「イタリアの法定都市計画と風景計画の展開」、東京大学博士論文、一九九五
宮脇勝、「イタリア第三世代の景観計画と景観保護における国の役割に関する研究」日本都市計画学会都市計画論文集 Vol 53 No3 、二〇一八年一〇月
工藤裕子、「イタリアの地方制度をめぐる最近の動向－二〇〇一年憲法改正後の展開と新たな憲法改正に向けて」、自治体国際化協会、二〇一四
工藤裕子、「イタリアの地方制度と分権政策－州の変遷と二〇〇一年憲法改正」、自治体国際化協会、二〇〇九
工藤裕子、「イタリアにおける国と地方の関係」、自治体国際化協会、二〇〇八
工藤裕子、「イタリアの地方自治」各国の地方自治シリーズ第一四号、自治体国際化協会、二〇〇四
岡本裕豪、頼あゆみ、柴田翼、「EUにおける都市政策の方向とイタリア・ドイツにおける都市政策の展開」国土交通政策研究第一六号、国土交通省国土交通政策研究所、二〇〇二
国土交通省国土計画局、「平成十九年度諸外国の国土政策分析調査（その4）－イタリアの国土政策事情－報告書」、国土交通省国土計画局、二〇〇八
工藤裕子、森下昌浩、小黒一正、「主要諸外国における国と地方の財政役割の状況」報告書－第八章イタリアにおける国と地方の役割分担、財務省財務総合政策研究所、二〇〇六
N・オットカール著、清水広一郎・佐藤真典訳「中世の都市コムーネ」歴史学叢書、創文社、一九七二
ピエール・ルイジ・チェルベッラーティ著、加藤晃規監編訳、「ボローニャの試み－新しい都市の文化」、香匠庵、一九八六
佐藤和子、「ポストモダン社会のデザイン－イタリアのアヴァンギャルド・デザインの根底にあるもの」、女子美術大学博士学位論文、二〇一九
小川秀樹、「イタリアの中小企業－独創と多様性のネットワーク」、日本貿易振興会、一九九八
陣内秀信、「都市を読む＊イタリア」、法政大学出版局、一九八八
野口昌夫、「イタリア都市の諸相－都市は歴史を語る」、刀水書房、二〇〇八
井口勝文・井口純子、「メルカテッロの暮らし」、京都造形芸術大学 東北芸術工科大学 出版局 藝術学舎、二〇一七

あとがき

ガラスで覆われてすべてが機械化され、コンピューターで制御される人工環境都市が日本中に広がっている。自然の雨や風や暑さ寒さに煩わされることのない、快適に空調された住宅、タワーマンション、オフィス、大型店舗、ショッピングモール、アトリウム、フードコート、自動扉とエレベーターとエスカレーターでオートメ化された街。市民のイベント会場は巨大な屋根のドーム空間。温水洗浄便座が並ぶ公衆トイレ、無菌、無臭、清潔でクリーンな街。秒単位で正確に動いている鉄道のネットワーク。歩道には安全柵が張りめぐらされ、高架橋や地下街で繋がる歩車分離の街。

二十世紀末から今世紀初頭にかけて目を見張るような新鮮な都市空間が世界各地で生まれ、日本でもそれがすっかり当たり前の風景になってきた。中国、シンガポール、アラブ首長国連合などの新興国で、新奇さを競うような都市空間が生まれている。日本でも大規模な都市開発が東京都心部で進んでいる。大阪は二〇二五年の万国博覧会、ＩＲ誘致の都市開発を目指している。各地の大都市や郊外でそれに追従する都市開発が進む。大都市中心の傾向は止まることなく、その一方で地方はますます疲弊している。古い街や村は見捨てられても、新しい都市空間が次々に我々の周りに現れる。我々日本人は果たしてこのような生活空間を、心から望んでいるのだろうか。

大都市の市街地から地方の道の駅まで、全てが当然のように統一され、管理されている。これはハイテク日本だからこそつくれた人工環境、見事なハイテク・ロボットシティだ。そしてますます進化している。それを生み出す生活の価値観、ライフスタイルを我々は疑うことなくより確かなものにしている。あまりにも人工的という意味で非常に不健康な都市だが、それが日本の強みでもある。

もしかしたら我々は未来のライフスタイルを世界に提案しているのかもしれない。あえて言えば、そのことを自覚してより積極的にこの方向に進むのが日本のとるべき戦略的選択かもしれない。

その一方で私は、あまりにも完璧に仕組まれた人工環境にしばしば息が詰まる。人は都市の部品に過ぎず親密なコミュニティの存在は感じられない。自分自身の存在すら感じられない。

イタリア、ヨーロッパの都市の主役は今もオープンスペースだ。屋外のカフェで人々が談笑する歩行者中心の街の整備が進んでいる。ミラノなどで見られる大規模な新都市の建設でもそのようなライフスタイルが実現している。親密なコミュニティの存在と屋外のオープンスペースの活用は表裏一体の関係にある。

この話をすると、下町の魅力的な人ごみの賑わいが日本人は好きだ、自然を愛する日本人は自然の風に吹かれ、歩いて楽しいヨーロッパ型の都市が本当は好きなのだと、真面目に反論する人が多い。

そうあって欲しいのだが現実はどの街にも、空調の効いた快適、安全、効率的な室内やアトリウム、地下街、アーケードが揃っている。私たちは屋外のオープンスペースが、自然の雨や風が、親密なコミュニティの交わりが、本当に好きなのだろうか？　それともハイテク・ロボットシティの方が性に合っているのだろうか？私たちにとって豊かな暮らしとは何だろうか？　豊かな町とはどんな町だろうか？メルカテッロはそのことを私たちに問いかけている。

最後に、本書の出版の意図を理解し、貴重なアドバイスを頂いた水曜社仙道弘生社長、的確な編集デザインでまとめて頂いた担当の中村道高さんに心から感謝します。

本書は「メルカテッロの暮らし」（井口勝文・井口純子著、京都芸術大学 東北芸術工科大学 出版局 藝術学舎、二〇一七年）を増補改訂したものである。

同書のイタリア語版、*Mercatello : il Miracolo* (Europa Editori,2021 Roma) の出版に際してメルカテッロの元町長パオロ・チンチッラの監修を得た。その折に貴重な助言と教示を得たことが、今回筆者の単著として増補改訂版を出すきっかけになった。

メルカテッロのすべての人々にこの本を捧げる。なかでも以下の八人の惜しみない協力に心から感謝する

元町長パオロ・チンチッラと奥さんのヴェローニカ・ウゴリーニ。

建築家で旧友のパオロ・スパーダ・コンパニョーニ・マレフォスキ。

コンピュータ・プログラマーのジュゼッペ・チンチッラと奥さんのマルゲリータ・トゥルキ。マルゲリータは40年以上、町の小学校の先生をつとめた。

建設会社の経営者で七〇年代後半に町長も務めたカルロス・バルトルッチと奥さんのアンナ・ロッシ。

36年間メルカテッロの都市、建築の行政に携わってきた技官ダニエル・ルイス・バルトルッチ。彼の協力なしにこの書を書くことは出来なかった。

井口 勝文（いのくち・よしふみ）

一九四一年福岡県朝倉市生まれ。建築家。博士（工学）。イタリア・メルカテッロ名誉市民。九州大学卒業。フィレンツェ大学に研究留学（イタリア政府給費留学）。（株）竹中工務店、ジャンカルロ・デ・カルロ都市建築設計事務所、（株）環境開発研究所を経て、二〇〇〇年京都造形芸術大学（現京都芸術大学）教授、ＩＮＯＰＬΛＳ都市建築デザイン研究所設立。専門は都市デザイン、建築設計。著書に「都市のデザイン〈きわだつからおさまるへ〉」「都市環境デザイン」「フィレンツェの秋」「メルカテッロの暮らし」「*Mercatello : il Miracolo*」など（いずれも共著）。

イタリアの小さな町 暮らしと風景

——地方が元気になるまちづくり

発行日　２０２１年３月28日 初版第一刷
　　　　２０２４年１月16日 初版第三刷

著　者　井口 勝文
発行者　仙道 弘生
発行所　株式会社 水曜社
　　　　〒１６０－００２２ 東京都新宿区新宿１－３１－７
ＴＥＬ　０３－３３５１－８７６８ ＦＡＸ０３－５３６２－７２７９
ＵＲＬ　suiyosha.hondana.jp
装　幀　中村 道高（tetome）
印刷所　日本ハイコム株式会社

ISBN 978-4-88065-494-2 C0052